中小型水电站施工质量控制指南

孙觅博　主编

龙振球　主审

黄 河 水 利 出 版 社

内 容 提 要

本书依据国家及部颁有关水利电力的标准和规范规程，并结合工程特点和实践经验，总结了中小型水电工程的土建工程中施工测量、导流、土石方开挖与填筑、地基处理、混凝土砌石工程及金属结构和水轮发电机组安装中水工金属结构、水轮发电机、电气设备安装制造，水力机械辅助设备和系统管路制造、安装等的质量控制要点。全书层次清晰，内容翔实，重点、要点明确，知识性、技术性强并具有可操作性，是从事水利水电工程建设、监理、施工、质量监督等人员的一部工具参考书。

图书在版编目（CIP）数据

中小型水电站施工质量控制指南／孙觅博主编．郑州：黄河水利出版社，2006.3
ISBN 7-80734-000-2

Ⅰ.水… Ⅱ.孙… Ⅲ.水力发电站-工程质量-质量控制-指南 Ⅳ.TV73-62

中国版本图书馆 CIP 数据核字（2005）第 130861 号

出 版 社：黄河水利出版社
地址：河南省郑州市金水路 11 号　　邮政编码：450003
发行单位：黄河水利出版社
发行部电话：0371-66026940　　传真：0371-66022620
E-mail：yrcp@public.zz.ha.cn
承印单位：黄河水利委员会印刷厂
开本：787 mm × 1 092 mm　1／16
印张：18.5
字数：425 千字　　印数：1—2 000
版次：2006 年 3 月第 1 版　　印次：2006 年 3 月第 1 次印刷

书号：ISBN 7-80734-000-2／TV · 433　　定价：36.00 元

《中小型水电站施工质量控制指南》
编 委 会

主　　编： 孙觅博

副 主 编： 戚世森　王延清

编写人员： (按姓氏笔画排列)

王延清　王银山　申来宾

孙觅博　吕仲祥　严　实

易善亮　高　翔　戚世森

魏扬顺

前　言

2001 年 1 月国务院发布《建设工程质量管理条例》，要求水利工程质量实行项目法人（建设单位）负责、监理单位控制、施工单位保证和政府监督相结合的质量管理体制，各方按照合同管理及有关规定对各自承担的工作负责。在这种新的建设体制中，监理单位根据建设监理制，受业主委托担负着工程项目建设的“三控制、两管理、一协调”的重任，以合同和相关规范为依据，运用经济、技术标准和法律条款确保工程项目承包合同的顺利实施。在监理工程师的“三控制”中，工程质量是根本，也是最重要的一环。为了使广大水利水电工程的建设管理人员、监理人员、设计人员、施工人员全面掌握中小型水电站施工中的国家质量标准、规范规程的要求，更好地控制工程质量，河南省水利水电工程建设质量监测监督站根据水利电力方面国家及有关部委颁布的相关规范和标准并结合工程实践的经验，编制了这本中小型水电站施工质量控制指南，作为监理工程师和从事施工管理的科技工作者参考，也可供广大工程技术人员使用。希望本书的出版能进一步推动我们讲科学、求质量，不断提高主动控制工程质量的自觉性和主观能动性，并能解决实际施工中遇到的问题。

编　者

2005 年 10 月

目　录

第一章　水电站施工工程建设标准的《强制性条文》(水利工程部分)等规范要求

为加强小型水电站的施工技术管理，加快施工速度，达到优质、安全、经济的目的，小型水电站在施工前，应根据批准的设计文件编制施工组织设计。施工中应建立施工质量保证体系，加强质量控制，必须按设计图纸施工，如需修改，应有设计单位的修改补充图及修改通知单。因此，为确保小型水电站的质量，一定要依据工程建设标准《强制性条文》(水利工程部分)(以下简称《强制性条文》)的有关条文对所属的单位工程、分部工程、单元工程分别进行质量控制。

第一节　水工隧洞洞室开挖

在洞室开挖作业时，洞口开挖是一个关键部位。因为洞室的洞口部分均处在山坡上，洞脸部位的岩体稳定与否是洞口可否开挖作业的前提，故施工前须对洞脸岩体进行鉴定，当确认稳定后，方可开挖洞口。如果鉴定结果发现洞脸岩体不稳定，应及时认真采取处理措施。在确认这些措施能保证洞脸岩体稳定的情况下，才能开始洞口开挖作业，并要适当做好排水措施，阻止地表水或雨水沿山体坡面倒流进洞室，以防止冲塌洞口和附近的路基，影响洞室开挖作业的质量和进度。因此，《强制性条文》根据 SDJ212—83《水工建筑物地下开挖工程施工技术规范》第 4.2.1 条、第 4.2.4 条和第 10.2.5 条的规定，对洞室开挖提出以下三点要求：

(1)洞口削坡开挖应自上而下进行，严禁上、下垂直作业。同时，应做好危石清理、坡面加固、马道开挖及排水等工作。

(2)进洞前，须对洞脸岩体进行鉴定，确认稳定或采取措施后，方可开挖洞口。

(3)洞口应根据地形和水文条件，采用经济合理的排水设施，不得使地表水流倒灌入洞和冲塌洞口及附近路基。

第二节　调压井(竖井、斜井)开挖

调压井(竖井)通过不良地质的大断面或因施工需要，可在上室开挖完成后，先进行混凝土衬砌。导井内自下向上钻辐射孔进行扩大开挖，此时需要封闭导井上口，防止物体坠落伤人，同时处理上部围岩。施工程序为：先导井开挖，根据地质条件分段开挖，上部挖一段先行衬砌，待围岩稳定后自下而上扩挖。

竖井、闸门等混凝土衬砌采用滑动模板，可以提高机械化程度、加快施工进度、减轻劳动强度、节约木材。

因此，《强制性条文》根据 SDJ212—83《水工建筑物地下开挖工程施工技术规范》

第 4.4.2 条及 SL172—96《小型水电站施工技术规范》第 15.1 条、第 15.6.1 条、第 16.1.1 条的规定，对调压井、竖井及斜井开挖提出了以下要求。

一、竖井的开挖方法

竖井采用自上而下全断面开挖方法时，应遵守下列规定：

(1)必须锁好井口，确保井口稳定，防止井口上杂物坠入井内。

(2)提升设施应有专门设计。

(3)井深超过 15 m 时，人员上下宜采用提升设备。

(4)涌水和淋水地段，应有防水设施和排水设施。

(5)对Ⅳ类和Ⅴ类围岩地段，应及时支护，挖一段衬砌一段，或采用预灌浆方法加固岩体。

(6)井壁有不利的节理裂隙组合时，应及时进行锚固。

二、调压井的施工方法

调压井(竖井)的施工方法应根据围岩的稳定条件、衬砌结构的型式及混凝土的浇筑方法来确定。另外，施工方法与开挖断面尺寸，竖井上、下通道情况，顶部的结构型式，下部扩大开挖后对上部结构施工的影响以及施工设备等因素有关。

竖井混凝土衬砌分段高度应按下述原则确定：①围岩稳定性差的竖井宜分段开挖、分段衬砌。②衬砌结构型式有变化时，变动处宜分段浇筑。③大断面的竖井采用普通模板浇筑时，浇筑混凝土可根据模板结构型式、拌和及运输能力，分成对称的偶数块浇筑。

三、斜井的开挖方法

斜井的开挖方法应遵守下列规定：

(1)可根据其断面尺寸、深度、倾角、围岩特性及施工设备等条件选定。

(2)倾角为 6°～25°的斜井，可采用自上而下的全断面开挖方法。

(3)倾角为 25°～45°的斜井，可采用自下而上挖通导井，自上而下扩大开挖的方法，并应有扒渣或溜渣措施。

(4)洞的倾角小于 6°时，可按平洞开挖的规定执行；倾角大于 45°时，可按竖井开挖的规定执行。

第三节　钢管的安装及预制钢筋混凝土管

一、钢管的安装程序与要求

(1)在制造及安装的运输过程中，为使钢管不发生变形和破损，当管径较大时，可使用适当的支撑和真圆保持器(如屋形撑架)等进行认真加固。

(2)安装时，将管中心线和中心高程在附近结构物上划出正确的对照点，据此来定中心。先安装弯管，将其固定于镇墩上，并按伸缩节的位置，确定钢管安装顺序。安装时应采取措施保持钢管的真圆，定出中心线后顺次进行单位管段的临时安装和焊接，此时，应注意因焊接顺序的差错和焊缝歪斜造成中心线的偏离。

(3)压力钢管的温度，在过水时会受水及日光直照的影响而发生变形。伸缩节的主要功能，是适应这些温度变化在管轴方面可能伸缩时而不会产生显著的压力。另外，还可调整安装钢管的长度。

(4)钢管的焊接可采用单面焊接，单面焊接有以下优点：①可以减少开挖断面，减小开挖与混凝土的工程量。斜井开挖周边与钢管间距为 40 cm，底部为 50 cm。②单面焊免除了钢管外壁的岩弧气和焊接工作，改善了焊工工作条件，保证了焊接质量。③钢管管槽周边采用预裂爆破，使超挖减少，如有危岩，为了人身安全必须消除，做好排水，以使施工人员有良好的施工环境。

因此《强制性条文》规定，钢管安装前应具备以下条件：

(1)洞内岩石开挖完毕，水平管顶部及两侧宜留 40 cm 净空，底部宜留 50 cm 净空。斜井钢管四周应留有 40 cm 净空，管径小的净空应适当加大。

(2)支持钢管的混凝土支墩或墙具有 70%以上的强度。

(3)钢管四周埋设的锚筋直径不小于 20 mm，埋设孔内的砂浆应具有 70%以上的强度。

(4)钢管管线开挖应符合设计，管槽周边应采用预裂爆破，清除危岩，做好排水和边坡处理措施。

二、预制钢筋混凝土管

考虑到管道运输和安装，预制钢筋混凝土管一般长度不超过 5 m。管节的接头型式优先采用承插式管，这种接头型式施工方便，能保证接头封堵严密。管道安装后，每段进行压水试验，以确保无渗漏现象。因此，《强制性条文》规定：预制钢筋混凝土管管节长度应根据制作、运输和安装条件具体确定，一般不宜超过 5 m。管节的接头型式应优先采用承插式管。管节吊装时，混凝土强度应符合设计要求。设计无规定时，应不低于设计强度的 70%。沉陷缝和伸缩缝的位置、形式、止水材料以及管节接头止水材料均应符合设计要求，止水材料应黏结牢固，封堵严密，无渗漏现象。预制管节安装允许偏差应符合表 1-1 规定。

表 1-1　预制管节安装允许偏差　　(单位：mm)

项次	项目	允许偏差
1	管节安装轴线偏移	±5
2	相邻两管内表面高差	3
3	沉陷缝与伸缩缝宽度	±5
4	承插管同一接头缝隙差值	±5

三、明钢管的安装程序

明钢管安装程序为：管槽及镇墩、支墩开挖→镇墩及支座一期混凝土浇筑→厂房处埋管安装→厂房处埋管二期混凝土浇筑→厂房处至前池或调压井进水口建筑物间明管安装→镇墩及支座二期混凝土浇筑。

第四节　厂房开挖与混凝土工程

一、厂房开挖

水电站的厂房可分为地下厂房和地面厂房。

地下厂房开挖断面实属特大断面，一般应先开挖和衬砌顶拱(Ⅰ、Ⅱ类及Ⅲ类围岩)或先开挖和衬砌边墙(由下而上)，后再开挖和衬砌顶拱，然后用台阶法开挖剩余部分。中、下部分可采用大台阶、小台阶、多导洞辐射孔法，视围岩稳定条件、施工条件等决定。对于平行洞室的岩墙，由于作用在其上的平均压力及洞室周边切向压力增大，相应降低了岩墙的稳定性。岩墙两侧均受到开挖洞带来的扰动，在较大的切向应力作用下，松弛区会较大幅度增大。当岩墙内存在有受控制的软弱结构面时，容易产生沿软弱结构面滑动，因此应采取预应力锚索、锚杆等加固措施以保证围岩的稳定。

岩柱较岩墙开挖扰动更多，周侧都出现松弛区，稳定易遭破坏，施工中要及时加固。

对于交叉洞室，当控制软弱面倾向岩体时，平洞与主洞室的交叉段承受较大荷载，需要同时加固平洞与主洞室；当控制软弱面倾向主洞室时，边墙可能产生滑动，要加固边墙。所以对厂房开挖，《强制性条文》根据 SL172—96《小型水电站施工技术规范》的规定提出了如下要求：

(1)地面厂房开挖宜结合尾水渠开挖进行布置，开挖及地基处理按规范规定进行。

(2)地下厂房开挖：①应合理布置施工支洞，并充分利用永久洞作为施工通道；②应首先开挖导洞，其位置可按采用的施工方法确定。

地下厂房开挖一般可采用下列方法施工：①对于Ⅰ～Ⅲ类围岩可采用先拱后墙法。②对于Ⅲ～Ⅳ类围岩可采用先墙后拱法，如采用先拱后墙法，应注意保护和加固拱座岩体。③对于Ⅳ～Ⅴ类围岩，宜采用肋墙法或肋拱法，必要时应预先加固围岩。中间岩体可采用分层开挖或全断面开挖的方法。④施工期间应做好施工观测，了解岩体和支护结构的应力、围岩破坏区的范围、量测岩体及支护中的位移及变形。⑤当有相邻平行洞室，应先加固岩墙再往下挖。⑥在厂房交叉部位施工时，应先对交叉部位进行加固，加固长度应结合围岩条件，控制住软弱面的延伸范围，一般不短于 5 m。

二、厂房混凝土工程

(一)厂房混凝土的分块分层

基础的约束区分层厚度一般在 1.0 m 左右，考虑到尾水管底板厚度一般大于 1.0 m，因此规定施工时基础约束区不应大于 2.0 m。混凝土厚度大于 2.0 m 时，分层基础约束区以上部位在施工中一般控制在 2.4 m 左右。

块体的长宽比一般以 2.5：1 为宜，由于小型水电站厂房面积较小，故对其长度不作限制。

通仓浇筑一般适用于顺水流向厂房尺寸为 25 m 以内的中小型水电站，混凝土浇筑宜安排在低温季节，或虽不在低温季节但有必要的温控措施。分缝形式中，还有错缝、预留宽槽、封闭块和灌浆缝等，均用于大型电站的厂房。

立式机组厂房，贯流式和冲击式机组厂房可进行分层，并可对分层次数适当进行增减。

纵向(沿厂房长度方向)分缝宜根据施工能力、其他建筑物施工等因素以单台或多台机组为单元分缝，一般以单台机组为单元分缝。可增加工作面，以减轻对混凝土施工能力的要求。

为防止垂直缝面张开向上延伸，在混凝土蜗壳、进水口底板顺水流设缝时，可设置骑缝钢筋。

故《强制性条文》根据 SL172—96《小型水电站施工技术规范》的规定，对厂房混凝土工程提出以下要求：

(1)厂房下部结构分层分块一般采用通仓、错缝等形式，小型水电站厂房宜采用通仓浇筑。

(2)宜按底板、尾水管、蜗壳、水轮机层、机墩和发电机层进行分层施工。贯流式和冲击式机组厂房可以参照分层。

(3)错缝分块的上、下层浇筑块搭接长度一般取浇筑厚度的 1/3 ~ 1/2，且不宜小于 50 cm，错缝施工应采取措施防止施工缝继续延伸。

(4)相邻块应均匀上升，当采用台阶缝施工时，相邻块高差一般不得超过 4 ~ 5 m。

(二)尾水管模板

小型水电站结构较小，尾水管直段采用木模与钢模成型，应注意木模与钢模结合部位必须有可靠的连接措施，以保证模板安装和混凝土施工不发生较大的误差。尾水管直段侧墙可采用砖砌、砌石或预制混凝土模板代替钢木模板。

尽量采用整体模板，可减少施工偏差、缩短施工期。蜗壳锥体按 1/4 圆锥面制作，有利于模板安拆，施工时应注意模板间的连接和固定，不能产生超过规定的偏差，不然会发生气蚀等。

尾水管模板放样可采用图解法和数解法。图解法是运用画法几何的原理，计算尾水管各部分尺寸，这种方法简便易行，但须做图精细。数解法是运用初等数学和解析几何的原理，计算尾水管各部分尺寸，其优点是计算精确，便于测量施工，但计算工作烦琐，花费时间较多。

因此，《强制性条文》规定：

(1)尾水管模板放样可采用图解法、数解法或放大样制作。采用图解法应做图精细，误差精度能满足工程设计和表 1-2 的要求。

表 1-2　蜗壳及尾水管模板制作的允许误差　　(单位：mm)

项次	偏差名称	蜗壳	尾水管
1	模板的长度和宽度	± 5	± 5
2	相邻两板面高差	3	2
3	局部不平	5	3
4	面板缝隙	2	2

注：局部不平指曲面模板与设计尺寸的误差，平面模板用 2 m 直尺检查所得的误差。

(2)模板就位后应测量复核与机组纵横轴线、安装高程的吻合精度，其安装误差不得超过表 1-3 的要求。

表 1-3　蜗壳及尾水管模板安装的允许误差　（单位：mm）

项次	偏差名称	蜗壳	尾水管
1	模板平整度：相邻两面板高差	3	3
2	局部不平	5	5
3	轴线位移	±5	±5
4	模板标高	±5	±5
5	截面尺寸	±10	±10
6	预埋件		5
7	预留孔洞尺寸及位置	5	10

注：蜗壳内部尺寸指径向断面尺寸。

(三)下部混凝土施工

主厂房混凝土施工，通常以发电机层楼板顶面为界分为上部结构和下部结构。厂房结构复杂，孔洞、板、墩、墙等较多，暴露面积大，虽有利于散热，但不利于防裂。尾水管等基础底板浇筑后受基岩面的约束，顶面在施工期间暴露于空气中，运行期处于水下，其温度应力较坝块更大。尾水管、蜗壳等立面框架结构，施工期温度应力状态复杂，因此厂房下部混凝土施工必须充分重视温度控制。因此，《强制性条文》规定：下部混凝土的施工应以浇筑混凝土为主，机电安装配合；上部混凝土施工则应以机电安装为主，土建施工配合。

(四)厂房二期混凝土施工

为了机电埋设安装和加快土建施工，通常把埋件周围的混凝土分为二期施工。二期混凝土并不是一次浇筑施工的，包括二期以后各期的混凝土。二期混凝土等土建施工和机电安装通常交叉或平行作业。厂房二期混凝土结构尺寸较小，其强度宜高于一期混凝土 5 MPa，整个结构断面均作二期混凝土进行施工时，二期混凝土强度不需提高。厂房未封顶时机组二期混凝土与一期混凝土相同，已封顶的机组可采用以下方式：①厂房屋顶预留进料孔，或由邻近未封顶的机组段进料，混凝土料罐不能直接入仓的部位，用料斗和滑槽转料入仓。②机车或汽车将混凝土运至厂用桥吊下，用桥吊转运入仓。③胶带输送机通过厂房上下游门囱或吊物孔运进混凝土，再用胶带分料机或手推车入仓。④混凝土泵直接入仓。⑤混凝土搅拌车供料，再用其他形式入仓。

小型水电站水轮机尺寸较小，其锥管里衬转轮室和座环预埋件所在混凝土结构断面也小，安装和混凝土施工均可一次进行。

预填骨料压浆混凝土法系先用骨料进行填充，再进行回填灌浆以代替混凝土浇筑的施工方法，此法可用于座环等阴角带部位的施工。

对厂房二期混凝土施工，《强制性条文》规定还应满足下列要求：

(1)二期混凝土的强度要高于一期混凝土强度 5 MPa。

(2)二期混凝土的骨料不得大于二期混凝土最小结构厚度的 1/4 或钢筋(或预埋件)最小净间距的 1/2。

(3)当二期混凝土最小结构厚度小于 30 cm 时，与原一期混凝土相邻的二期混凝土最小结构应设置接连钢筋并以之固定二期混凝土预埋件。

(4)二期混凝土浇筑前所有的预埋件应按设计和有关规定埋设完毕，其浇筑仓面应按规范做有效处理。

(5)在进行二期混凝土浇筑时，混凝土入仓不得冲击预埋件和模板，尽量避免冲击钢筋。混凝土振捣机械机头不得在与模板、预埋件及支撑的距离为振捣器有效半径的 1/2 范围内振捣，并不得触动预埋件、止水片以及与预埋件、止水片相接的钢筋等。无法使用振捣器的部位应进行人工捣实。

(五)上部混凝土施工

机电安装通常从远离安装间的机组开始，上部混凝土完成才能保证行车的正常运行。

小型水电站行车梁宜用预制吊装施工，可以加大施工进度，因此行车梁按简支梁设计。

主力性骨架自承法：系利用型钢代替部分大梁钢筋，形成主力性骨架，利用主力性骨架作为大梁施工的承重构架进行混凝土施工的方法，代替后应进行截面校核。一般主力性骨架钢材用量约大于设计钢材用量 15%～20%，对大梁的承载能力更为有利。该方法也称钢骨架自体支承法。

上承式承重构架法：系利用置于准备施工大梁上部的承重结构悬吊大梁自重混凝土及临时施工荷载的方法，亦称反吊法，构架为钢构架、木构架或钢木构架，构架一般为桁架。

下承式承重构架法：系利用置于准备施工的大梁下部的构架支承大梁自重混凝土及临时施工荷载的方法，由于构架一般为桁架，亦称桁架支承法。

屋顶大梁和行车梁：梁在施工中亦可采用分层浇筑的施工方法，一般分两次浇筑，分层位置在中和轴或中和轴下 $h/8$(h 为梁高)。在第一层混凝土达到设计强度后，再浇筑第二层，但由于施工期较长，故规范未推荐分层法。采用分层法施工应考虑施工期是否允许且应征得设计部门同意。

选择施工方法时有必要进行技术经济比较。

浇筑大梁时，在施工过程中和拆模后，大梁发生一定的下沉和产生一定的挠度，为使大梁在拆模后能获得设计规定的外形，须在施工时设置一定数值的施工预拱度。施工预拱度为梁在工作荷载(包括大梁自重)下的挠度。

小型水电站机组较小，其屋面宜采用预制混凝土板，有利于缩短施工工期和施工方便，对工程质量也无影响，但应做好屋面防水。

第五节　水电站机电设备的安全要求

水电站的机电设备(主要包括水轮机、水泵、水轮发电机、电动机阀门、变压器、调速器、自动化元件及装置等主辅机)，特别是水电设备的设计制造，从新中国成立到现在，从无到有，从小到大，如今已形成了一个比较完整的科研、试验、设计、制造、安装、运行管理系统，为发展我国的国民经济做出了很大贡献。但由于种种因素的影响，从安全经济运行的整体要求来看，同国外水电设备相比还存在一定的差距，如质量差、性能低、事故多、寿命短等。例如：①由于材质机械性能和化学成分达不到设计要求而造成损坏。②由于加工工艺粗糙、水轮机叶片表面粗糙度和波浪度超差大，使水轮机转轮叶片型线偏差过大，有的叶片出水边最薄和最厚差很大，严重影响机组性能，使水轮机达不到保证效率和铭牌功率，并出现严重的空蚀和磨损，稳定性差，导致大修、小修频繁。③由于制造质量问题，发电机轴承(特别是推力轴承)经常发生温度高和烧瓦事故；转桨式水轮机转轮运行中，经常出现叶片拐臂断裂事故，被迫改为定桨运行；调速器配套的阀门常常动作不灵、卡涩、漏油、磨损，使安全阀成了不安全阀；事故配压阀有事故时不动，无事故时乱动，成了事故发生器；自动化水平低，大多数自动化元件动作不灵、事故频繁，不少都变成人工手动操作监护运行。

总之，水电站的机电设备所造成的质量事故，不仅影响水电站的安全运行，而且频繁的停机检修影响工农业和生活正常供电，造成直接经济损失，影响国民经济的发展。因此，为了保证水电站的安全经济运行，就必须对水电站机电设备的设计、制造、安装和运行等不同阶段，通过《强制性条文》提出安全要求和质量技术要求，以确保机电设备质量。《强制性条文》是施工质量控制的依据和指南。

一、对技术供水系统的要求

技术供水系统和辅助设备其他各系统一样，是保证水电站安全、经济运行不可缺少的组成部分。因此，设计任务就要求供水系统既要技术可靠又要经济合理，并且在运行中能正确、有效地工作，保证满足用水设备的技术要求如水量、水质、水压等。为此，要求系统要有较高的自动化水平，启动、停止以及事故显示防范均实现自动化。同时，设有可靠的备用水量，一旦水源发生故障时，仍能正常地提供合乎要求的水量、水源和水压。因此，《强制性条文》根据 SDJ173—85《水力发电厂机电设计技术规范》(试行)第 2.4.6 条规定：技术供水系统应能自动操作，并有可靠的备用水源。

二、对油系统设备布置的防火要求

水电站的机电设备在运行中，由于设备的特性要求和工作条件不同，需要使用各种性能的油品种，大致有润滑油和绝缘油两大类。润滑油分透平油、机械油、压缩机油、润滑脂(黄油)等。绝缘油分为变压器油、开关油、电缆油等。其中，用量最大的是透平油和变压器油。绝缘油的作用是绝缘、散热和灭弧。透平油的作用是润滑、散热和液压操作。中小型水电站每年用油有数十吨到百余吨，为了保证大量的油经常处于良好状态，以保证完成各项任务，需要有油供应维修设备组成的油系统。

水电站的油系统对安全运行有着重要的意义。它是用管网将油设备与储油设备、油处理设备连接成的一个油系统，不仅能提高水电站运行的可靠性、经济性和缩短检修期，而且运行灵活、管理方便。

油品是极易着火的物质，着火、燃烧、爆炸的敏感性使得油在储运、使用和再生过程中，需要特别注意防火。为此，针对油系统主要设备、设施彼此间以及其周围环境(包括水、油排出措施，通风系统等)，《强制性条文》根据 SDJ173—85《水力发电厂机电设计技术规范》(试行)第 2.6.6 条规定油系统设备布置应符合如下防火要求：

(1)厂内单个油库的油罐总容积不宜超过 200 m^3。当油库布置在厂外时，油库与周围建筑物之间应满足防火安全间距。

(2)油库、油处理室宜各自设有安全出口，安全出口应设向外开启的防火门。

(3)油库与油处理室之间以及与其他房间之间应有防火墙隔开，并装设灭火设施。油库应设防火堤及挡油坎，并应有油、水排出设施。油、水排出系统应符合环境保护的有关规定。

(4)油罐及其管路均应安全接地。

(5)滤纸烘箱应布置在专设的小间里。

(6)油库和油处理室应有独立的通风系统。

三、对电缆布置的防火要求

不论是动力电缆还是控制电缆，在水电站内都是重要的设备、设施，它们是否处于良性工作状态，直接影响到水电站能否正常安全运行。故《强制性条文》根据 SDJ173—85《水力发电厂机电设计技术规范》(试行)第 3.14.3 条规定：

(1)电缆隧道与电缆室之间以及电缆隧道、电缆间由厂外进入厂房的入口处，均应设置防火隔断。

(2)长电缆道内，每隔 60 m 宜设一防火隔断。电缆着火时，应有能及时隔断通风的措施。

(3)电缆穿入控制室、配电装置以及有防火要求房间的墙壁、楼板的孔洞均应用耐火材料堵塞。

第六节 水轮发电机组压力容器试验的安全要求

水轮发电机组的压力容器试验是用来检测压力容器(承压设备)及其连接装置的制造和安装质量，一般是用其承压能力来表征，而承压能力大小又是通过耐压试验来确定的。为此，《强制性条文》根据 GB8564—88《水轮发电机组安装技术规范》第 2.0.10 条和第 2.0.11 条分别做出如下规定：

(1)现场制造的承压设备及连接件进行强度耐压试验时，试验压力为 1.5 倍额定工作压力，但最低压力不得小于 0.4 MPa，保持 10 min，无渗漏及裂纹等异常现象。

(2)设备及其连接件进行严密性耐压试验时，试验压力为 1.25 倍实用额定工作压力，保持 30 min，无渗漏现象。

(3)单个冷却器应按设计要求的试验压力进行耐压试验。设计无规定时，试验压力一般为额定工作压力的两倍，但不得低于 0.4 MPa，保持 60 min，无渗漏现象。

(4)设备容器进行煤油渗漏试验时，至少保持 4 h，应无渗漏现象；阀门进行煤油渗漏试验时，至少保持 5 min，应无渗漏现象。

第七节 水轮发电机组运行技术要求

水轮发电机组具有很重要的转动部件，且运行转速偏低，故必须充分保证轴承的良好润滑条件。润滑油的油面位置和温度是反映润滑条件的两个关键参数，必须保证在规定值的范围之内。所以，《强制性条文》根据 GB8564—88《水轮发电机组安装技术规范》第 13.3.1 条、第 13.4.8 条和第 13.4.9 条对水轮发电机组 3 种运行状况作出如下技术规定。

一、对机组首次启动的要求

机组首次手动启动应进行下列工作：

(1)观察轴承油面，其应处于正常位置；监视各部位轴承温度，不应有急剧升高现象；运行至温度稳定，其稳定温度不应超过设计规定值。

(2)测量机组运行摆度(双幅值)，其值应小于轴承间隙。

(3)测量机组振动，其各部位振动允许值应不超过表 1-4 的规定。

表 1-4　水轮发电机组各部位振动允许值　（单位：mm）

<table>
<tr><th rowspan="3">序号</th><th rowspan="3" colspan="2">项目</th><th colspan="4">额定转速(r/min)</th></tr>
<tr><th>≤100</th><th>100～250</th><th>250～375</th><th>375～750</th></tr>
<tr><th colspan="4">振动允许值(双振幅)</th></tr>
<tr><td>1</td><td rowspan="3">立式机组</td><td>带推力轴承的支架垂直振动</td><td>0.10</td><td>0.08</td><td>0.07</td><td>0.06</td></tr>
<tr><td>2</td><td>带导轴承的支架水平振动</td><td>0.14</td><td>0.12</td><td>0.10</td><td>0.07</td></tr>
<tr><td>3</td><td>定子铁芯机座水平振动</td><td>0.04</td><td>0.03</td><td>0.02</td><td>0.02</td></tr>
<tr><td>4</td><td colspan="2">卧式机组各部轴承垂直振动</td><td>0.14</td><td>0.12</td><td>0.10</td><td>0.07</td></tr>
</table>

注：振动值系指机组在各种正常运行工况下的测量值。

二、对机组试运行的要求

水轮机组在机组试运行时，影响机组运行性能的因素除设计水平和制造质量外，还与安装质量和运行条件密切相关。所以，《强制性条文》根据 GB8564—88《水轮发电机组安装技术规范》第 13.4.8 条规定：在额定负载下，机组应进行 72 h 连续试运行，通过 72 h 连续试运行，全面了解机组运行的状态、特性和规律，发现隐患应查明原因，并采取有效措施加以消除，为投入系统安全运行提供可靠的保证。

当受电站水头和电力系统条件限制，机组不能带额定负载时，可按当时条件在尽可能大的负载下进行上述试验。

三、机组调相运行试验的要求

水轮发电机组基于启动快、运转灵活、调相性能好的特点，因此可作为整个电网调相的主力。机组调相运行时，消耗功率的多少取决于充气压水效果，转轮带水调相不但要消耗大量有功功率，而且可促使机组振动加剧、摆度加大，严重影响机组使用期限。因此，《强制性条文》根据 GB8564—88《水轮发电机组安装技术规范》规定机组调相运行试验应检查、记录下列各项：

(1)记录关闭导叶后，转轮在水中空载运行时，机组所消耗的功率。

(2)检查充气压水情况及补气装置动作情况是否正常，记录吸出管内水位压至转轮以下后，机组所消耗的功率。

(3)发电与调相工况相切换时，自动化元件的动作应正确。

(4)发电机无功功率在设计范围内的调节应平稳，记录转子电流为额定值时的最大无功功率输出。

因此，调相运行试验应记录转轮在水中和空气中运行时所消耗的功率，用以验证压水调相工作系统是否符合要求。

第八节　机电设备安装场所的安全要求

一、旋转机械的周围防护要求

凡是工作人员可能接近的旋转(特别是高速旋转)机械及旋转部件的周围，都存在着接触甚至被卷入旋转部分的危险，生产中发生此类人身伤害事例不少。因此，《强制性条文》根据 SD267—88《水利水电建筑安装安全技术工作规程》第二篇第 3.1.4 条规定：机械的转动带、开式齿轮、电锯、砂轮、接近于行走面的联轴节、转轴、皮带轮和飞轮等危险部分，必须安设防护设施。

二、电气设备及架空输电线路的安全要求

根据电气设备及线路工作环境中遇到易燃、易爆气体以及高温蒸气和尘埃或本身能散发大量热量时所应当采取的防护措施和要求，对于架空输电线路经过的地方，线路之间，线路与机械、设备、管道之间，线路与有人行走的地面之间都必须有一定的安全距离，防止发生触电、电击事故。为此《强制性条文》根据 SD267—88《水利水电建筑安装安全技术工作规程》第 3.1.13 条、第 3.1.14 条、第 3.1.17 条、第 3.2.8 条和 GB/T50265—97《水泵安装技术规范》第 10.7.5 条、第 10.7.8 及第 10.7.12 条做出下列规定：

(1)在有易燃、易爆气体的场所，电气设备及线路均应满足防爆要求。在有大量蒸气及粉尘的场所应满足密封、防尘要求。

(2)能够散发大量热量的电气设备。如电热器、碘钨灯、长弧氙灯等，不得靠近易燃物安装，必需时应采取隔离、隔热措施。

(3)架空线路的路线选择应合理，避开易撞、易碰、潮湿场所及热管道，线路交叉架设时的最小垂直距离应符合表 1-5 的规定。

表 1-5　线路交叉架设时的最小垂直距离

线路电压(kV)	<1	1～10
最小垂直距离(m)	1	2

架空导线与地面的最小垂直距离应符合表 1-6 的规定。

表 1-6　架空导线与地面的最小垂直距离　　(单位：m)

区域	线路电压	
	1 kV 以下	1 ~ 10 kV
人员频繁活动区	6	6.5
非人员频繁活动区	5	5.5
极偏僻区	4	4.5
公路	6	7.0
铁路轨顶	7.5	7.5
建筑物顶部	2.5	3.0

(4)机械如在高压线下工作或通过时，其最高点与高压线之间的垂直距离不得小于表 1-7 的规定。

表 1-7　机械最高点与线路间的垂直距离

线路电压(kV)	<1	1 ~ 20	35 ~ 110	154	220	330
机械最高点与线路间的垂直距离(m)	1.5	2	4	5	6	7

(5)站用变压器如布置在主泵房内，其油量为 100 kg 以上时，应安装在单独的防爆专用变压器小间内，站用低压配电装置应靠近站用变压器布置。

(6)专供同步电动机励磁用的油浸变压器亦应安装在单独小间内。

(7)油浸变压器上部空间不得作为与其无关的电缆通道。干式变压器上部可通过电缆，但电缆与变压器顶部距离不得小于 2 m。

(8)当采用酸性蓄电池时，必须设单独的蓄电池室，并应布置在地面层，不得布置在中控室和高、低压配电室，电子计算机房和通信室上层。

第九节　水泵安装的技术要求

水泵进水条件的好坏，直接影响水泵的性能。在水泵进水条件中，泵轴线安装高程以及进水池内水流状态又是重要的因素。因此，作为确定泵轴线安装高程的泵气蚀性能参数，必须根据水泵实际转速和水源含沙量加以修正，并为进水池内创造良好的水流条件，才能有效地防止产生泛蚀(或空蚀、空化)。因此，《强制性条文》根据 GB/T50265—97《水泵安装技术规范》规定，水泵安装高程必须满足下列要求：

(1)在进水池最低进行水位时，必须满足不同工况下水泵的允许吸上真空高度或必须汽蚀余量的要求。当电动机与水泵额定转速不同时，或在含泥沙水源中取水时，应对水泵的允许吸上真空高度或必须汽蚀余量进行修正。

(2)轴流泵或混流泵立式安装时，其基准面最小淹没深度应大于 0.5 m。

(3)进水池内严禁产生有害的旋涡。

第十节　有关水轮发电机组设备的质量与安全要求的其他标准

由于水轮发电机组设备有关质量、技术与安全要求方面的标准大多不属于水利部制定，而其中不少条文对确保水轮发电机组设备的质量与安全又是很重要的，因此列出有关这方面的国家标准和行业标准供参考，以便在中小型水电站施工中更好地控制工程质量。

一、主机设备部分

有关水轮机主机设备部分的相关标准有：

(1)GB/T10969—1996《水轮机通流部件技术条件》；

(2)GB/T14478—1993《大中型水轮机进水阀门基本技术条件》；

(3)GB/T15468—1995《水轮机基本技术条件》；

(4)GB/T15469—1995《反击式水轮机空蚀评定》；

(5)GB/T15613—1995《水轮机模型验收试验规程》；

(6)GB/T17189—1997《水力机械振动和脉动现场测试规程》；

(7)DL/T443—1991《水轮发电机组设备出厂检验一般规定》；

(8)DL/T710—1999《水轮机运行规程》；

(9)JB/T8860—1997《水电机组包装、运输、保管规范》。

二、辅助设备部分

有关水轮机辅助设备部分的相关标准有：

(1)GB/T9652.1—1997《水轮机调速器与油压装置技术条件》；

(2)GB/T9652.2—1997《水轮机调速器与油压装置试验验收规程》；

(3)GB/T11805—1999《水轮发电机组自动化元件(装置)及其系统基本技术条件》。

第二章　施工测量

工程的施工测量是整个工程施工的先导工作，而且贯穿于施工的全过程，其主要包括合同及有关技术文件规定的内容：施工控制网(平面位置、高程)的建立、施工放线、施工测量、竣工测量等。中小型水电站工程应严格执行 SL52—93《水利水电工程施工测量规范》。

第一节　一般要求

一、施工测量运行程序中的具体要求

(1)工程项目的基本测量控制资料成果由建设单位提供监理单位，再由监理单位审查签发给施工单位，在现场对各控制点进行交桩。交桩时要会同设计单位、监理工程师到施工现场进行测量基准点(线)的技术交底和现场交桩，办理交桩手续。

(2)施工单位对上述控制点拟订实测方案，进一步熟悉施工图纸，了解规范的规定并根据监理人员提供的测量基准点、基准线和水准点对施工现场进行实地踏勘,掌握中小型电站的地形、地貌、现场控制平面布置示意图，分析现场可能影响测量的各种因素，拟订电站的测量实施方案。

(3)施工单位对照施工设计、施工技术规范及国家有关的施工测量标准要求的精度和等级，对监理人员提供的测量控制基准点(线)进行现场复测、验算、校核，无误后，以书面形式报告监理部。如果有异议，会同监理工程师双方进行再次现场核实。核实的最后复测资料以书面形式报送给监理部，再由监理部研究后重新以书面形式提供给施工单位。

(4)在施工测量中发现某控制点数据有变化、超过规定时，由监理部研究后提出处理意见，报请建设单位批准后，以书面形式通知施工单位。

(5)施工单位应加强控制点的保护措施，并将保护措施报监理部。在施工中控制点确要移动时，必须先向监理部申报，书面写出移动原因和按同等精度补测的方案及精度估算，经批准后方可移动补测。

(6)移交的基本控制点被破坏，施工单位应立即向监理部报告，写出破坏的原因和按同等精度补测的方案及精度估算，经监理部批准后，监理部将移动补测点结果报建设单位。

(7)测量人员要确保建筑物的位置、形体准确，方量真实，依据无误，并严守保密规定。

二、对施工单位测量工作的要求

施工单位在开工前 10 天内应向监理单位报送其施测能力水平的报告文件，监理单位

应在开工前7天内完成审核工作。反映施工单位测量能力水平的报告文件主要内容有：测量机构设置、质量保证体系“三检制”的落实、人员配备（主要技术人员资历）、仪器设备的校核。测量仪器的准确性是测量成果正确的关键，工程开工前所有测量仪器如全站仪、经纬仪、水准仪、水准尺、钢尺等都要送交计量部门进行检验校核，经检定合格后方可投入使用。不仅如此，测量仪器在使用过程中还要定期校定，确保测量仪器的实测精度在规范允许范围内，以保证测量结果的准确性。检验和校核后的合格证报监理工程师审验，否则测量放样无效。

施工测量人员应遵守的准则主要有以下几点：

(1)应熟悉设计图纸，了解规范的规定，选择正确的作业方法，制定具体的实施方案。

(2)对所有观测数据应随测随记，严禁转抄、伪造。文字与数据字要清晰、整齐、美观。对取用的已知数据、资料均应由两人独立进行全面的检查、核对，确认无误后方可提供使用。

(3)对所有观测记录手簿必须保持完整，不得任意撕页，记录中间不得无故留下空页。

(4)施工测量成果资料(包括观测手簿、放样单、放样记载手簿)、图表(包括地形图、竣工断面图、控制网计算资料)应予统一编号、妥善保管、分类归档。

三、监理施工测量的要求

(1)对施工单位报送的《施工测量技术设计书》和所有的报告文件进行审核，必要时可现场抽检部分数据。对未达到要求的，施测施工单位要补充完善。

(2)在开工前必须对施工设计图、测量成果资料进行全面熟悉，约定设计单位与测量单位在开工前7天内向施工单位现场交桩。

(3)检查施工单位建立健全测量工作组织保证体系，健全测量制度，规范测量作业，完善内部测量程序和制度。

(4)测量工程师应采用旁站、巡查、抽查、复测等手段控制测量质量。

(5)对于分部工程、单位工程和最终验收，监理测量人员必须复测与到场。

第二节　控制测量

控制测量是施工技术准备的重要内容之一，是中小型水电站工程土石方开挖及以后工程顺利进行的重要保证。测量准备工作就绪后即可根据拟定的测量方案和监理提供的控制点(线)进行控制测量，布置电站所需的平面控制网和高程控制网。

一、施工测量的一般技术规定

小型水电工程平面控制测量应采用五等，高程控制测量应采用四等。1 km以上的水工隧洞，其平面和高程控制测量应做专门的技术设计。

在施工准备阶段及施工过程中应进行下列测量工作：

(1)对设计部门所交付的主要水工建筑物的轴线桩(坝、闸等)、中心线桩(机组中心线等)、三角网基点桩等以及测量资料进行检查、核对，发现不稳妥或测量精度不符合要求时，应按规范要求进行补测加固、加密或重新测量。

(2)在施工过程中，测定不同施工阶段的水工建筑物的位置和标高，并经检查校验合格后，方可开挖、立模、浇筑和进行金属结构机电设备安装。

二、平面控制测量的内容及技术要求

(一)内容

平面控制测量的内容包括：①一般规定；②技术设计；③选点、埋设标志；④水平角观测；⑤光电测距；⑥成果的验算和平差计算；⑦主要轴线的测设。

平面控制测量工作内容应依据SL52—93《水利水电工程施工测量规范》严格控制测量精度。

(二)平面控制网的设置

依据设计和施工时的中小型水电站工程平面布置的示意图，结合现场的实际地形、地貌，布置电站的施工平面控制网点。平面控制网点宜选在通视良好、干扰少又便于观测和扩展的地方。控制桩采用木桩加钉子埋设，浇筑混凝土固定，并统一编号。平面控制桩埋设后，使用经纬仪按测量技术规范要求对所有控制桩进行导线测量，使其符合水准线或闭合水准线，校核误差在规定要求内，并确定各控制点之间的相对位置关系，绘制"平面控制网图"后报送监理工程师确认。电站的控制桩应在开挖基坑以外位置，按主、副厂房纵横主轴线或其交点的正线上，尾水渠沿线每隔20～50 m设一控制桩，转弯处加密。

平面控制测量的技术要求如下：

(1)平面控制网的精度指标及布设密度应根据工程的设计及施工布置、工程规划及建筑物对放样点的精度要求确定。

(2)平面控制网的等级划分为二、三、四、五等测角网、测边网、边角网或相应等级的光电测距导线网，各等级首级平面控制网适用范围按表2-1执行。

表2-1　各等级首级平面控制网适用范围

工程规模	混凝土建筑物	土石建筑物
大型水利水电工程	二等	二、三等
中型水利水电工程	三等	三、四等
小型水利水电工程	四、五等	五等

(3)各种等级(二、三、四、五等)、各种类型(测角网、测边网、边角网或导线)的平面控制网均可选为首级网。

(4)平面控制网的布设梯级可根据地形条件及放样需要决定，以1~2级为宜。但无论采用何种梯级布网，其最末级平面控制点相对于同级起始点或邻近高一级控制点的点位中误差应不超过±10 mm。

(5)首级平面控制网的起始点应选在水电站轴线或主要建筑物附近，以使最弱点远离水电站轴线或放样要求较高的地区。

(6)独立的平面控制网，应利用勘测设计阶段布设的测图控制点作为起算数据。

(7)一、二级小三角测量，三角网的主要技术要求应符合表2-2的规定(注：一级小三角即为水电五等控制网)。

表 2-2　三角网的主要技术要求

等级	平均边长(km)	测角中误差(″)	基线丈量的相对中误差	起始边边长相对中误差	最弱边边长相对中误差
一级小三角	1.0	± 5	1/100 000	1/40 000	1/20 000
二级小三角	0.3 ~ 0.8	± 10	1/40 000	1/20 000	1/10 000

(8)一、二级小三角三边网的光电测距主要技术要求应符合表 2-3 的规定。

表 2-3　三边网的光电测距主要技术要求

等级	平均边长(km)	测距中误差(mm)	测距相对中误差
一级小三角	0.5 ~ 1.0	± 16	1/60 000
二级小三角	0.3 ~ 0.8	± 16	1/30 000

(9)一、二、三级光电测距导线的主要技术要求应符合表 2-4 的规定(注：一级导线即为水电五等控制网)。

表 2-4　光电测距导线的主要技术要求

等级	附合导线总长(km)	平均边长(m)	每边测距中误差(mm)	测角中误差(″)	导线全长相对闭合差
一级	3.6	300	± 15	± 5	1/14 000
二级	2.4	200	± 15	± 8	1/10 000
三级	1.5	120	± 15	± 12	1/6 000

(10)一、二、三级导线，普通钢尺量距导线的主要技术要求应符合表 2-5 的规定。

表 2-5　普通钢尺量距导线的主要技术要求

等级	附合导线长度(km)	平均边长(m)	往返丈量较差相对误差	测角中误差(″)	导线全长相对闭合差
一级	2.5	250	1/20 000	± 5	1/10 000
二级	1.8	180	1/15 000	± 8	1/7 000
三级	1.2	120	1/10 000	± 12	1/5 000

(11)测角中误差的计算，光电测距任一边精度的评定按下列公式计算：

①三角网测角中误差计算

$$m''_B = \pm\sqrt{\frac{WW}{3n}} \tag{2-1}$$

式中：W 为三角形闭合差；n 为三角形个数。

②按左、右角观测的导线测角中误差计算

$$m''_B = \pm\sqrt{\frac{[\Delta\Delta]}{2n}} \tag{2-2}$$

式中：Δ为左、右角之和与 360° 之差；n 为 Δ 的个数。

③按导线方位角闭合差计算测角中误差

$$m_B'' = \pm\sqrt{\frac{1}{N}\left[\frac{f_B f_B}{n}\right]} \tag{2-3}$$

式中：f_B——附合导线或闭合导线环的方位角闭合差；

n——计算 f_B 时的测站数；

N——f_B 的个数。

④光电测距单位权中误差

$$\mu = \pm\sqrt{\frac{[Pdd]}{2n}} \tag{2-4}$$

式中　d——往返测距离的差数；

n——测距边边数；

P——距离测量的先验权。

令 $P_i = \dfrac{1}{m_D^2}$，m_D 可按测距仪标称精度计算。

⑤光电测距任一边的实际测距中误差

$$m_{si} = \pm\mu\sqrt{\frac{1}{P_{Di}}} \tag{2-5}$$

三、高程控制测量

结合中小型水电站的施工需要，布设高程控制桩。高程控制桩应尽量布置在永久构筑物或构筑物的可视位置，可埋设混凝土固定长木桩，并用红漆标注。用于高程控制的水准点是通过对监理人员提供的高程控制点，采用精密水准仪进行闭合测量，测出各控制桩的高程。高程控制点经校核无误后，就可作为高程测量的基准点并绘制“高程控制网图”。首级高程控制网按四等环形网控制，各种控制桩均应埋设牢固、妥善加以保护，并做明显标记，以便寻找。施工过程中经常定期检验，发现桩位变动或破坏应及时校正或补测，并将校正或补测资料报监理单位确认。

(一)高程控制测量的内容

高程控制测量的内容有：①水准测量；②光电测距三角高程测量；③高程测量的闭合；④外业成果的整理与平差计算。

高程控制测量工作内容应依据 SL52—93《水利水电工程施工测量规范》严格控制测量精度。

(二)高程控制测量的一般规定

高程控制网的等级，依次划分为二、三、四、五等。首级高程控制网的等级应根据工程规模、范围大小和放样精度高低来确定，其适用范围见表 2-6。

表 2-6　首级高程控制等级的适用范围

工程规模	混凝土建筑物	土石建筑物
大型水利水电工程	二等或三等	三等
中型水利水电工程	三等	四等
小型水利水电工程	四等	五等

四、五等水准测量的主要技术要求应符合表 2-7 的规定。

表 2-7　四、五等水准测量的主要技术要求　（单位：mm）

等级	偶然中误差 M_{Δ}	全中误差 M_W	往返附合路线或环形闭合差
四等	±5	±10	$\pm 20\sqrt{L}$
五等	±10	±20	$\pm 30\sqrt{L}$

注：四、五等测量闭合差计算分别采用 $\pm 20\sqrt{L}$ 和 $\pm 30\sqrt{L}$，L 为往返测量平均距离。

四、五等水准测量测站的主要技术要求应符合表 2-8 的规定。

表 2-8　四、五等水准测量测站的主要技术要求

等级	视线长度(m)	前后视距离差(m)	前后视距累积差(m)	视线离地面最低高度(m)	红、黑面读数差(mm)	红、黑面所测高差较差(mm)
四等	<80	3	<10	能读数	3	5
五等	<100	大致相等				

高程测量的精度应符合下列要求：最末一级高程控制点相对于首级高程控制点的高程中误差，对于混凝土建筑物应控制在 ± 10 mm，对于土石建筑物应控制在 ± 20 mm；在施工区以外布设较长距离的高程路线时，可按 GB12897—91《国家一、二等水准测量规范》和 GB12898—91《国家三、四等水准测量规范》中规定的相应等级精度标准进行设计。

布设高程控制网时，首级控制网应布设成环形网，加密时宜布设成附合路线或结点网。其点位的选择和标志的埋设应遵守下列规定：

各等级高程点宜均匀布设在中小型水电站的上下游河流两岸，点位应选在施工不受洪水影响便于长期保存和使用方便的地点。四等以上高程点的密度根据施工放样的需要确定。一般要求在每一个重要单项工程的部位至少有 1~2 个高程点。五等高程点的布置应主要考虑到施工放样、地形测量和断面测量的需要。

高程点可埋设预制标石，也可利用露天基岩固定地物或平面控制点标志设置。埋设首级高程标石，必须经过一段时间，等标石稳定后才能进行观测。各等级高程点应统一编号。高程标志、标石埋设的规格参照 SL52—93《水利水电工程施工测量规范》附录 C 选用。

高程测量使用的水准仪、水准标尺、测距仪及其附件等应分别按有关国家水准测量规范及 ZBA76002—87《中短程光电测距规范》中有关规定进行检验与校正。

第三节　施工放样

一、施工放样测量工作的内容

(1)根据中小型水电站工程总体布置图和有关测绘资料布设施工控制网。

(2)根据工程各施工阶段的要求，进行建筑物轮廓点的放样及其检查工作。

(3)提供局部施工布置所需要的测绘资料。

(4)按照设计图纸、文件要求埋设建筑物外部变形观测设施，进行施工期间的观测工作。

(5)进行收方测量工作与工程量计算。

(6)单项工程完工时，根据设计要求，对建筑物重要隐蔽工程部位等几何形体进行竣工测量。

二、施工测量放样的精度要求

(1)以中误差作为衡量精度的标准，以两倍误差为极限误差。

(2)施工测量主要精度指标应符合表 2-9 的规定。

表 2-9　施工测量主要精度指标

序号	项目	精度指标			说明
		内容	平面位置中误差(mm)	高程中误差(mm)	
1	混凝土建筑物	轮廓点放样	± (20 ~ 30)	± (20 ~ 30)	相对于邻近基本控制点
2	土石料建筑物	轮廓点放样	± (30 ~ 50)	± 30	相对于邻近基本控制点
3	机电设备与金属结构安装	安装点	± (1 ~ 10)	± (0.2 ~ 10)	相对于建筑物安装轴线和相对水平度
4	土石方开挖	轮廓点放样	± (50 ~ 200)	± (50 ~ 100)	相对于邻近基本控制点
5	局部地形测量	地物点	± 0.75(图上)	—	相对于邻近图根点
		高程注记点		1/3 基本等高距	相对于邻近高程控制点
6	施工期间外部变形观测	水平位移测点	± (3 ~ 5)	—	相对于工作基点
		垂直位移测点	—	± (3 ~ 5)	相对于工作基点
7	隧洞贯通：相向开挖长度小于 4 km	贯通面	横向 ± 50 纵向 ± 100	± 25	横向、纵向相对于隧洞轴线。高程相对于洞口高程控制点
	隧洞贯通：相向开挖长度 4 ~ 8 km	贯通面	横向 ± 75 纵向 ± 150	± 38	

(3)施工平面控制网坐标系统宜与规划设计阶段的坐标系统一致。

(4)施工高程系统必须与规划设计阶段的高程系统相一致，并根据需要就近与国家水准点进行联测，其精度应不低于工程首级高程控制的要求。

(5)局部工程部位相对精度要求较高时，可单独建立高精度控制网。

三、施工放样工作的一般要求

(1)放样工作开始之前，应详细查阅工程设计图纸，收集施工区平面与高程控制成果，了解设计要求与现场需要，根据精度指标选择放样方法。

(2)对于设计图纸中有关的数据和几何尺寸，认真进行检核，确认无误后方可作为放样的依据。

(3)必须按正式设计图纸和文件(包括修改通知)进行放样，不得凭口头通知或未经批准的草图放样。

(4)所有放样点线均应有检核条件，现场取得的放样及检查验收资料必须进行复核，确认无误后方能交付使用。

(5)放样结束后，应向使用单位提供书面放样成果表。

四、施工放样数据的准备工作

(1)放样前应根据设计图纸和有关数据及使用的控制点成果计算放样数据，绘制放样草图，所有数据、草图均应经两人独立校核。用电算程序计算放样数据时，必须认真核对原始数据输入的正确性。

(2)将施工区域内的平面控制点、高程控制点、轴线点、测点等测量成果，以及工程部位的设计图纸中的各种坐标(桩号)、方位、尺寸等几何数据编制成放样数据手册，供放样人员使用。

(3)现场放样所取得的数据应记录在规定的放样手簿中，所有栏目必须填写完整，字体应整齐清晰，不得任意涂改。填写内容如下：①工程部位、放样日期、观测记录及检查者姓名；②放样点所使用的控制点名称、坐标和高程成果、设计图纸编号、使用数据来源；③放样数据及草图；④放样过程中的实测资料；⑤放样时所使用的主要仪器。

五、平面位置放样方法与高程放样方法的选择

根据放样点的精度要求、现场作业条件和拥有的仪器设备选择适用的放样方法。选择放样方法应考虑两种不同的放样程序。

(1)直接由等级平面控制点放样建筑物轮廓点。

(2)由加密点(轴线点及测站点)放样建筑物轮廓点。当采用这种程序时，应考虑加密点的测设误差，即建筑物轮廓点的点位中误差按二级分配(各自相对于高一级的控制点)。

高程放样方法的选择主要根据放样点高程精度要求和现场的作业条件，可分别采用水准测量法、光电测距三角高程法、解析三角高程法和视距法等。

对于高程放样中误差要求控制在 ±10 mm 的部位，应采用水准测量法，并注意以下几点：①放样点离高等级高程点不得超过 0.5 km；②测站的视距长度不得超过 150 m，

前后视距差不大于 50 m；③尽量采用附合路线。

采用经纬仪代替水准仪进行放样时应注意以下几点：①放样点离高程控制点不得大于 50 m；②必须用正倒镜置平法读数，并取正倒镜读数的平均值进行计算；③采用光电测距三角高程测设高程放样控制点时，注意加入地球曲率的改正，并校核相邻点的高程。

六、施工测量放样的实施

(一)一般规定

在平面控制网和高程控制网建立后，在施工中还要根据施工需要，依据开挖区原始地形图和原始断面图测量，开挖轮廓点放样，开挖竣工地形图断面测量和对控制点进行补充和加密。这些控制点是工程施工过程中施工测量和放线的依据，是工程量测算的基础。

(1)开挖施工测量：土石方开挖前，根据平面控制网、高程控制网，分别测放出电站开挖边线，并对开挖区原有地面进行地形测量，以作为工程量计量和结算的依据，并报送监理确认。按施工图纸或监理批准的开挖线测量放出开挖边线，计算实际开挖量，报监理工程师确认。为了计算准确，基坑土石方开挖应分层，每开挖一层测量一次，并放出钻孔位置深度和开挖边线，确保开挖断面的准确性。

在开挖到设计边线时，要对基坑（槽）进行精确放样，预留一定厚度的保护层，采用保护层开挖，保证建筑物的断面尺寸（土方开挖预留 20~30 cm 人工清理，石方开挖预留 100 cm 左右保护层）并防止超、欠挖，尽量降低工程成本。

(2)开挖放样高程控制点不应低于五等水准测量的精度，一般情况下，均可采用光电测距三角高程点。

(3)开挖轮廓点的点位中误差应符合表 2-10 的规定。

表 2-10　开挖轮廓点的点位中误差

<table>
<tr><th rowspan="2">工程部位</th><th colspan="2">点位中误差(mm)</th><th rowspan="2">备　注</th></tr>
<tr><th>平面</th><th>高程</th></tr>
<tr><td>主体工程部位的基础轮廓点预裂爆破孔定位点</td><td>± 50 ~ ± 100</td><td>± 100</td><td rowspan="3">± 50 mm 的误差仅指有密集钢筋网的部位、点位误差值均相对于邻近控制点或测站点、轴线点而言</td></tr>
<tr><td>主体工程部位的坡顶点、中间点、非主体工程部位的基础轮廓点</td><td>± 100</td><td>± 100</td></tr>
<tr><td>土、砂、石覆盖面开挖轮廓点</td><td>± 200</td><td>± 200</td></tr>
</table>

(二)工程细部开挖放样

开挖工程细部放样，需在实地放出控制开挖轮廓的坡顶点、转角点或坡脚点，并用醒目的标志加以标定。

开挖工程细部放样采用测角前方交会法，宜用三个交会方向，以“半测回”标定即可。采用极坐标法放样时，其方向线的测设方法按建筑物、构筑物主体倾斜率和按差异沉降推算主体倾斜值计算执行，距离测量可根据条件和精度要求从下列方法中选择：

(1)用钢尺或经过比长的皮尺丈量，以不超过一尺段为宜。在高差较大地区可丈量斜距加倾斜改正。

(2)用视距法测定，其视距长度不应大于 50 m，预裂爆破放样不宜采用。

(3)用视差法测定，端点法长度不应大于 70 m。

1. 细部点的高程放样方法

细部点的高程放样可采用支线水准、光电测距三角高程或经纬仪置平测高法。

(1)支线水准应往返测量，其较差不应大于表 2-10 中关于高程中误差的 1/2。

(2)光电测距三角高程：采用测距一测回，天顶距一测回。

(3)经纬仪置平测高，在正倒镜读数取平均值，转站时，需往返测，其较差不应大于表 2-10 中要求，且转站数不应超过 4 站。

(4)所有细部放样点，均应注意校核。校核方法宜简单易行，以能发现错误为目的，并将校核的结果记入放样手簿。

(5)在开挖施工过程中，应经常在预裂面或其他适当部位以醒目的标志标明桩号、高程或开挖轮廓线。

(6)开挖部位接近竣工时，应及时测放基础轮廓点及散点高程，并将欠挖部位及尺寸标于实地，必要时在实地画出开挖轮廓线，以备验收。

2. 断面测量精度要求

(1)开挖工程动工前，必须实测开挖区的原始断面图或地形图。开挖过程中，应定期测量收方断面图或地形图。开挖工程结束后，必须实测竣工断面图或竣工地形图，作为工程量结算的依据。

(2)断面间距可根据用途、工程部位和地形复杂程度在 5 ~ 20 m 范围内选择。有特殊要求的部位按设计要求执行。

(3)断面图和地形图比例尺，可根据工程部位和地形的大小在 1：200 ~ 1：1 000 之间选择，主要建筑物的开挖竣工地形图或断面图应选用 1：200，收方图以 1：200 ~ 1：500 为宜，大范围的土石覆盖层开挖收方可选用 1：1 000。

(4)断面中心桩测量的精度要求应符合表 2-11 的规定。

表 2-11 断面中心桩测量的精度要求

断面类别	纵向误差(cm)	横向误差(cm)
原始收方断面	± 10	± 10
竣工断面	± 5	± 5

(5)断面点相对于断面中心桩的误差应符合表 2-12 的规定。

表 2-12 断面点相对于断面中心桩的误差

断面类别	比例尺	断面点误差(图上 mm)	
		平面	高程
原始收方断面	1：1 000、1：500	± 1.0	± 0.7
竣工断面	1：200	± 0.75	± 0.5

(6)断面点间距应以能正确反映断面形状，满足面积计算精度要求为原则，一般为图上 1~3 cm 施测一点。地形变化处应加密测点。断面宽度应超出开挖边线 3 ~ 10 m。

3. 混凝土及砌体的施工放样测量

基坑开挖后，根据平网控制点和高程控制点，测放出电站主副厂房的纵、横主轴线，再根据主轴线放出次轴线和细部，作为浇筑底板立模、绑扎钢筋的依据。施工过程中，每道工序施工前都要进行施工放样。放出轴线位置，确定断面尺寸和高程，并经校核无误后方可施工。

混凝土浇筑前和浇筑后还要对已架立好的模板、预埋件、止水、钢筋位置、形体尺寸等进行复测，以便及时采取补救措施。立模、浇筑、填筑轮廓点点位中误差及分配应符合表 2-13 的规定。高层建筑物混凝土及预制构件拼装的竖向测量偏差限值应符合表 2-14 的规定。

表 2-13　立模、浇筑、填筑轮廓点点位中误差及分配

建筑材料	建筑物名称	点位中误差(mm)		平面位置误差分配(mm)	
		平面	高程	轴线点(测站点)	细部放样
混凝土	各种主要水工建筑物(坝、闸、厂房)，船闸及泄水建筑物等坝内正、倒垂孔等	± 20	± 20	± 17	± 10
	各种导墙及井、洞衬砌，坝内其他孔洞	± 25	± 20	± 23	± 10
	其他(副坝、围堰、心墙、护坦、护坡、挡墙等)	± 30	± 30	± 25	± 17
土石料	碾压式坝(堤)上、下游边线，心墙，面板堆石坝及各种观测孔位等	± 40	± 30	± 30	± 25
	各种坝(堤)内设施定位填料，填料分界线等	± 50	± 30	± 30	± 40

表 2-14　竖向测量偏差限值

工程项目	相邻两层对接中心线相对偏差(mm)	相对基础中心线的偏差(mm)	累计偏差(mm)	备注
厂房、开关站等各种构架、立柱	± 3	H/2 000	± 20	H 为总高度
闸墩、栈桥墩、船闸、厂房等侧墙	± 5	H/1 000	± 30	

建筑物的模板架设后，应利用测放轮廓点进行检查，其偏差应符合表 2-15 的规定。

浆砌石、砖砌体施工前也要进行放样，放出轴线位置、砌筑边线、门囱洞口尺寸，砌体施工后也要复测砌体的断面尺寸和高程，发现问题及时纠正。

(三)金属结构、机电设备安装阶段测量精度要求

用于测量高程和安装轴线的基准点及安装用的控制点均应明显、牢固和便于使用，应由测量部门在现场向安装单位和质量检查部门交清，并提供简图。

表 2-15　模板安装的允许偏差　　（单位：mm）

<table>
<tr><th colspan="3">项　目</th><th>外部表面</th><th>隐蔽内面</th></tr>
<tr><td rowspan="2">模板平整度</td><td colspan="2">相邻两板面高低差</td><td>2</td><td>5</td></tr>
<tr><td colspan="2">表面平整(2 m 直尺检查)</td><td>5</td><td>10</td></tr>
<tr><td rowspan="2">大体积混凝土结构</td><td colspan="2">边线与设计边线</td><td>10</td><td>15</td></tr>
<tr><td colspan="2">水平截面内部尺寸</td><td colspan="2">±20</td></tr>
<tr><td rowspan="5">非大体积混凝土结构</td><td colspan="2">轴线位置</td><td colspan="2">5</td></tr>
<tr><td rowspan="2">截面内部尺寸</td><td>基础</td><td colspan="2">±10</td></tr>
<tr><td>墩、墙、柱、梁</td><td colspan="2">±5</td></tr>
<tr><td rowspan="2">竖向偏差</td><td>高度≤5 m</td><td colspan="2">6</td></tr>
<tr><td>高度>5 m</td><td colspan="2">8</td></tr>
<tr><td colspan="3">承重底模上表面高程</td><td colspan="2">±5</td></tr>
<tr><td colspan="3">预留孔、洞尺寸及位置</td><td colspan="2">10</td></tr>
</table>

金属结构安装所使用的钢尺和测量仪器的精度必须达到下述规定：①精度为万分之一的钢尺；②J_2型经纬仪；③S_3型水准仪。

金属结构安装所用的量具和仪表应在使用前送法定计量部门予以检定。

水轮发电机组、升变电设备、公用设备以及闸门启闭机等的安装要用精密测量仪器配钢板直尺进行测量放样。用于测量的高程控制点和安装轴线及平面控制点，均用红线表示，保证安装位置和高程符合精度要求。水轮发电机组等安装工程除用精密仪器具控制平面位置和高程外，还需要精密水平尺和塞尺等专用安装测量器具。

弧形闸门及埋件安装的允许偏差如表 2-16 所示。

活动式拦污栅埋件安装的允许偏差见表 2-17。

表 2-17　活动式拦污栅埋件安装的允许偏差　　（单位：mm）

<table>
<tr><th rowspan="2">序号</th><th rowspan="2">项目</th><th>底槛</th><th>主轨</th><th>反轨</th></tr>
<tr><th colspan="3">允许偏差</th></tr>
<tr><td>1</td><td>里程</td><td>±5</td><td></td><td></td></tr>
<tr><td>2</td><td>高程</td><td>±5</td><td></td><td></td></tr>
<tr><td>3</td><td>工作表面一端对另一端的高差</td><td>3</td><td></td><td></td></tr>
<tr><td>4</td><td>对栅槽中心线</td><td></td><td>+3
−2</td><td>+5
−2</td></tr>
<tr><td>5</td><td>对孔口中心线</td><td>±5</td><td>±5</td><td>±5</td></tr>
</table>

轨道安装的允许偏差见表 2-18。

表 2-16　弧形闸门及埋件安装的允许偏差

（单位：mm）

序号	埋件名称			底槛	门楣	侧止水座板		侧轮导板
						潜孔式	露顶式	
	简图							
1	里程			±5	+2 −1			
2	高程			±5				
3	门楣中心至底槛面的距离 h				±3			
4	对孔口中心线 b	工作范围内		±5		±2	+3 −2	+3 −2
		工作范围外				−4 −2	+6 −2	+6 −2
5	工作表面一端对另一端的高差	$L \geqslant 10\,000$		3				
		$L<10\,000$		2				
6	工作表面平面度			2	2	2	2	2
7	工作表面组合处的错位			1	0.5	1	1	1
8	侧止水座板和侧轮导板中心线的曲率半径					±5	±5	±5
9	工作范围表面扭曲 f	简图						
		工作范围表面宽度	$B<100$	1	1	1	1	2
			$B=100 \sim 200$	1.5	1.5	1.5	1.5	2.5
			$B>200$	2		2	2	3
		工作范围外允许增加值				2	2	2

注：①L 为闸门宽度；②安装时门楣一般为最后固定，故门楣位置宜按门叶实际位置进行调整；③工作范围指孔口高度；④构件每米至少测一点；⑤潜孔式测止水座板如为不锈钢，其组合错位为 0.5 mm；⑥组合处错位应磨成缓坡。

表 2-18　轨道安装的允许偏差　（单位：mm）

序号	项目及代号	允许偏差	备注
1	轨道实际中心线对轨道设计中心线的位置偏移： $L \leqslant 10\ 000$ $L > 10\ 000$	 2 3	轨道设计中心线应根据启闭机起吊中心线、坝轴线或厂房中心线测定
2	轨距：$L \leqslant 10\ 000$ $L > 10\ 000$	±3 ±5	
3	轨道纵向不平度	构件长度的 1/1 500 且不超过 10	
4	轨道横向倾斜度	轨宽的 1/100	每根轨道两端和中间测量
5	同一断面上两轨道的标高相对差	L/800 且不超过 10	

注：L 为轨距。

圆柱形、球形铰座安装的允许偏差见表 2-19。

表 2-19　圆柱形、球形铰座安装的允许偏差　（单位：mm）

序号	项目	允许偏差
1	铰座中心对孔口中心线的距离	±1.5
2	里程	±2
3	高程	±2
4	铰座轴孔倾斜度	0.1%
5	两铰座轴线相对位置的偏差	2

注：铰座轴孔倾斜度系指任何方向的倾斜。

吸出管里衬安装允许偏差(转轮直径≤3 000 mm)见表 2-20。

表 2-20　吸出管里衬安装允许偏差　（单位：mm）

序号	项目	允许偏差	说明
1	管口直径	±0.001 5D	D 为管口直径设计值，至少等分测 8 点
2	相邻管口内壁周长差	0.001L	L 为管口周长
3	上管口中心及方位	4	测量管口上 x、y 标记与机组 x、y 基准线间距离
4	上管口高程	+8 −0	
5	下管口中心	10	吊线锤测量

转轮室、基础环、座环安装允许偏差(转轮直径≤3 000 mm)见表2-21。

表2-21 转轮室、基础环、座环安装允许偏差 （单位：mm）

序号	项目	允许偏差	说明
1	中心及方位	2	测量埋件上 x、y 标记与机组 x、y 基准线间的距离
2	高程	±3	
3	水平	径向侧 0.07 mm/m	
4	转轮室圆度	各半径与平均半径之差不应超过设计平均间隙的±10%	轴流式测量上、中、下3个断面，斜流式测量上止口和下口，至少测8点
5	基础环、座环圆度(包含同轴度)	1.0	测机组中心线至镗口半径，轴流式机组以转轮室定该机线中心线；至少测8点

机坑里衬、接力器基础安装允许偏差(转轮直径≤3 000 mm)见表2-22。

表2-22 机坑里衬、接力器基础安装允许偏差 （单位：mm）

序号	项目	允许偏差	说明
1	机坑里衬中心	5	测量里衬法兰与座环上部法兰镗口间距离
2	机坑里衬上口直径	±5	等分测8点
3	接力器里衬法兰垂直度	0.3 mm/m	
4	接力器里衬中心及高程	±1.0	根据座环上法兰面测量
5	接力器里衬与机组基准线平行度	1.0	
6	接力器里衬中心至机组基准线距离	±3	与设计值的偏差

转轮各部位的同轴度及圆度允许偏差见表2-23。

导水机构安装的允许偏差(转轮直径≤3 000 mm)见表2-24。

尾水管安装的允许偏差见表2-25。

表2-23 转轮各部位的同轴度及圆度允许偏差 （单位：mm）

工作水头	部位	允许偏差	说明
<200	止漏环	±10%设计间隙值	
	桨叶外缘	±10%设计间隙值	
	引水板止漏圈	±20%设计间隙值	
	兼作检修密封的法兰保护罩	±20%设计间隙值	
≥200	上冠外缘、下冠外缘	±5%设计间隙值	对应固定部位为顶盖及底环
	止漏环	±0.10	

表 2-24　导水机构安装的允许偏差　（单位：mm）

序号	项目		允许偏差		说明
1	各组合缝间隙		符合 SL172—96《小型水电站施工技术规范》第 19.2.9 要求		
2	各止漏环圆度及同轴度		符合 SL172—96《小型水电站施工技术规范》第 19.3.2 要求		
3	下锥体法兰止口与转轮室同轴度		0.25		
4	导叶端面总间隙		不超过设计间隙		
5	导叶局部立面间隙	导叶高度	≤600	>600 ≥1 200	
		无密封条导叶	0.05	0.10	间隙总长度不应超过导叶高度的25%
		带密封条导叶(不装)	0.15		密封条装入后，应无间隙

表 2-25　尾水管安装的允许偏差　（单位：mm）

序号	项目	允许偏差	说明
1	管口法兰最大与最小直径差	3	有基础环的结构，指基础环上法兰测管口水平标记的高程和垂直标记的左右偏差
2	中心及高程	± 1.5	若先装座环，应以座环法兰面位置为基准
3	管口法兰至转轮中心距离	± 2.0	测上、下、左、右 4 点
4	法兰面垂直度及平面度	0.4	
5	相邻两节管口内壁周长	不超过 10	
6	各大节同心度	0.002D	D 为管内径设计值

座环(管形壳)安装允许偏差见表 2-26。

表 2-26　座环(管形壳)安装允许偏差　（单位：mm）

序号	项目	允许偏差	说明
1	中心及方位	2.0	测部件上 x、y 标记与相应基准线的距离。 (1)若先装尾水管双基础环，应以尾水管法兰或基础环法兰为基准； (2)测上、下、左、右 4 点
2	法兰至转轮中心距离	± 2.0	
3	前锥体法兰垂直度及平面度	0.4	
4	法兰圆度	1.0	
5	内管形壳组合面高程	± 0.8	
6	流道盖板基础框架中心至机组中心距	± 5	
7	接力器基础至基准线距离	± 3	

主轴及转轮安装的允许偏差见表 2-27。

表 2-27　主轴及转轮安装的允许偏差

序号	项目	允许偏差
1	转轮与主轴法兰组合缝	无间隙
2	转轮与转轮室间隙	± 20%实际平均间隙
3	主轴密封间隙	符合 SL172—96《小型水电站施工技术规范》第 19.3.5.4 条及第 15.3.5.5 条要求

轴承安装的允许偏差见表 2-28。

表 2-28　轴承安装的允许偏差　（单位：mm）

序号	项目	允许偏差	说明
1	镜板与主轴垂直度	0.05	
2	分瓣推力盘组合缝	局部间隙不超过 0.05，错牙不超过 0.02	按机组旋转方向检查
3	轴瓦与轴承座配合承力面	大于 60%接触面积	
4	轴瓦与轴颈端面间隙	符合设计要求	
5	轴瓦间隙	符合设计要求	
6	下轴瓦与轴颈接触角	大于 60°	
7	下轴瓦与轴颈接触点	1 ~ 3 点/cm^2	
8	轴承体各组合缝间隙	符合 SL172—96《小型水电站施工技术规范》第 19.2.9 条要求	
9	轴承体对地绝缘	不低于 1 MΩ	

转轮安装高程及间隙允许偏差见表 2-29。

表 2-29　转轮安装高程及间隙允许偏差　（单位：mm）

<table>
<tr><th>序号</th><th colspan="3">项目</th><th>允许偏差</th><th>说明</th></tr>
<tr><td rowspan="3">1</td><td rowspan="3">高程</td><td colspan="2">混流式</td><td>± 1.5</td><td>测固定与转动止漏环高低错牙</td></tr>
<tr><td colspan="2">轴流式</td><td>+2.0
0</td><td>测底环至转轮体顶面距离</td></tr>
<tr><td colspan="2">斜流式</td><td>+0.8
0</td><td>测叶片与转轮室间隙</td></tr>
<tr><td rowspan="3">2</td><td rowspan="3">间隙</td><td colspan="2">工作水头<200</td><td>各间隙与平均间隙之差不应超过实际平均间隙值的 ± 20%</td><td>桨叶与转轮室间隙，在全关位置测进水、出水和中间 3 处</td></tr>
<tr><td rowspan="2">工作水头≥200</td><td>a_1
a_2</td><td>各间隙与设计间隙之差不应超过设计间隙值的 ± 10%</td><td rowspan="2"> 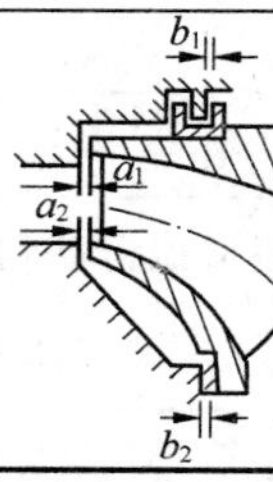b_1 a_1 a_2 b_2</td></tr>
<tr><td>b_1
b_2</td><td>各间隙与设计间隙之差不应超过 0.20</td></tr>
</table>

七、沉降观测和位移观测

(一)沉降观测

在电站的主副厂房工程施工过程中，按设计要求位置在厂房设置沉降观测点，并定期用精密水准仪观测，做好观测沉降记录，绘制出沉降量与时间的关系曲线图。若发现异常问题，必须分析原因，会同设计、监理工程师查明原因，进行处理。定期观测成果应作为竣工资料的一部分。

(二)位移观测

电站基坑土石方开挖过程中，为了检查边坡的安全稳定性，在开挖边坡最高处开挖边线附近的适当位置，设置位移观测点若干个并编号，利用已布设的基准点，用经纬仪定测出位移观测点的三维坐标，并绘制三维坐标与时间关系曲线图。若发现问题及时上报有关部门进行原因分析，及时研究处理。

八、竣工测量和测量资料移交

工程竣工后，按照合同文件要求，要提交完整而翔实的竣工测量资料，并绘制工程竣工图纸，移交管理单位。竣工测量可利用施工期间设置的平面控制点和高程控制点对电站的地面部分进行实测(如测量主、副厂房的平面位置，长、宽、高程等)，并在现场绘出草图后，标出高程，回到室内再根据实测数据和草图绘制出完整而细致的竣工图。

在竣工测量阶段还要及时准确地整理出施工过程中的各种原始测量记录，所有的测量资料、图纸要仔细整理，分类装订成册。

工程移交时，所有的测量资料和竣工图纸均作为竣工资料之一，移交给管理单位。

第三章　施工导流

水电站设计中施工导流及度汛是施工方案的重要组成部分，涉及电站的选择、枢纽的布置、电站的结构型式等方面，并直接影响到工程施工总体布置、施工进度及总投资。如施工导流不当，将影响建设进度和工程质量并且危及人民生命财产安全。因此，在施工中要严格按设计要求，精心组织，切实做好导流度汛工作。

第一节　一般规定

(1)导流工程的施工必须按计划进行，特别是导流泄水建筑物和截流后无法继续施工的工程，必须如期完成达到设计要求并通过验收后方可进行截流。

(2)施工导流贯穿工程施工的全过程，导流工程施工应妥善解决从初期导流到后期导流施工全过程中挡、泄水问题，处理好洪水与施工的矛盾，保证工程施工安全可靠。

(3)导流工程应按已批准的导流标准，当按规定标准导流有困难时经充分论证并报主管部门批准，可适当降低标准，但应加强气象与水情预报。在汛期前，工程应达到安全度汛要求。

(4)整个施工过程中应按主管部门审批后的设计规定妥善处理通航过木、向下游供水与排泄冰凌等问题。

(5)施工过程中应拟定天然来水流量超过导流设计洪水标准时的应急措施，尽量减小失事损失。

第二节　围堰的施工

一、围堰施工的一般要求

(1)必须做好围堰地基的处理工作，保证围堰防渗体与地基两岸的可靠连接。对强渗透地基应做好地基的防渗处理，可用混凝土防渗墙或高喷水泥板墙处理地基覆盖层，上接复合土工膜的施工方案。

(2)围堰的施工及拆除进度应满足工程施工总进度的要求。导流泄水建筑物施工时宜提前施工围堰部分堰体及防渗体以利于均衡围堰施工强度，并应在汛前修筑到设计高程。

(3)围堰的施工宜充分利用永久建筑物施工机械设备和劳力，堰体填料要尽量使用永久建筑物基础开挖料。围堰宜尽可能与永久性建筑物相结合。

(4)应重视围堰基础防渗处理，围堰覆盖层防渗处理方式应安全可靠，并尽可能简单易行。

(5)围堰拆除范围及拆除断面(宽度及高程)应满足永久建筑物的运行要求，对分期导流的一期围堰拆除还应满足二期导流及截流泄水要求。对前期导流的一期围堰拆除料宜尽量考虑用于二期围堰提前进占抛填的部位。

(6)施工围堰属临时性水工建筑物，其建筑物级别的划分，应根据保护对象的重要性、失事后果、使用年限和临时性建筑物规模按表 3-1 确定。

表 3-1　临时性水工建筑物级别

级别	保护对象	失事后果	使用年限(年)	临时性建筑物规模	
				高度(m)	库容(亿 m^3)
三	有特殊要求的一级永久性水工建筑物	淹没重要城镇、工矿企业、交通干线或推迟总工期及第一台(批)机组发电造成重大灾害和损失	>3	>50	>1.0
四	一、二级永久性建筑物	淹没一般城镇、工矿企业或影响工程总工期及第一台(批)机组发电而造成较大经济损失	3～1.5	50～15	1.0～0.1
五	三、四级永久性建筑物	淹没基坑，但对总工期及第一台(批)机组发电影响不大，经济损失较小	<1.5	<15	<0.1

二、混凝土防渗墙的特点与质量控制要求

混凝土防渗墙是在松散透水地基或围堰中连续造孔成槽，以泥浆固壁，在泥浆下浇筑混凝土而建成的，能起到防渗作用的地下连续墙，是保证地基稳定和围堰安全的重要工程措施。混凝土防渗墙有时也兼有防冲、承重等其他作用。

(一)混凝土防渗墙工程的特点

(1)混凝土防渗墙工程的基础，工程质量直接关系建筑物甚至整个枢纽工程的安危，墙体一旦发生渗漏量超过设计允许值就可能导致基础破坏，围堰失事。

(2)混凝土防渗墙是地下工程，其施工工艺(包括施工设备，工艺方法，固壁泥浆材料的性能，质量安全保证措施，施工效率与成本等)与地质条件有十分密切的关系，有时甚至决定工程的成败或方案的变更。由于地质条件的复杂多变性，工程对防渗墙的要求也各不相同，因此各个防渗墙工程的施工方案和措施也很少有完全相同的方面。

(3)混凝土防渗墙工程是隐蔽工程，工程完成后，其工程质量难以进行直观地和完全地检测，质量缺陷需要在使用过程中才能发现且很难进行完工修补。

(4)混凝土防渗墙工程的施工技术比较复杂，专业性强，对施工人员的现场操作技术要求较高。

(二)对防渗墙造孔质量的要求

防渗墙的造孔工序，是防渗墙施工中占用时间最长，对质量、工期和造价影响最大的工序，发生故障的几率也是最大的。所以，对防渗墙的槽孔孔型提出，要求槽孔孔壁应平整垂直，不应有梅花孔小墙等，且槽孔嵌入基岩的深度必须满足设计要求。基岩面需按下列方法确定：

(1)依照防渗墙中心线地质剖面图，当孔深接近预计基岩时即应开始取样，然后根据

岩样的性质确定基岩面。

(2)对照邻孔基岩面高程并参考钻进情况以确定基岩面。

(3)当上述方法难以确定、基岩面或对基岩面发生怀疑时，应采用岩芯钻机取岩样加以确定和验证。这是对防渗墙造孔深度的要求。保证防渗墙深度的关键是对地质情况的详细了解，对孔底基岩的正确判断。要特别注意，防止将大漂石误判为基岩。

(三)对造孔固壁泥浆的质量要求

建造槽孔时泥浆的功用是支承孔壁，悬浮携带钻渣和冷却钻具。泥浆应具有良好的物理性、流变性、稳定性以及抗水泥污染的能力。

海水或地下水可能对泥浆产生污染的情况下，应进行水质分析并采取保证泥浆质量的措施。

泥浆性能的优劣，对防渗墙槽孔的稳定性起着决定作用，有些防渗墙工程在施工过程中发生槽孔坍塌，就是因为泥浆质量太差，优质泥浆由于密度小泥皮薄，稳定性好，抗水泥污染能力强，因而对墙体混凝土的浇筑和墙段接缝的质量提高有很大的好处。

泥浆材料的选择，外加剂种类及其掺入量，泥浆各项物理指标参数的确定，也要由事先进行室内试验取得，并尽量使用优质的膨润土泥浆。

海水或矿化度高的地下水，可能对泥浆产生污染，恶化泥浆性能。因此，在施工前应对拌制泥浆的水和环境水的水质以及它们对泥浆质量的影响进行试验分析，制定和采取保证泥浆质量的措施。

(四)对混凝土防渗墙施工试验的要求

进行防渗墙试验的目的就是要探明地质条件，检验设计方案的可行性，取得合理的设计参数，为制定正确的施工组织设计和合理的施工方案提供依据。故着重对施工试验提出以下要求：重要的或有特殊性的工程，宜在地质条件类似的地点或在防渗墙中心线上进行施工试验，以取得有关造孔固壁泥浆，墙体浇筑资料。

(五)对混凝土防渗墙体质量的要求

为了保证混凝土防渗墙体材料的性能满足设计要求，必须做到以下几点：

(1)保证拌制墙体材料的水泥、水、砂、石、外加剂和其他原材料的质量符合有关的质量标准要求及设计指标。

(2)各种材料的配合比及其拌制的方法应当正确，这两项工作必须在施工前进行，因此要求配制墙体的材料、水泥、骨料、水掺合料及外加剂等应符合有关标准的规定，其配合比及配制方法应通过试验决定。在施工过程中，对原材料的质量应有抽样检验和控制措施，对拌制好的墙体材料应做试模进行检验。

(3)防渗墙墙体应均匀完整，不得有混浆、夹泥、断墙、孔洞等。

(4)墙体施工的质量事故，承包单位除应按规定及时处理和补救外，应及时详细地做好现场记录，并将事故发生的时间、位置、原因、补救措施、处理经过等有关资料提交给有关部门，以便评价其对工程安全的影响，并作出是否采取进一步工程措施的决定。

(六)对墙体施工中特殊情况处理的质量要求

对造孔施工中发生地层严重漏浆时，应迅速填入堵漏材料，减少固壁泥浆的损失。保持槽内泥浆浆面高度，防止槽孔坍塌。当堵漏一时难以奏效，或因其他原因也可以用粗土回填槽孔，待进行妥当处理后再重新钻孔。

在混凝土浇筑过程中导管堵塞、拔脱或漏浆需重新下设时，必须采用下列办法：

(1)将导管全部拔出冲洗并重新下设，抽净导管内泥浆后继续浇筑。

(2)继续浇筑前必须核对混凝土面高程及导管长度，确认导管的安全插入深度。

三、土工合成材料的应用及施工质量控制

土工合成材料是以高分子聚合物为原料制成的，用于岩土工程的各种产品的总称。通常采用的高分子聚合物原材料有聚丙烯(PP)、聚乙烯(PE)、高密度的聚乙烯(HDPE)、聚脂(PET)、聚氮乙烯(PUC)以及聚苯乙烯(EPS)等。它们是以煤、石油、天然气以及石灰石等原材料，通过一定生产程序获得的。

(一)土工合成材料的分类

土工合成的材料品种极多，按照国家标准 GB 50290—98《土工合成材料应用技术规范》分类方法，可归纳为以下四种：

(1)土工织物：是由纤维制成的透水的片状物，又可分为有纺织物和无纺织物两种。

(2)土工膜：应用最广的是由聚乙烯和聚氮乙烯制成的不透水产品。

(3)土工复合材料：由两种或两种以上土工合成材料复合而成的产品，如有纺织物与无纺织物复合而成的织物，土工织物与土工膜粘合而成的复合土工膜(俗称“一布一膜”、“二布一膜”)。

(4)土工特种材料：为满足工程特定要求专门制造的产品，例如加筋土体用的土工格栅、加速软土地基固结的塑料排水泄、护坡用的三维网垫等。

(二)材料的工业特性

针对不同工程项目，应根据其具体要求的功能选用相应的产品。产品的工业特性包括以下几方面：

(1)物理性性状：材料的单位面积质量、厚度、等效孔径等。

(2)力学性性状：拉伸强度、断裂伸长率、胀破强度、撕裂强度、摩擦系数、拉拔摩擦系数等。

(3)水力学性状：垂直渗透系数、平面渗透系数、梯度比等。

(4)耐久性性状：抗老化性、抗化学剂侵蚀性、蠕复性等。

以上各种性状均应按法定标准进行测试，得出定量指标。选用产品必须测试指标合格且符合设计要求。

(三)土工合成材料施工前需控制的指标资料

(1)所有材料应具有国家或部门认可的测试单位的测试报告，材料进场后应进行抽检，抽检项目如下：①物理性能：单位面积和质量、深度、材料的比重、孔径等；②力学性能：垂直渗透参数、平面渗透系数、淤墙防水性等；③力学性能：条泄拉伸、拉伸撕裂、顶破、刺破、直接摩擦、蠕变等；④耐久性能：抗紫外线能力、化学性质稳定性和生物稳定性等均符合规范和设计要求。

(2)材料应有标志牌、商标、产品名称、代号以及规格、厂名、生产日期、毛重、净重等。

(3)材料运输过程中应有封盖，现场存放时应通风干燥，不得日光照射并远离火源。

(四)施工过程中的质量控制

(1)土工编织布分层铺设加固土体的质量控制。采用土工编织布分层铺设措施，以加固土体的抗剪强度，降低土体的渗透系数和变形。坡面土层的多余水分通过土工布滤除排走，而土颗粒被土工布包裹免于流失。为防止土工布包裹的坡面土体下滑，应采取加长土工布长度的措施，即由局部的土工布与土体间所产生的摩阻力来克服前部土体的下滑，保持坡面的稳定。

(2)采用土工布袋砌筑，结合聚丙烯土带拉固锚定的技术要求，即采用拉锚结构防止滑坡措施。

(3)土工布砂袋砌筑。结合聚丙烯土工带拉锚固定措施，要求砂袋在坡面形成贴坡式排水，降低土壤含水量，减少边坡土体的流失作用。

(4)用土工布砂袋砌筑砂袋浅层，砌筑措施的技术要求。将砂袋体插入边坡内的长度视施工实际情况决定，其机理是使围堰坡土壤能够排除土体内多余水分和阻止地下水大量向坡面聚集，防止坡面发生滑动。

(5)土工织物反滤措施的技术要求。采用铺设土工织物滤层，利用土工织物保土和过滤的特性排除土体中多余的水分，使堤防边坡保持稳定。

(6)在围堰坡脚埋设土工布砂袋镇脚。主要起稳定坡脚的作用，同时又构成了一条排水暗沟，围堰坡及排水输送到下游沟中，此种结构型式可以防止坡脚的不均匀沉陷。

(五)检查验收的方法与程序

1. 方法

(1)根据设计要求检查土工编织袋及其锚拉长度是否满足要求，即编织袋装土(或砂)后，其长度、宽度、高度及围堰边坡系数是否符合要求，对锚拉长度进行复核，看是否合格。

(2)对坡面拉带长度与塑料编织袋选用情况，每根拉带的强度、伸长率是否符合规定，编织袋的型号、袋装重量是否符合设计要求。

(3)检查土工布合成铺设层间距离，土工布坡面包裹砂(土)的尺寸是否符合设计要求。

2. 程序

(1)主要内容包括清基、材料、铺设方向和材料的接绳或搭接、材料结构尺寸、结构的连接、回填料压重和防护层等。

(2)施工时应有专人抽样，每完成一道工序应按设计要求及时检验合格后，方可进行下道工序的施工，并检查埋设的观测设备是否完好。

(六)土工织物反滤及排水工程量质量验收标准

1. 对反滤材料的检测

反滤材料必须具有的功能如下：

(1)保土性：防止被保护的土粒随水流流失。

(2)逆水性：保证渗流水排泄畅通。

(3)防堵性：防止材料被细土粒堵塞失效。

2. 施工技术控制标准

1)施工工序的检查

(1)土表面为粗料时，应先铺薄砂、砾层后再铺土工织物，土工织物应设防护层。

(2)坡顶部与底部的土工织物应锚固，水下坡脚处土工织物应采取防冲措施。

2)施工过程的技术检测

场地平整、织物备料、铺设回填和表面养护要达到设计要求，即碾场压地应清除地面一切可能损伤土工织物的尖、冷、硬物填充凹坑，平整土面或修好坡面。备料按工程设计要求裁剪拼幅，应避免织物被损伤，保持其不受脏物污染。

3)铺设应符合的要求

(1)力求平顺，松紧适度，织物应与土面密贴，不留空隙。

(2)发现织物有损，应立即修补和更换。

(3)相邻织物块拼接可用搭接或缝接。一般可用搭接，平地搭接的宽度可取 30 cm，不平地区或极软土地区，应不小于 50 cm，水下铺设应适当加宽。

(4)预计织物在工作期间可能发生较大位移，而使织物拉开时，应采用缝接，缝接形式符合设计要求，可采用平接、对接、十字形接、蝶形接四种方法。

(5)有往复水流时，宜在织物下铺设厚 5 ~ 10 cm 砂层，此时不宜用搭接，以免砂进入夹缝，使织物分离，有动力荷载作用时亦应先铺砂层。

(6)在流水中铺设时，搭接处上游织物块应盖在下游织物块之上。

(7)坡面铺设一般自下而上进行，坡顶、坡脚应以铺固沟或其他可靠方法固定，防止其滑动。

(8)铺设人员穿软底鞋，以免损伤织物。织物铺好后应避免受阳光直接照射，采取随铺随填的保护措施。

(9)坡结构的连接处不得留空隙，结合良好。

4)回填应符合的要求

(1)回填料不得含有损于织物的物质。

(2)回填时不得破坏土工织物，土工织物上至少有厚 30 cm 的松土层方允许压实，不得使用重型机械或振动碾压实。

(3)回填料的压实度符合设计要求。

5)反滤料的标准

对于编织型土工织物保土性准则予以采用下列规定：

(1)黏粒含量大于 10%的黏壤土，在覆盖保护层块大(0.4 m×0.6 m)、缝隙小(如预制件)的条件下可采用 $Q_{90} \leqslant 10d_{90}$。

(2)黏粒含量小于 10%的砂性土，在覆盖保护层块大(0.4 m×0.6 m)、缝隙小(如预制件)的条件下可采用 $Q_{90} \leqslant (2 \sim 5)d_{90}$(浪高小于 0.6 m 时取最大值，否则取小值)。

Q_{90} 表示编织土工织物的有效孔径。

6)施工控制要点

(1)有往复水流时，织物后的土料不易形成天然滤层，需要铺厚砂层予以改善。

(2)土工织物是聚合材料，紫外线直接照射会引起降解等破坏作用，故应尽早覆盖保护。

第三节 截流及安全度汛

(1)截流方案经设计单位制定后，在施工中要按设计要求严格控制其工程质量。

(2)在施工截流前应周密设计，做好水情预报，并做好人力、物力与技术上的准备。

(3)截流时间的选择应综合分析水文、气象、河道综合利用要求、前期工程的实际进度、汛前围堰及基坑的施工强度后经论证确定。

(4)截流方式宜采用立堵方式。

(5)非岩基河床截流段，一般应事先在整个龙口部位或困难区段进行平抛护底，护底长度在戗堤轴线以上可取最大水深的2倍；在戗堤轴线以下，可取最大水深的3~4倍。龙口抛投时可用石串、块体串联或栓锚大块石抛投进占，以保证抛投料投到需要位置，防止流失。截流备料总量应根据截流料物堆存条件、运输条件、可能流失量及戗堤沉降量等因素综合分析，并适当增加备料量，其增量系数可为0.15~0.25。

(6)在合龙过程中，应随时测定龙口的水力特征值，适时改换抛投料种类、抛投强度，改进抛投技术，以改善截流条件。

(7)截流、度汛应根据已批准的设计编制施工计划，制定实施技术措施。

(8)导流工程的围堰、引渠等建筑物应保质保量如期建成，并应进行验收，如需通航或过木时应满足航行及过木要求。

(9)截流前必须将分流通道的临时围堰全部拆除至规定高程，截流日期应根据施工组织设计确定，必须考虑围堰的足够施工时间，以保证在汛期来临前达到规定的安全高程。

(10)龙口平堵或立堵应根据龙口水力特征、抛投料物种类及抛投技术确定。截流时的交通运输、抛投物料、构件应事先有充分准备，合龙后对戗堤加高培厚和龙口闭气等工作应按施工组织设计要求抓紧进行，保证龙口上升速度高于水位上升速度。

(11)应做好闭气的备料工作，保证闭气的质量。用土石料闭气时，在戗堤迎水坡应按反滤层的铺料原则抛填闭气料，直到基本堵死为止。抛填各层填料时，应使各层填料铺得稳定、均匀。也可采用铺油布、帆布、土工合成材料再抛填土闭气。多砂性河流截流后的闭气，可采用人工造淤或放淤办法闭气。

(12)围堰是直接用以挡水，其度汛的洪水标准对一、二级工程应为5~10年一遇洪水，三级工程后为3~5年一遇洪水。

(13)围堰在汛期到来之前，除其顶高应达到度汛洪水标准外，还应保证其他建筑物的安全。并应准备一定的后备力量与物质，以作应急之需，如遇超标准洪水，应及时作出紧急处理措施，对受影响的工程亦应及时补救。

(14)在围堰拆除前，需由建筑物直接挡水时，必须对挡水位以下部分进行阶段(中间)工程验收。

(15)为安全度汛，凡受洪水影响的建筑物，应在汛前达到设计要求的度汛高程和形象面貌。

(16)电站厂房可以用围堰临时断面形成小基坑度汛。当用厂房结构挡水时，应校核厂房围护结构的稳定和应力，并应做好进水口及尾水管出口处的封堵设施。

第四节 导流建筑物封堵施工及基坑排水

一、封堵施工要求

(1)导流建筑物封堵应在工程已具备可靠的度汛泄洪措施，可满足下游用水要求并经主管部门在蓄水前中间验收通过后方可进行。

(2)下闸封堵宜在枯水期进行，设计流量采用重现期 5~10 年的当月或旬平均流量。

(3)封孔方式可采用闸门封孔，也可采用围堰封孔，采用何种方式，应按设计要求和工程条件具体选定。

(4)堵头施工必须按设计要求进行，并确保工程质量与施工进度。

堵头应满足稳定抗裂与围岩或老混凝土结合紧密，抗渗等要求。堵头应分段施工，分段长度以 10~15 m 为宜，堵头内宜埋设灌浆管及冷却水管，必须时设置灌浆冷却廊道，也可采用低热微膨胀水泥或外掺氧化镁混凝土，混凝土层厚一般以 1.5 m 为宜。当温度达到年平均温度后可进行接触灌浆。

二、基坑排水要求

(1)初期排水应控制基坑水位下降速度，一般为 0.5~1.0 m/d，以保证围堰及地基的稳定性，基坑排水设备容量采用试抽法确定。应充分利用地形布置排水泵站，避免施工干扰，并应与永久排水统一考虑。对过水围堰，泵站的布置和合理选择排水的结构型式，应有利于度汛和从基坑撤退。

(2)开挖施工前应进行周密的排水系统布置和选择最佳的排水设备，排水系统布置应兼顾基坑开挖与主体建筑物施工两个时期使用。

(3)建筑物基础置于土壤及细砂等透水软基土层，基坑开挖时宜采用人工降低地下水位的办法。

三、导流建筑物封堵施工实例

盘石头水库导流洞(2 号泄洪洞)位于右岸鸡冠山下，进口底板高程为 187.1 m，与永久泄洪洞结合布置，进口分上、下两洞，上洞为龙台头型式，下洞顶距上部闸室底板 13 m 左右。洞全长 564 m，为城门洞型无压隧洞。洞净宽 7 m，高 9.76 m，侧墙与底板以半径 0.5 m 的圆角相连，衬砌厚 0.6~1.2 m，桩号 0+195 以前为导流洞段，以后为导流、泄洪共用段，导流洞衬砌混凝土强度等级为 C_{30}，洞身结构变化处设结构缝、内置低发泡塑料板和铜止水。一般洞段根据施工情况只设施工缝，顶拱进行回填灌浆。

0+049.05~0+058 为渐变段，横断面由 7.0 m × 7.8 m(宽 × 高)的矩形断面渐变为城门洞形，衬砌厚 1.2 m。

0+058~0+174 为城门洞形。洞宽 7 m，直墙高 7.7 m，拱矢高 2.06 m，顶拱中心角 122.09。0+058~0+137 段衬砌厚 1.0 m。0+137~0+174 断面一次开挖成型，即顶拱直接

开挖成龙抬头曲线型式，这样在封墙期该段没有拆除工作，只需把下半洞回填成龙抬头曲线型式即可，0+174 断面高 13.13 m，其中直墙高 11.12 m，该段衬砌厚 1.2 m。

导流洞穿越地层有 $\in_1^{10-2}$ 、$\in_1^{11}$ 、$\in_1^{12-1}$，均为灰岩与页岩软硬互层，最大断层破碎带为 F_{12}，位于桩号 0+145 附近，宽 40 ~ 50 cm。岩体整体看来较为宽整，围岩分类为Ⅲ类，坚固系数为 2.5 ~ 4，单位弹性抗力系数 K_D=80 ~ 140 kg/cm^3。

导流洞封堵设计原则：导流洞完成导流任务后，必须进行封堵，封堵体设计按 2 级永久建筑物设计，即按 100 年一遇洪水校核。导流洞下闸时间定于枯水期，封堵期洪水标准为 20 年一遇，相应水位 210.4 m，下闸水位为 193.1 m，相应流速为 3.57 m/s，封堵设计除考虑堵头设计外，还要考虑封堵段前导流洞洞身在内水压力作用下的稳定，特别是泄洪洞闸室相对应洞段的稳定。堵头段要满足稳定和防渗要求，其他洞段满足内水压力作用下的安全要求。

导流洞封堵设计包括两部分：一是堵头段设计，堵头要满足防渗与稳定要求。二是加固段设计，由于导流洞封堵后的承载方式与导流期不一样，需进行加固以满足安全要求，加固段分前加固段(0+036 ~ 0+129)和后加固段(0+154 ~ 0+195)，堵头前部的导流洞为前加固段，导流洞与龙抬头相接的三角体为后加固段。

堵头长度的确定：堵头长度计算取设计与校核两种工况，库水位分别为 270.7 m 和 275 m，计算水头分别为 84.7 m 和 89 m。堵头长度计算主要是采用抗剪断强度及柱面冲剪计算公式，同时参考经验公式。

抗剪断强度计算公式为

$$k=(fW+acA)/P\geqslant[k]$$

式中 k——抗剪断安全系数；

$[k]$——容许安全系数，取$[k_{校}]$=2.5、$[k_{设}]$=3；

f——混凝土与混凝土间的摩擦系数，取 0.8；

W——滑动面法向力(堵头自重)，$W=A\times 2.4L$；

c——周界黏聚力，取 70 Vm^2；

A——堵头围界面积，m^2；

P——水推力，t；

a——修正系数，即围界有效黏结面积系数。

柱面冲剪计算公式为：

堵头长度 $$t\geqslant p/[\tau]S$$

式中 τ——容许剪应力，取 0.1 ~ 0.3 MPa；

S——封堵体剪切面围长，m；

p——封堵体迎水面承受的总水压力，kN；

导流洞堵头段长度计算成果见表 3-2。

对计算结果综合分析比较，最后确定的堵头长度为 25 m，由于堵头长度较短，又是圆柱状，在计算推力时，尽管洞底加厚 4 m，仍按原断面面积计算，工程措施上考虑加固段与堵头段之间按施工缝处理，堵头段洞围设系统锚杆。堵头段分 12 m 和 13 m 两段浇筑，两段之间以及堵头与加段的接缝均为施工缝，按混凝土施工规范要求进行处理。

表 3-2 导流洞堵头段长度计算成果

计算方法	基本参数	堵头长度(m)
抗剪断强度公式 1	f=0.8; c=0.7 MPa; $a_{底}$=1.0； $a_{侧}$=0； $a_{顶}$=0	L_1校=23.44 L_1设=26.69
抗剪断强度公式 2	f=0.8; c=0.7 MPa; $a_{底}$=1.0； $a_{侧}$=0.7； $a_{顶}$=0 (考虑侧墙作用)	L_1校=10.51 L_1设=11.96
柱面冲剪	[τ]=0.10 ~ 0.30 MPa	6.28 ~ 18.85
经验公式 L=0.012 5HD	H=89 m； D=9.76 m	10.86
经验公式 L=(2 ~ 3)D	D=9.76 m	19.52 ~ 29.28
经验公式设计水头百分比 L=(3% ~ 5%)H	H=89 m	2.67 ~ 4.45

堵头段混凝土浇筑前需进行以下工作：固结灌浆、原衬砌凿毛、锚杆施工、观测设备埋设、接缝灌浆管冷却水管的布设；此外还要做好临时排水设施(以排闸门漏水)，临时排水通道在施工后期应妥善封堵，以防渗漏。堵头段的固结灌浆同泄洪洞的固结灌浆要求相同，但只进行边墙与地板的灌浆，待龙抬头间进行固结灌浆时，相对应堵头段的龙抬头段底部灌浆孔加长，至下洞顶拱衬砌 0.5 ~ 1 m。堵头段首部设一小齿槽，全段设 3 个进浆槽，其余部位衬砌进行凿毛处理，凿毛平均深度为 3 m，堵头段洞壁布设 3 m 长ϕ25 锚杆间排距 1.5 m×1.5 m，外露 1 m，锚杆钻孔如遇衬砌钢筋和原支护钢筋锚杆，可适当调整位置。堵头段接缝灌浆系统中布设有事故灌浆管，当进浆管发生堵塞时启用，接缝灌浆管路在浇筑混凝土前必须进行通水检查，确保畅通。

堵头段的混凝土最好为 $C_{20}W_8F_{50}$ 的微膨胀混凝土，混凝土的拌制、浇筑、养护等工艺均应按配比试验要求和混凝土施工规范要求操作。堵头段的混凝土内冷却系统由施工单位根据施工方案及施工能力进行布置，冷水管进出水管可由灌浆廊道接入，每块浇筑块内应埋设温度计，以掌握混凝土内部温度变化情况，确定接缝灌浆时机。混凝土浇筑时的气温不得低于 5℃，堵头段混凝土浇筑后应进行一期冷却，待接缝灌浆前(28 天后)，进行二期冷却。当堵头段混凝土龄期超过 28 天和混凝土接缝温度降至小于 16℃时方可进行接缝灌浆。

堵头段顶拱进行回填灌浆，同泄洪洞衬砌回填灌浆，实心堵头段的回填灌浆布设由施工单位根据施工情况进行布置，但堵头廊道不要求回填。加固段凿毛处理同堵头段，加固段混凝土为 $C_{20}W_8F_{50}$，加固段根据施工情况进行分段，每段之间皆按施工缝处理。前加固段内埋设的观测设备电缆应从导流洞进口引出，不得穿过堵头段。后加固段混凝土内应设置冷水系统。

第四章　土石方开挖、填筑与基础处理

中小型水电站的土石方开挖与填筑的施工，应遵循先主体后局部、先土建后安装的施工程序进行。即先进行边坡及基坑土石方开挖，后进行混凝土基础工程的下部结构、上部结构工程的施工。土石方开挖应根据现场的地质情况，分别采取相应的开挖方法和施工措施，并按设计图纸和规程规范的要求，组织土石方开挖，严格防止出现反坡或大量的超、欠挖，确保基础的质量。若发现超挖部分，应以该处同标号混凝土或该处所设计的填料回填。在土石方开挖过程中，经常测量和校核施工区域的平面位置，水平标高和边坡坡度要确保符合设计要求。基坑开挖后在填筑前须经工程师(监理)验收，土石方开挖的允许偏差应符合水利工程验收规范的有关规定。对料场土石料进行详细调查，回填料的种类、超径颗粒、填筑部位以及相应的压实标准，均必须符合设计规定。

第一节　软基开挖

一、一般规定

软基开挖应尽量在雨季或冬季前完成，雨季施工时对保证工程质量所采取的技术措施等，均应在施工组织设计中规定。雨季前，应根据地形将施工场地的排水系统进行疏浚、加固或修建，以保证水流畅通，不形成积水，并须防止四周邻近地带的地面水流入场内。

二、软基开挖的具体施工要求

(1)软基开挖应优化施工方案，正确选定降水、排水措施，做好挖、填平衡计算，并合理调配。

(2)基坑边坡应根据工程地质、水文地质、降低地下水位措施和施工条件等情况，经稳定验算后确定，并应制定保护边坡稳定措施。

(3)施工中应及时合理地布置好地表排水系统，不应使基坑及其附近有积水现象。

(4)开挖前应降低地下水位，使其低于开挖面 0.5 m。

(5)基坑开挖应分层、分段依次进行，逐层设置排水沟，层层下挖。

(6)根据土质、气象和施工机具等情况，基坑底部应留有一定厚度的保护层，一般为 0.3 ~ 0.5 m。在底部工程施工前，分块依次挖除。

(7)水力冲挖适用于粉砂、细砂、砂壤土、中轻质壤土、淤土和易崩解的黏性土。

(8)在软土地区开挖应视地形情况将地表水排除，保持基坑干燥。

(9)雨季在斜坡地带开挖土方时，应在其上方开挖一条截水沟，将水截住排走，并将山沟水流或洼地流水引至附近的排水沟，以免冲毁已开挖好的山坡。

(10)在负温下，挖除保护层后应立即采取可靠的防冻措施。

(11)在多年冻土地区，根据地层热理变化规律和热流平衡的原理，在施工时必须严格注意保护冻土，使地层在施工后仍处于热学稳定状态。

(12)当地质情况与设计不符合时，应会同有关单位及时研究处理。

(13)弃土不得妨碍开挖基坑及其他工作或影响坑壁稳定并应避免二次出渣。弃料场应结合当地条件合理布局，不得恶化水流条件或造成下游河道淤积，力求不占或少占耕地。在施工安排有条件时，弃渣应结合造田，以利农业耕作，弃土宜与其他建设相结合，并注意环境保护与恢复。

第二节　岩石基础开挖

一、一般规定

基础开挖应自上而下进行。当岸坡和河床底部同时施工时，应确保安全。否则，必须先进行岸坡开挖。未经安全技术论证和主管部门批准，严禁采用自下而上的开挖方式。

岩石基础开挖应根据不同部位采用不同的方法进行：

(1)设计边坡轮廓线开挖，应采用预裂爆破或光面爆破方法。

(2)基础岩石开挖，应主要采用分层的梯段爆破方法。

(3)紧邻水平建基面，应采用预留岩体保护层并对其进行分层爆破的开挖方法。

二、岩石基础开挖的具体施工要求

电站的开挖方式有爆破、机械开挖和人工开挖等。在选择开挖方式时，要充分考虑到地层条件、电站的规模、电站地址的区域条件，要从施工性、经济性方面进行考虑，选择安全的方式。必须考虑到地段条件、可能出现的涌水、可供选择的开挖方法，对邻近建筑物有无影响、对周围居民的影响和噪声问题等，要尽量注意使地层不产生有害松弛。

爆破开挖由于存在着较严重的振动和噪声问题，因此在开挖方式上应考虑具有费用低、施工效率高的特点，须采用尽可能减少围岩松弛和超挖的爆破方法。

机械开挖比爆破开挖的振动和噪声小得多，适用于环境保护要求高、地表沉降限制严的区间开挖。要以施工长度、断面形状、机械进出通道、岩石强度、涌水等各种条件为基础，充分研究机械开挖的施工性和经济性。

人力开挖，因有施工效率低的缺点，所以限于不能使用机械开挖或爆破开挖的场所，多用于地层稳定性差、必须小断面分部开挖的未固结地层。

三、岩石基础开挖的质量控制

(一)基础面的开挖偏差

基础面的开挖偏差应符合下列规定(对节理裂隙不发育、较发育、发育和坚硬、中等坚硬的岩体)：

(1)水平建基面高程的开挖偏差不超过±20 cm；

(2)设计边坡轮廓面的开挖偏差，在一次钻孔深度条件下开挖时，不应超过其开挖高度的±2%；在分台阶开挖时，其最下部一个台阶坡脚位置的偏差，以及整个边坡的平均坡度均应符合设计要求。

对节理裂隙发育和软弱的岩体、不良地质地段的岩体，以及在坑槽部位和有特殊要求的部位，其开挖偏差均应符合设计要求。

(二)钻孔质量的技术要求

(1)钻孔孔位应根据爆破设计确定，其开孔位置的偏差，不宜大于钻头直径的尺寸，实际孔位应有详细记录。

(2)钻孔的角度和深度均应符合爆破设计的规定，并满足设计要求。

(3)已造好的钻孔，孔内岩粒应予以清除，孔口必须盖严，钻孔经检查合格后才可装药。

(三)对爆破作业的控制要求

1. 爆破作业的施工程序

爆破作业的施工程序为：对爆破人员进行技术培训和安全教育，对爆破器材进行检查试验；清除表面的覆盖土及松散石层，确定炮型，选择炮位、钻眼或挖坑道、药室装药及堵塞、敷设起爆网络、设置警戒、起爆，清理爆破现场(处理瞎炮)，测定爆破效果。

2. 炮眼位置的选择

炮眼位置的选择应注意以下事项：

(1)选择炮眼时必须注意石层、石质、石纹、石穴，宜在无裂纹、无水湿之处设置。

(2)应避免选择在两种岩石硬度相差较大的交界处。

(3)尽量选择抵抗值最小、临空面较多的地方，并应与各临空面的距离接近相等。

(4)炮眼选择时，要尽量为下一炮创造更多的临空面。

(5)群炮眼的间距，宜根据地形、岩层类别、炮型及炸药的种类计算确定。

(6)炮眼的方向应与岩石侧面平行，并尽量与岩石走向垂直。一般按岩面外形、纹理裂隙等实际情况分别选择正眼、斜眼、平眼、吊眼等方位。

(7)进行爆破的安全规定应满足相关要求。

(四)预裂爆破的技术要求

(1)在开挖轮廓面上，残留炮孔痕迹应均匀分布，残留炮孔痕迹保存率对节理裂隙不发育的岩体，应达到80%以上；对节理裂隙较发育和发育的岩体，应达到50%～80%；对节理裂隙极发育的岩体，应达到10%～50%。

(2)相邻两炮孔间岩石面的不平整度，不应大于20 cm。炮孔壁不应有明显的爆破裂隙。

(3)对于倾斜、垂直建基面上的预裂爆破参数，可结合工程实际参数及经验确定。并在生产性试验中验证与调整，以确保预裂效果。

(4)对主要水工建筑物的设计建基面进行预裂爆破时，预裂范围应超出梯段爆破区。

(5)当预裂孔与梯段爆破孔方向平行时，两者间的距离宜取梯段爆破孔排距的50%～

70%。

(6)当预裂孔与梯段爆破孔方向不平行时，两孔距离最小处的孔底装药部位的距离应不小于(10～30)D(D为预裂孔的孔径)。

(7)预裂缝深度宜等于梯段孔孔底垂直破坏深度，预裂缝两端的超长宜为(100～200)d(d为炮孔装药直径)。

(8)预裂缝的宽度应符合以下规定：对坚硬岩石应为0.5 cm，对中等坚硬岩石与松软岩石不宜小于1.0 cm，并应根据爆破试验确定。

(9)预裂炮孔和梯段炮孔若在同一爆破网络中起爆，预裂炮孔先于同一梯段相邻炮孔起爆的时间不得小于75～100 ms。

(五)梯段爆破的要求

梯段爆破应符合下述要求：

(1)爆破石渣的块度和爆堆，能适合挖掘机械作业。爆破石渣如需利用，其块度或级配还应符合有关规范的要求。

(2)爆破对紧邻爆区岩体的破坏范围小，爆区底部炮眼很少。

(3)爆破地震效应和空气冲击波小，爆破飞石少。

(4)紧邻设计边坡的一排梯段炮孔，其孔距、排距和每孔装药量应较其他梯段炮孔小。

(5)若采用预留岩体保护层开挖方法，其上部的梯段，炮孔不得穿入保护层。

(6)梯段爆破的最大一段起爆药量不得大于500 kg，邻近设计建基面和设计边坡时不得大于300 kg。

另外，在建筑物或防护目标附近，以及在坑、槽部位或有特殊要求的部位、水下开挖等进行爆破，最大一段起爆药量应由爆破设计规定。

(六)紧邻水平建基面的爆破要求

(1)紧邻水平建基面的岩体保护层厚度，应由设计与爆破试验确定,无条件进行试验时，可参考表4-1的规定。

表4-1　保护层厚度

岩体特性	节理裂隙不发育和坚硬的岩性	节理裂隙较发育、发育和中等坚硬的岩体	节理裂隙极发育和软弱的岩体	备　注
保护层厚度	25 d	30 d	40 d	d为炮孔装药直径

(2)对岩体的保护层应分层进行小爆破，对节理裂隙不发育、较发育和坚硬、中等坚硬的岩体，炮孔不得穿建基面；对节理裂隙极发育和软弱的岩体，炮眼孔不得穿入距水平建基面0.2 m的范围，剩余0.2 m厚的岩体应进行撬挖。

(七)沟槽爆破的要求

对廊道、截水墙、齿槽和渠槽等的开挖，应慎重地确定其爆破参数，一般应先在两侧设计坡面进行预裂，随后按留足底部保护层进行中部开挖，无条件采用预裂爆破时，则应按留足两侧保护层和底部保护层的方式，进行光面爆破。沟槽中部的爆破应符合下面的要求。

(1)留足保护层的剩余中部槽体尺寸决定爆破方式(梯段或拉槽)。

(2)当只能用拉槽爆破时，最大一段起爆药量应不大于200 kg，可用小孔径钻孔，延长药包毫秒爆破。

(3)当采用梯段爆破时，最大一段起爆药量应不大于300 kg。

(4)当留足保护层后，其剩余中部槽体尺寸不能满足梯段或拉槽爆破时，应采用手风钻逐层钻孔爆破，其药卷直径不得大于32 mm(散装药卷不得大于36 mm)。

(八)高边坡开挖与处理

不良地质地段的高边坡，在开挖过程中，应提出相应解决的办法，并注意以下的几个问题：

(1)选择合理的开挖施工程序及合理的梯段开挖高度。

(2)必须采取预裂等防震措施，搞好喷锚支护。

(3)确定合理的爆破参数，严格控制一次起爆的装药量。

(4)对局部受构件影响、切割的严重岩体应研究采取适宜的开挖方法及加固处理措施。

(5)对已挖的坡面应采取合理、有效的措施及时加固处理。

(6)加强地面与地下排水，降低外水压力。

(九)建筑物及新混凝土工程区爆破

(1)根据建筑物对基础的不同要求以及混凝土不同龄期，通过模拟破坏试验确定保护对象允许的质点振动速度值(即破坏标准)，若不能进行试验时，被保护对象的允许质点振动速度值，可参照类似工程实例确定。

(2)可通过实地试验寻求工程爆破振动衰减规律，即利用不同药量测距与相应各测处的质点振动资料，也可采用经验公式计算，即

$$V=K\left(\frac{3\sqrt{Q}}{R}\right)^{a} \tag{4-1}$$

式中 V——爆破地震对建筑物(或构筑物)及地基质点产生的振动速度，cm/s；

K——当地系数，由试验确定，其值取决于爆破地震波的传播条件(地形)和通过介质的性质(地质条件)；

Q——炸药量，kg，齐发爆破时取总装药量，延期爆破时取最大一段装药量；

R——爆破地点药量分布的几何中心至观测点建筑物(或构筑物)的水平距离，m；

a——衰减指数，由试验确定，主要反映爆破地震波随装药量和距离的变化而变化。

(3)在建筑物及其新浇筑混凝土附近进行爆破时，必须遵守表4-2中的规定进行施工，减小爆破震动的影响。

(4)在邻近建筑物10 m以内进行爆破时，必须严格控制浅孔火花起爆的最小装药量，并采取打防震孔或其他防震措施。

(5)如需在新预应力锚固处，新灌浆区、新喷锚(或喷浆)与护区等部位附近进行爆破，必须通过试验证明可行，并经主管部门批准。

表 4-2　距离与爆破方式及装药量关系

项目	混凝土龄期(d)			允许的爆破方式与装药量
	<7	7～14	14～28	
允许的最小距离(m)	15	13	10	0.5 m 孔深，火花起爆
	30	25	15	1.0 m 孔深，火花起爆
	50	35	25	一般手风钻钻孔，火花起爆
	80	50	35	一般手风钻钻孔爆破，最大一段起爆药量不大于 20 kg
	90	55	40	延长药包，最大一段起爆药量不大于 25 kg
	105	70	45	延长药包，最大一段起爆药量不大于 50 kg
	120	80	50	延长药包，最大一段起爆药量不大于 80 kg
	130	85	55	延长药包，最大一段起爆药量不大于 100 kg
	150	95	65	延长药包，最大一段起爆药量不大于 150 kg
	165	105	70	延长药包，最大一段起爆药量不大于 200 kg
	180	110	75	延长药包，最大一段起爆药量不大于 250 kg
	190	120	80	延长药包，最大一段起爆药量不大于 300 kg
	210	130	90	延长药包，最大一段起爆药量不大于 400 kg
	220	140	100	延长药包，最大一段起爆药量不大于 500 kg

(十)岩质边坡加固

岩质边坡加固可采用挂网喷锚方式，强风化与土质边坡可采用混凝土或砌石网格梁内镶砌石或填土，并在网格节点设深锚杆或锚索，还可按设计要求分别采取重力挡墙和坡脚压重、抗滑桩、预应力锚索或锚杆、沉井等处理方法。

(十一)灌浆区爆破

不得在灌浆完毕地段及其附近进行爆破，如因特殊情况需要爆破时，必须经总监理工程师和设计单位同意，方可进行少量的浅孔火花爆破，并应对灌浆区进行爆前、爆后的对比检查，必要时还须进行一定范围的补灌。

(十二)喷锚支护的控制要点

1. 锚杆参数及布置要求

锚杆参数应根据施工条件通过工程类比或试验确定，一般可参照下列规定选配。

(1)系统锚杆：锚入深度 1.5～3.5 m，其间距为锚入深度的 1/2；但不得大于 1.5 m，单根锚杆锚固力不低于 5 t。局部布置的锚杆，须锚入稳定岩体，其深度和间距根据实际情况而定。

(2)大于 5 m 的深钻孔锚杆和预应力锚索应结合永久支护作出专门设计。

(3)锚杆的直径一般为 16～25 mm。

为防止掉块，锚杆间可用钢筋、型钢或金属网联结，其网格尺寸为 5 cm×5 cm 及 8 cm×8 cm。

锚杆的布置应与岩体主要结构面成较大的角度，当结构面不明显时可与周边轮廓线垂直。

2. 敷设金属网的质量控制

敷设金属网(或钢筋网)时，应按下列规定进行质量控制：

(1)金属网应随岩面敷设，其间隙不小于 3 cm。

(2)金属网应与锚杆联结牢固。

(3)喷混凝土的金属网格尺寸宜为 20 cm×20 cm，或 30 cm×30 cm，钢筋直径宜为 4 ~ 10 mm。

3. 锚杆质量的检查

(1)锚杆锚固力可采用抽样作拉拔力检查，抽样是每 300 根锚杆为一组，每组抽取 3 根，抽样率不得小于 1%。当围岩条件或原材料变更时须另做一组。其平均值不得低于设计值，任意一组试件的平均值不低于设计值的 90%。

(2)施工中应对其孔位、孔向、孔径、孔深、洗孔质量、浆液性能及灌入密度等分项进行检查。

(3)楔缝式锚杆安装后 24 h 应再次紧固，并定期检查其工作状态。

4. 砂浆锚杆安装的质量要求

1)砂浆

(1)砂子宜采用中细砂，最大粒径不大于 3 mm。

(2)水泥宜选用标号不小于 32.5 级的普通硅酸盐水泥。

(3)水泥和砂之重量比宜为 1：1 ~ 1：2，水灰比宜为 0.38 ~ 0.45。

2)安装工艺

(1)钻孔的布置应符合设计要求，孔位误差不应大于 20 mm，孔深误差不大于 5 mm。

(2)注浆前应用高压风、水冲洗干净。

(3)砂浆应拌和均匀，随拌随用。

(4)应用注浆器注浆，浆液应填塞饱满。

(5)安设后应避免碰撞。

5. 喷射混凝土材料及性能的质量要求

(1)标号不低于 C20 号；

(2)宜选用不低于 32.5 级的普通硅酸盐水泥；

(3)选用中粗砂、小石粒径为 5 ~ 15 mm。骨料的其他要求应按 SDJ207—82《水工混凝土施工规范》的有关规定执行；

(4)速凝剂初凝时间不大于 5 min，终凝时间不大于 10 min；

(5)配合比可按下列经验数值确定(或经试验确定)：①水泥和砂石重量比宜为 1：4 ~ 1：4.5；②砂率为 45% ~ 55%；③水灰比为 0.4 ~ 0.5；④速凝剂掺量为水泥用量的 2% ~ 4%。

6. 喷射混凝土的工艺要求

(1)喷射前应将岩面冲洗干净。软弱破碎岩石应将表面清扫干净，并经过自检合格后报监理工程师验收合格后方可喷射。

(2)喷射作业应分区段进行，长度一般不超过 6 m，喷射顺序应自下而上。

(3)后一次喷射应在前一次混凝土终凝后进行，若终凝后 1 h 以上再次喷射，应用风、水清洗混凝土表面再进行。

(4)一次喷射厚度，边墙 4 ~ 6 cm，拱部 2 ~ 4 cm。喷射 2 ~ 4 h 后应洒水养护，一般养护 7 ~ 14 d。

(5)正常情况下的回弹量，边墙为10%～20%；拱部为20%～30%。

(6)混凝土喷射后至下一循环放炮时间，应通过试验确定，一般不小于 4 h。放炮后应对所喷混凝土进行检查，如出现裂纹，应调整放炮时间或爆破参数。

7. 喷射混凝土的质量标准

喷射混凝土的质量标准，应按下列要求控制：

(1)喷射混凝土的表面平整度应符合规范要求，不应出现夹层、砂包、脱皮、蜂窝、露筋等缺陷。如出现上述情况应及时采取补救措施。

(2)结构接缝、墙角，洞形或同轴等急变部位，喷层应有良好的搭接。

(3)不应存在贯穿性裂缝。

(4)出现过多的渗水点应作妥善处理。

(5)强度：①每喷 50 m^3 混凝土，应取一组试件。当材料或配合比改变时，应增取一组，每组 3 个试块，取样要均匀。②平均抗压强度不低于设计标号，任意一组试件的平均值不得低于设计标号的 85%。③宜采用切割法取样。④喷射厚度满足要求。

第三节　土石方填筑

一、一般规定

(1)填方基底的处理，应符合设计要求。开挖到设计基底后清除杂物，排除积水，在基础处理及隐蔽工程经验收合格后才能填筑。

(2)填筑土石料的种类、级配、含水量、土块大小、超径颗粒等均须符合规范及设计要求。

二、施工前土石方填筑的质量控制

(1)施工前根据工程特点、填料的种类、设计压实系数、施工条件等合理选择压实机具，并确定土料含水控制范围，进行铺土厚度和压实遍数等参数试验。无试验条件可参照表 4-3 选用。

表 4-3　填方每层铺土厚度和压实遍数

压实机具	每层铺土厚度(cm)	每层压实遍数(遍)
平碾(8～13 t)	20～30	6～8
羊足碾(7.5～16 t)	25～35	16～20
蛙式打夯机 280 kg	20～25	6～8
人工打夯	不大于 20	10～12
震动凸块碾	30～40	12～16

注：人工打夯时，土块粒径不应大于 5 cm。

(2)黏性土料填筑应严格控制含水量。当土料天然含水量大于施工控制含水量的上限时，应做好料场四周的截流沟及料场内的纵横排水沟；应采取分层取土或用机械松土等措施翻晒土料；也可利用含水量低的土料掺入含水量高的土料进行调整。对于土料天然含水量小于施工控制含水量的下限时，宜采用料场晒水调整的办法来调整含水量，凡不符合要求的土料，不得运入填筑面。

(3)各层填筑前，应根据工程特点，对各种填料的填筑部位的设计尺寸和外边坡尺寸进行测量放样，确保其断面尺寸符合设计要求。

三、碾压过程中的质量控制

(1)机械碾压应控制行驶速度，一般不宜超过下述规定：平碾、推动碾 2 km/h，羊足碾 3 km/h。

(2)施工时必须严格控制压实参数。压实合格后经自检和监理抽检符合要求后始准铺筑上层新料。分段填筑时每层接缝处应做成斜坡形，碾迹重叠 0.5 ~ 1.0 m。上下层分段位置应错开，错缝距离不小于 1 m。土料填筑层之间的结合应良好，除用羊角碾或凸块碾压实外，其他机具压实的层面都应进行刨毛和洒水润湿处理，才能铺筑新料。

(3)振动平碾适用于填料为开挖石渣、碎石、卵石类土。使用 80 ~ 130 kN 重的振动平碾压实时，铺土厚度一般为 0.6 ~ 1.0 m，最大粒径不得大于铺料层厚的 2/3，并应根据料质、岩性适当洒水。碾压时，应先静压后振压，碾压遍数由现场试验确定，一般碾压 4 ~ 6 遍。

(4)土料的碾压应平行填筑体轴线方向进行，不得垂直其轴线方向碾压，填筑面如出现“弹簧”、层间光面、松土层等现象时，应认真处理并经检验合格后始准铺筑新料。

(5)填方应按设计要求预留沉陷量，每层内外边坡必须按规定留足余量。填筑至设计高程后削坡到设计要求断面。各层预留压实超填宽度一般为 30 ~ 50 cm，预留沉陷如设计无规定时，可根据工程性质、填方高度、填料种类、压实系数和地基情况等与建设、监理单位共同确定。

(6)质量控制与检查必须贯穿整个填筑过程。检查填筑料，检测含水量变化、铺土厚度、碾压遍数、层间结合、压实后的干密度，以及边坡尺寸等均应达到设计要求。

第四节　基础处理

一、基础面的清理及处理的质量控制

一般基本要求如下：

(1)地基开挖到建基面，必须对基础面进行认真地清理及处理。

(2)清理建筑物软土地基时，应将地面上的草皮、竹、木、树根、乱石、淤泥、腐殖土、泥炭、坟墓及各种建筑物全部清除。对坡残积物、滑坡体等，应按设计要求清除。

(3)基础面沿流向倾斜时，只允许向上游方向缓倾，其坡度应不大于 1∶10 为宜。岸坡基础不应有反坡尖角。对确实不易处理时，应采取结构措施用浆砌块石或混凝土填平补齐，以满足上述要求。

(4)基础面上的松动岩块和破碎岩石以及不符合质量要求的岩体，必须清除或处理。

(5)开挖之后基础暴露出来的裂隙、断层破碎带、溶洞、岩穴、软弱夹层等不良地质

问题，应按设计要求认真处理。当设计无规定时，可按下列措施处理：

对断层破碎带的处理，应视其具体情况，在清除一定深度后，宜先浇筑混凝土板、混凝土塞或用浆砌石封墙，再做固结灌浆处理。

当岩石较完整且裂隙细小时，清除节理和裂隙中的充填物后，冲洗干净，并依缝的宽度，灌入水泥浆或水泥砂浆封堵。当岩石节理、裂隙比较发育且渗水严重时，除采用上述处理措施外，尚应在岩面上浇筑混凝土盖板或喷射混凝土覆盖。

溶洞、岩穴宜用混凝土塞堵洞穴，再进行充填灌浆或固结灌浆。

软弱夹层埋深浅，应将软弱层挖除；软弱夹层倾角较陡、嵌入较深，应在清除一定深度后，回填混凝土封闭。

(6)前期地质勘探和试验中遗留的钻孔、平硐、竖井、探槽等应按设计要求回填和处理。

(7)基础面出现泉眼或渗水，应妥善封堵和导排。不得因基础渗水而影响清基、回填或浇筑质量，更不得因渗水而进一步恶化基础条件。

(8)对极易风化、软化和冻裂的软弱基础面，在上部结构暂不施工覆盖时，应及时用砂浆或混凝土封闭，或按设计要求进行处理。

(9)基础工程属隐蔽工程。基础处理后，必须及时进行基础检查验收。基础验收合格以后，勘测、施工单位应及时测绘基础竣工地质图。未经验收签证，施工单位不得进行下一道工序的回填或浇筑等作业。

二、各类不同基础处理的质量要求

(一)换土地基的技术要求

建筑物基础系塑性黏土层、粉细砂层、淤泥层、流砂层等不良地基，宜采用换基方法处理。

对砂(垫层)基础、碎石基础、石渣基础、砂砾石基础等换土地基，宜用埋深不大的浅层基础。

(1)换土地基换土应为规划勘探料场质量相同的土料、砂砾料和石渣料。储量应能满足要求。砂垫层的砂料应符合设计要求并通过试验确定。如用混合砂料应按优选的比例拌和均匀。砂料的含泥量不应大于 5%。对黏性土层的土料应符合设计要求，采用前料场表面覆盖层应清理干净，并做好排水系统。土料的含水量应在控制范围内，否则应在料场处理。换基土的颗粒粒径级配曲线与设计的理论粒径级配曲线基本一致。

(2)换基施工应按清基开挖、回填压实两道工序进行，挖土和铺料时不宜直接践踏基坑底面，可边挖除保护层边回填。回填料应按规定分层填筑，干密度、含水量、含泥量及有机物应符合设计规定，下层的密实度经验收合格后方可铺上一层，竖向接缝应相互错开。

(3)砂垫层选用水撼振动等方法密实时，宜在饱和状态下进行。

(4)在负温下填筑应符合下列规定：①铺土、压实、取样检验等工序应快速连续作业；②压实时砂料的温度在 0℃以上，黏性土的温度应在−1℃以上；③已压实的土层应防冻保温，避免冻胀；④已冻结的土层应加以清除，然后才能继续填筑。

(5)换基施工应按清基开挖、回填压实两道工序，其地基处理的质量控制要求如下：

对已确定的地基处理方法应做现场调查，并编制优良的施工措施设计。在处理过程中，遇地质情况与设计不符时，应及时修改施工措施设计，并及时向项目法人提出，修改的施工措施应经监理工程师批准，以保证施工的顺利进行。

在砂垫层施工时，材料的选用应遵循就地取材，节约经费的原则并要考虑到施工方便，砂垫层的砂料应符合设计要求并通过试验确定，如用混合砂料应按优选的比例拌和均匀，砂料的含泥量不应大于5%。

对软弱地基进行加固时，用振冲法加固砂土或砂壤土地基，能起到增密、排水减压和预振效应等方面的作用，对提高地基土壤抗液化能力和承载力的效果明显。

施工场区的排水系统直接影响到电站开挖的施工质量，所以应根据地形、施工期的径流和基坑渗水量等情况认真地规划和布置，且还要与场区外的排水系统相适应。

(二)振冲地基的质量控制要求

振冲碎石桩法适用于砂土、砂砾石、砂壤土和不排水抗剪强度不小于0.2 MPa的黏性土、黏土、饱和黄土及人工填土(一种或几种)组成的建筑物地基的加固。振冲加密法应适用于含泥量小于10%的中、粗砂和砂砾石地基加固，块料最大粒径不应大于50 mm，不得含黏土块。

1. 振冲法施工设备的要求

振冲法施工设备应满足下列要求：

(1)振冲器的功率、振动力和振动频率应按土质情况和工程要求选用。

(2)起重设备的起重能力应根据振冲器、土质和孔深来选定，应满足施工和安全要求，一般起重能力为50～200 kN。

(3)水泵与振冲器、土质与孔深配套，振冲器的出口水压宜为0.4～0.8 MPa，宜选用流量20～70 m^3/h、扬程40～80 m的水泵。

(4)根据施工工艺、单位填料耗量和运距选择机具，宜用铲斗载重 8～30 kN 的单斗轮胎式或履带式装载机填料，也可用翻斗车、皮带运输机和手推车填料。

(5)应有控制质量装置，且必须灵敏准确，应定期进行校核率定。

另外，施工前应进行现场试验，确定反映密实程度的电流值、留振时间及填料量等施工参数。

2. 振冲的施工程序

按设计桩孔布置图，宜采用由里向外或由一边向另一边的顺序施工。当加固区附近有建筑物时，应先从建筑物这边制桩，若加固土的抗剪强度很低时，宜采用“间隔跳打”法制桩。

3. 振冲法的施工技术要求

(1)振冲碎石桩法应按成孔、清孔、填料和振密的工艺流程施工，振冲加密法应按成孔、振密两道工序施工。

(2)成孔。成孔速度宜为1～2 m/min，密实电流不得超过振冲器电机的额定电流。在成孔过程中，必须使振冲器自由悬垂，否则应适当降低成孔速度。

成孔水压力宜为0.4～0.6 MPa，水量为200～500 L/min。振冲碎石桩法应重复造孔1～2次，振冲器的提升速度为5～8 m/min。对易垮孔的软弱土层宜采用边造孔边固壁的方法成孔。

造孔时，振冲器贯入速度宜为 1 ~ 2 m/min，且每贯入 0.5 ~ 1.0 m 宜悬挂留振。留振时间应根据试验确定，一般为 5 ~ 10 s。

孔位偏差应小于 10 cm，桩顶中心偏差应小于 20 cm，振冲碎石桩孔深宜小于设计孔深 0.3 ~ 0.5 m，振冲加密法在达到设计深度时，应关小水量，再振到设计孔深 0.5 m 以下。完成后的桩顶中心偏差不应大于 0.3 倍的桩孔直径。

(3)振冲碎石桩法必须清孔 1 ~ 2 min。

(4)填料。根据土质不同，黏性土宜用振冲器提出孔口的间断加料法；孔壁不稳定的其他土层，宜用振冲器不提出孔口的连续加料法。碎石、卵石、砂砾、矿渣、碎砖、粗砂等填料，粒径宜不大于 5 cm，含泥量应不大 10%。

振冲时检查填料量，每次填料应均匀对称，填料量应控制在 0.15 ~ 0.5 m^3/次或孔内厚度不大于 1 m。并检查反映密实程度的电流值和留振时间是否达到规定要求。施工时，必须使水、电、填料符合设计要求。

(5)在振密、填料过程中，必须制桩保持小水量补给，以维持孔口有一定的回水即可。振冲器每次提升高度不得超过振冲器锥头长度 0.3 ~ 0.5 m。振冲桩振冲加密法每次提升高度须留振 30 ~ 60 s。

(6)制桩完毕后，应复检，防止漏桩。桩顶不密实部分，应挖除或采取其他补救措施，且必须按设计要求进行场地平整和表层处理。

(7)砂土、砂壤土地基的加固效果检验，分别在加固 7 d 及半月后对桩间土采用标准贯入、静力触探等方法进行，对复合地基可采用荷载试验检验。

3. 振冲地基的资料整理

施工记录和资料整理主要内容有：①原始记录资料；②效果检查资料；③制桩成果统计图；④桩体施工电流图；⑤竣工报告。

4. 振冲地基的质量检查要求

(1)检查施工质量的三要素，填料量、密实电流和留振时间应符合规定。

对于砂砾石或砂性地基应着重检查留振时间和填料量，对于软弱黏性土地基应着重检查密实电流。

(2)加固效果检查，每 300 ~ 500 根桩抽样 1 根进行检查，不足 300 根时，至少抽检 1 根重要部位应增加抽检数量。

黏土、砂壤土和砂砾石地基分别在加固 20 d、15 d、7 d 后方可进行效果检查。

(三)钻孔灌注桩的质量控制

1. 造孔方法的技术要求

(1)按照工程的设计文件和图纸进行施工设计，确定成孔机械、配套设备、合理选择工艺方法，编制工程进度计划和施工顺序。

(2)根据地形条件，合理布置供水、排水、供电和混凝土拌制、钢筋笼制作场等临时设施。

(3)钻孔灌注桩成孔常用螺旋钻、冲击钻、冲抓钻、振动沉管、潜水电钻、正循环钻和反循环钻等成孔方法。

2. 正循环钻进成孔法的施工要点

(1)根据岩土情况合理选择钻头和调配泥浆性能，钻机要安置平整，不得产生位移和沉陷。

(2)正常钻进时，合理调整和掌握钻进参数，应注意岩土变化情况。在同一桩孔中采用多种方法钻进时，应注意使孔内条件与换用工艺方法相适应。

(3)加接钻杆时，应先将钻具提离孔底后 50 ~ 80 mm，待冲洗液循环 3 ~ 5 min 后，再拆卸加接钻杆。

3. 泵吸反循环钻进法

(1)钻机安置应平稳牢固、合理掌握钻进速度，地面管路和孔内钻具不漏气、不堵塞，砂石泵的排水出渣情况正常。

(2)钻进时参数应根据不同的地层、桩孔直径、深度，并以砂石泵的排量和钻速进行调整和选择。

(3)加接钻杆时，应先将钻具提离孔底 80 ~ 100 mm，待循环液循环 1 ~ 2 min，以清洗孔底并将管道内的钻渣携出排净后，再停泵加接钻杆。

4. 护筒埋设应符合下列规定

(1)在土层、砂砾石层和卵石层等软基造孔，应埋设护筒，用回转钻机正、反循环钻进时，护筒内径宜大于钻头直径 20 cm，用冲击钻、冲抓钻机时宜大于 30 cm。

(2)护筒埋设应稳定，其中心线与桩位中心的允许偏差不应大于 5 cm，护筒埋设深度不宜小于 1 ~ 3 m；在黏性土中不宜小于 1.0 m，在软土或砂土中不宜小于 2.0 m，护筒四周应分层回填黏性土，对称夯实。

(3)护筒顶端应高出地面 30 cm 以上，当有承压水时，应高出承压水面 1.5 ~ 2.0 m。

5. 采用泥浆护壁和排渣时的规定

(1)在砂土和夹砂土层中成孔时，孔中泥浆比重应控制在 1.1 ~ 1.3；在砂卵石或易坍孔的土层中成孔时，孔中泥浆比重应控制在 1.2 ~ 1.5。

(2)在黏土和壤土中成孔时，孔中泥浆比重应控制在 1.1 ~ 1.2，可注入清水以原土造浆护壁。

(3)护筒泥浆宜选用塑性指数 $I_p \geq 18$ 的黏土调制，泥浆控制指标：黏度 18 ~ 26 St，含砂率不大于 4% ~ 8%，胶体率不小于 90%。

(4)施工中，应经常在孔内取样，测定泥浆的比重。

6. 清孔的技术要求

(1)孔壁岩土较好不易坍孔时，可用真空吸泥泵或潜水抽砂泵清孔。

(2)清孔过程中必须保持浆面稳定。

(3)用原土造浆的孔，清孔的泥浆比重应控制在 1.1 左右。

(4)孔壁岩土较差易坍孔时，宜用泥浆循环清孔，清孔后的泥浆比重，应控制在 1.15 ~ 1.25，泥浆含砂率控制在 8%。

(5)清孔标准：摩擦桩的沉渣厚度应小于 30 cm，端承桩的沉渣厚度应小于 10 cm。

7. 钢筋骨架的焊接、固定以及保护层的控制

(1)钢筋笼的制作尺寸应符合设计要求，分段制作的钢筋笼应进行预拼接做好标志，

放入孔中后，应以钢筋笼两头对称施焊，并保持其垂直度。

(2)钢筋笼放到设计位置后，顶端必须固定，并保持其垂直和稳定，避免上浮。

(3)控制钢筋的混凝土保护层的环形垫块宜分层穿在加强钢筋上，加强箍筋应与主筋焊接。

8. 灌注水下混凝土导管的要求

(1)每节导管的长度一般为 2 m，最下端一节为 4 m，导管底口不设法兰盘，并应配有部分调节用的短管。

(2)导管应做水压试验，并编号排列。

(3)拼装前应检查导管是否缺损或污垢，拼接时应按编号连接严密。

(4)每拆一节，应立即将其内壁清洗干净。

(5)导管下口至孔底间距宜为 30 ~ 50 cm。初灌混凝土时，宜先灌少量水泥砂浆，导管和储料斗的混凝土储料量应使导管初次埋深不小于 1.0 m。

(6)隔水栓宜用预制混凝土球塞。

(7)灌注应连续进行，导管埋入深度不小于 2.0 m，并不应大于 6.0 m，混凝土进入钢筋骨架下端时，导管宜深埋，且放慢灌注速度，并随时测定坍落度，每根桩留取试块不得少于一组。

(8)终灌时，混凝土的最小灌注高度应能使泥浆顺利排出。桩顶灌注高程应高于设计标高 10 ~ 30 cm。

9. 配制水下混凝土的规定

(1)水泥标号不应低于 32.5 MPa，水泥性能除符合现行标准要求外，其初凝时间不宜早于 2.5 h。

(2)粗骨料最大粒径应不大于导管内径的 1/6 和钢筋最小间距的 1/3，并不大于 40 mm。

(3)砂率一般为 40% ~ 50%，应掺用外加剂，水灰比不宜大于 0.6。

(4)坍落度和扩散度分别以 18 ~ 22 cm 和 34 ~ 38 cm 为宜，水泥用量一般不宜少于 350 kg/m^3。

10. 钻孔灌注桩基础的质量控制

(1)钻机安置平稳，不产生沉陷或位移。

(2)钻进时，应注意土层变化情况并做记录。

(3)终孔检查后应立即清孔，清孔应符合规定要求。

(4)灌注桩钻孔的质量标准应符合表 4-4 中的规定。

表 4-4 灌注桩钻孔的质量标准

项次	项目	质量标准
1	孔位中心偏差	不大于 100 mm
2	桩径偏差	–50 ~ 100 mm
3	孔斜率	不大于 1/100
4	孔深	不小于设计深度
5	孔底沉渣厚度	摩擦桩 30 cm，端承桩 10 cm
6	桩身混凝土强度	满足 m_{fcu}-KS_{fcu} $>0.85f_{cu,k}$ 和 $f_{cu,\min}\geqslant 0.85f_{cu,k}$

11. 常见事故的处理

当发生坍孔、钻孔偏斜、堵管、断桩等事故时，应查明情况，分析原因，制定事故处理方案，有条不紊地排除故障。

孔内事故在预防、处理时应谨慎认真，要防止事故套事故，增大处理难度。

(四)挖孔桩的质量要求

在软基地段，建筑物的基础多设计为桩式基础。基础桩一般要求嵌入基岩，并扩大桩脚，以改善基础的传力条件，挖孔桩适用于以下条件：

(1)承载桩、抗滑桩；

(2)基础覆盖层较浅，深度不宜超过 20 m；

(3)基础地质情况比较简单，不存在厚度较大的淤泥质土和流砂层，地下水位较低；

(4)开挖直径 1 m 以上，便于人力施工。

1. 挖孔桩的施工工艺要求

(1)孔桩施工按“分段开挖、分段护壁、循环深入”的原则进行。桩孔开挖采用人力施工，在软土基中开挖分段宜为 0.5 ~ 1.0 m。

在基岩中开挖桩孔同一般竖井施工。挖到设计高程后，再清基，并用混凝土封闭。

出渣的提升设备，可选用调度绞车或人力绞磨。

孔内废渣，利用井口提升架提出孔外，再运至弃渣场地。

(2)桩孔采用现浇混凝土井筒护壁或砖砌体护壁，护壁厚度宜为 15 ~ 20 cm，井筒尺寸必须保证孔桩断面要求。

2. 施工排水

在富水地层开挖桩孔，必须认真做好排水工作。若地下水流通性好，应设置专门集水井。集中排水，降低地下水位。或将一个桩孔作为集水井，待其他桩孔施工完成后，最后再浇筑该桩孔。

3. 桩身混凝土的浇筑

桩身混凝土浇筑之前应对桩孔进行检查验收。孔桩混凝土应自桩底一次连续浇筑到桩顶，以保证孔桩的质量。

(五)挖孔桩的质量控制要求

(1)桩孔开挖，护壁施工中每段均应接近桩孔中心，检查桩孔垂直度。桩孔偏斜不超过 0.5%(桩长比)。桩孔偏移超过允许值时，应采取技术措施进行纠偏。

(2)桩位纵横平面线偏差不得超过 ± 5 cm。

(3)桩孔深度应达到设计高程，嵌入基岩的孔桩，嵌入深度应满足设计要求，桩顶标高误差不超过 ± 5 cm。

(4)桩身混凝土强度必须达到设计标准。桩身混凝土浇筑应按设计规定取样，每桩取样不得少于 1 组(3 个试块)。

(5)挖孔桩施工应做好施工原始记录和井下地质素描，及时进行资料编录工作。

(六)高压喷射灌浆的质量要求

高压喷射适用于黏性土、壤土、砂土、砂砾石类土层和几种土层组成的复合地基的防渗和加固的技术要求，即：①卵(漂)石粒径不宜大于 40 cm，且不得集中；②用于防渗工程喷灌的深度超过 40 m，承受的压力水头超过 30 m 时，必须经过试验研究论证；③地下水应处于静止状态或流速较小。

1. 高压喷射灌浆材料的质量要求

(1)高压喷射灌浆所用的水泥宜用 32.5 MPa 普通硅酸盐水泥，其水泥浆的水灰比为 1∶1～0.6∶1，常用 1∶1；浆液的比重为 1.5～1.8。并按需要加入外加剂，但不宜使用引气型外加剂。水泥浆液的配合比和外加剂的用量应通过试验确定。

(2)灌浆用水应符合饮用水的标准。

(3)水泥浆液应搅拌均匀，随拌随用，余浆存放时间不得超过 4 h。

(4)砂卵石层护壁泥浆性能指标按表 4-5 中规定。

表 4-5 砂卵石层护壁泥浆性能指标

黏度(St)	比重	含砂量(%)	胶体率(%)	稳定性	失水量 mL/30 min	静切力 1/10 MPa (mgf/cm^2)		泥饼厚(mm)	pH
						1 min	10 min		
18～25	1.1～1.2	≤5	≥96	≤0.03	20～30	20～30	50～100	2～4	7～9

2. 高喷灌浆机具设备的要求

高压喷射灌浆钻孔、灌浆设备除应满足规定外，其数量应与工程量相匹配，并与施工进度相适应，同时设备配套应尽可能优化。

(1)高压泵、空气压缩机的压力和排量应满足高喷灌浆设计要求。

(2)灌浆机应优先选用多缸活塞式，并有足够的排浆量，其压力应不小于最大设计压力的 1.5 倍。

(3)拌浆机必须装筛网，且在整个灌浆过程中，应能连续均匀地拌和浆液，其拌和能力应大于最大设计灌浆量。

(4)喷杆必须平直，接头处应有锁紧装置，并有足够的强度，其总长度应大于最大设计孔深的 0.5 m 以上，且应有长度、定向标记。

(5)喷塔必须稳定牢固，制成高架，宜保证整个钻孔能连续喷灌结束。

(6)提升装置应有足够的提升能力，保证喷杆能匀速平稳提升，并能在 0～25 cm/min 间实现无级或多级调速。

(7)高压水、气、浆系统分别应有压力、流量监测的仪表，提升装置应有提升速度仪表或标记，孔口装置应有旋转速度、摆动频率、摆动角度的仪表或标记。

(8)水、气嘴的直径和加工，装配精度应符合规定，浆嘴必须设在水、气嘴的下方，并隔一定距离。

(9)孔口装置应有足够的输出扭距，保证喷杆在孔内能平稳旋转或摆动，并能在 0～20 次/min 和 0～25 次/min 实现无级或多级调速，摆动角也应在 0°～50°间无级或多级调控。

(10)提升装置与高压泵、空气压缩机、拌浆机、灌浆机、孔口装置间宜设联动装置。

3. 喷灌方式的选择要点

(1)高压喷灌的单管法用于制作直径 0.3～0.8 m 的旋喷桩，二管法用于制作直径 1 m 左右的旋喷桩，三管法用于制作直径 1～2 m 的旋喷桩或修筑防渗墙。防渗板墙的连接宜采用折线型，也可采用直线型。

(2)高压喷射灌浆按防渗和加固的不同要求分别采用旋喷、定喷和摆喷 3 种方式。

(3)高压喷射灌浆施工分为四个程序，即造孔、试喷和下喷杆、喷射灌浆和喷射结束静压灌浆。

4. 造孔作业的技术要求

(1)钻孔的方法和护壁方式的选择，应与地层条件和处理要求相适应。

(2)钻孔孔径必须大于喷杆直径，以能使喷杆顺利下至设计深度，成孔孔径一般比喷射管径大 3 ~ 4 cm。

(3)钻机、管架应定位正确，安装平稳，孔位误差不大于 10 cm，孔的倾斜率应小于 1.0%。孔径偏差，防渗板墙应不大于 5 cm，旋喷桩应不大于 10 cm。

(4)钻孔宜分二序施工，先钻一序，后钻二序。

(5)钻孔过程中应对漂(块)石、腐木、洞穴、涌水、漏水等层段做好详细记录。

5. 试喷和下喷杆的技术要点

(1)喷塔就位后，必须进行试喷 1 ~ 2 min，待水嘴、气嘴、水、气、浆路及监测装置和其他机具均正常后，才可正式向孔内下喷杆。

(2)下喷杆时应对水、气、浆嘴采用保护措施，喷杆必须下到设计深度。

(3)应严格检查喷射管路是否畅通，各管路系统应不堵、不漏、不串。高压胶管及接头，其承受的极限压力应不小于工作压力的 3 倍，水、气、浆路必须畅通无阻，输送距离不宜大于 50 m，水、气必须同轴喷射。

(4)摆(定)喷射时喷射方向角误差应不大于 1°。

6. 喷射灌浆的技术要求

(1)先向孔内送浆，待浆液冒出孔口，并达到规定的浓度或送入不少于 1.0 m^3 浆量后，才可依次送入高压水和压缩空气。

(2)必须在水、气、浆压力和流量及旋转速度或摆动频率、摆动角度、喷射方向均达到设计要求后，才能按要求提升喷杆。严格按规定喷射和提升，如有异常应将喷射灌浆装置下落到原位，重新喷射。

(3)水泥浆必须搅拌均匀，随拌随用，超过 4 h 的余浆不宜使用。

(4)喷灌作业应连续进行，如喷杆分段提升，其搭接长度应不小于 10 cm。

(5)喷灌到设计高程后，应用水灰比为 0.5：1 ~ 0.8：1 的浆液进行静压灌浆，直至终喷高程处浆液不下降为止。

(6)不同地层的提升速度，应通过试验确定，宜取 6 ~ 15 cm/min。

(7)喷灌结束后，将所有设备、机具清洗干净。

(8)喷射灌浆终了后，顶部出现稀浆层、凹槽、凹穴时，可将灌浆软管下至孔口 2 ~ 3 m 处，用灌浆压力为 0.2 ~ 0.3 MPa，比重为 1.7 ~ 1.8 的水泥浆液，由下而上进行二次灌浆。

(9)在灌浆过程中，应随时进行监测，应有专人控制、观测和详细记录。对有关施工工艺参数及施工过程中的各种异常现象应做详细记录。

7. 喷灌中断的处理要求

(1)中断时间较短，且中断时未变换浆液，恢复喷灌时，应搭接 10 cm 以上；中断时间较长，但未超过 24 h 恢复喷射灌浆时，应搭接 100 cm 以上。

(2)中断时间超过 24 h，应会同设计单位一起研究处理办法。

8. 漏失孔段的处理要求

(1)喷射灌浆前应先做静压灌浆，待漏浆停止才进行正常喷射灌浆。

(2)在喷射灌浆过程中发现漏失孔段，则应降低提升速度或停止提升，进行静灌或漏浆地段重复喷射灌浆，直至恢复正常为止。

(3)若漏失严重，应加浓浆液或经设计单位同意加入速凝剂或河砂、粉煤灰、碳灰等掺合料。

9. 对喷射灌浆墙(桩)缺陷的处理要求

(1)喷灌后时间未超过 24 h 的缺陷部位，可将喷杆下至该部位进行重复喷射灌浆，其上、下的搭接长度应不小于 100 cm。

(2)喷灌后超过 24 h 时的缺陷部位，应采取加孔的方法处理，加孔的位置和数量与设计研究确定。

10. 对喷射灌浆的防渗墙(桩)的质量检查

灌浆过程经常性质量检查的内容包括：钻孔和喷灌过程中的各参数及各种特殊情况的处理是否符合要求。

高压喷射灌浆结束 28 d 后，应对墙(桩)进行质量检查。检查的项目如下：

(1)开挖检查：对桩、柱、板墙的形状、尺寸、整体性和均匀性观测和量测。

(2)抗渗性检查：围井、钻孔压(抽)水试验。

(3)物理力学性检查：取样或钻孔取芯的密度、比重、抗压和抗剪强度、声波和标准贯入法检测，也可采用钻孔取芯、试坑等方法检查灌浆体的深度、直径(厚度)及板墙的接缝。

(4)检查部位：帷幕中心线上，建筑荷载大的部位、施工中出现异常情况的部位、地质复杂的部位。

(5)检查点数量：应为喷灌孔数的 5% ~ 10%，但不少于 2 个检查点。

(七)水泥灌浆的质量控制

1. 一般要求

(1)中小型水电站基岩水泥灌浆，应在电站运行前完成。部分灌浆工作，如需延至电站运行之后施工，设计和施工单位必须采取相应措施，确保灌浆质量。

(2)基础表面灌浆(固结和接触灌浆)，必须按设计要求，在有足够的盖重下进行，混凝土覆盖重必须达到 50%以上的设计强度，才允许进行钻孔灌浆工作。

(3)灌浆前一定要做灌浆试验工作，但不得在帷幕中心线上进行。

(4)在灌浆地段应安设一定数量的抬动变形观测装置。灌浆过程中加强观测记录，对抬动变形进行监控。

(5)对灌浆工程各类钻孔应分类统一编号，对施工情况必须如实、准确地记录，对资料必须及时整理、绘制成图表。单元工程结束后，应及时进行质量检查和验收。灌浆工程宜使用测记灌浆压力、注入率等施工参数的自动记录仪。

(6)设计和施工单位应对灌浆资料及时分析，对灌浆施工技术及时总结，不断地优化设计和施工。

2. 灌浆材料和浆液的质量控制

(1)水泥灌浆宜采用普通硅酸盐水泥或硅酸盐大坝水泥，标号不低于 32.5 MPa，其细度要求为通过 80 μm 方孔筛的筛余量不大于 5%。灌浆水泥应保持新鲜，受潮结块和仓储超过 3 个月不得使用，不同生产厂、不同标号、不同品种的水泥不得混杂储存、混合使用。

对基岩裂隙宽度小于 0.2 mm 的微细裂隙及设计对基础有特殊要求的部位，可采用超细水泥灌浆处理，超细水泥比面积应在 8 500 cm^3/g 以上，平均粒径为 2.3 μm。

(2)灌浆用水的水质应符合拌制混凝土用水的要求。

(3)水工建筑物水泥灌浆一般使用纯水泥浆液，在特殊地质条件下或有特殊要求时，根据需要，通过现场灌浆试验论证可使用下列类型浆液：

细水泥浆液：系指干磨水泥浆液、湿磨水泥浆液和超细水泥浆液。

稳定浆液：系指掺有少量稳定剂，析水率不大于 5%的水泥浆液。

混合浆液：系指掺有掺合料的水泥浆液。

膏状浆液：系指塑性屈服强度大于 20 Pa 的混合浆液。

(4)根据灌浆需要，可在水泥浆液中掺入下列掺合料，但所使用的掺合料应通过试验论证确定，掺合用砂应为质地坚硬的天然砂或人工砂，粒径不宜大于 2.5 mm，细度模数不宜大于 2.0，SO_3 含量宜小于 1%，含泥量不宜大于 3%，有机物含量不宜大于 3%。

黏性土：塑性指数不宜小于 14，黏粒（粒径小于 0.005 mm）含量不宜低于 20%，含砂量不宜大于 5%，有机物含量不宜大于 3%。

粉煤砂：应为精选的粉煤灰，不能粗于同时使用的水泥，烧失量宜不小于 8%，SO_3 含量宜小于 3%。

水玻璃：模数宜为 2.4~3.0，浓度宜为 30 ~ 45 波美度。

其他掺合剂，根据灌浆的需要，可在水泥浆液中加入下列外加剂：①速凝剂、水玻璃、氯化钙、木质素、硫酸盐类、减水剂等；②稳定剂、膨润土及其他高塑性黏土等。

所有外加剂凡能溶于水的应以水溶状态加入。

各类浆液掺入掺合料和加入外加剂的种类及其掺加量应通过室内浆材试验和现场灌浆试验确定。

(5)纯水泥浆液一般可不再进行室内试验，其他类型浆液应根据工程需要，有选择地进行下列各项性能试验：①掺合料的细料和颗分曲线；②浆液的流动性或流变参数；③浆液的沉降稳定性及凝结时间；④结石的容重、强度、弹性模量、渗透性和其他。

3. 制浆的技术要求

(1)制浆的材料必须过秤称量，其误差应小于 5%。水泥等固相材料宜采用重量称量法。

(2)各类浆液必须搅拌均匀并测定浆液密度。

(3)拌制混水泥浆液和稳定浆液应加入减水剂和采用高速搅拌机。高速搅拌机搅拌转速应大于 1 200 r/min，搅拌时间应通过试验确定。细水泥浆液自制备至用完的时间宜少于 2 h。

(4)纯水泥浆液的搅拌时间，使用普通搅拌机时，应不少于 3 min；使用高速搅拌机时，宜不少于 30 s。浆液在使用前应过筛，自制备细水泥浆至用完的时间宜少于 4 h。

(5)集中制浆站宜制备水灰比为 0.5∶1 的纯水泥浆液，管道浆液流速宜为 1.4~2.0 m/s。各灌浆地点应测定来浆密度，调制使用。

(6)寒冷季节施工应做好机库和灌浆管路的防寒保暖工作，炎热季节施工应采取防热和防晒措施。浆液温度应保持在 5～40℃之间。若用热水制浆，水温不得超过 40℃。

4. 钻孔作业的质量要求

(1)在基岩中钻孔宜选用体积小、重量轻、组装紧凑、便于搬迁的回转式油压钻机，孔深较浅的固结孔和隧洞灌浆孔可用风钻造孔。

(2)灌浆机应优先选用多缸活塞式，并配有双层搅拌机和筛网，有足够的排浆量，灌浆机压力应大于最大灌浆压力的 1.5 倍。使用超细水泥灌浆时，应配备高速搅拌机拌制浆液。

(3)所有钻孔应按灌浆分类统一编号，并注明施工次序。钻孔的工艺应优先选用硬质合金和金刚石钻头钻进，也可采用碾砂钻进。

(4)钻孔的孔位、孔斜、孔深的偏差，应符合设计规定。

(5)钻进中，应对孔内混凝土厚度、岩层变化、断层破碎带、洞穴、裂隙、涌水、漏水等情况进行详细记录，作为分析孔内情况的依据。

(6)钻孔穿过松软地层或遇有洞穴、塌孔、掉块、集中漏水等情况应立即停钻，查明部位，必要时先做灌浆处理，然后再继续钻进。

(7)灌浆机与灌浆孔口处安装的压力表，使用压力应在压力表最大标值的 1/4~3/4 之间，压力表使用前应进行检校率定，精度合格。压力表与管路之间应装有隔浆装置。

(8)灌浆栓塞之胶球（塞）应具有良好的压缩性能和膨胀性能，栓塞应有可靠的止浆、止水效果。

(9)钻孔结束待灌浆或灌浆结束待加深时，孔口均应妥加保护。

5. 钻孔裂隙冲洗和压水试验

(1)灌浆前应进行钻孔及裂隙冲洗，将孔壁、裂隙、洞穴中的岩粉、碎屑、充填杂物，冲洗出孔外或推移至灌浆范围以外，以提高灌浆效果。

(2)帷幕灌浆孔冲洗可根据不同地层条件情况，选用压力水冲洗、脉动冲洗、风水联合冲洗等方法，直到孔内回水澄清为止。总的冲洗时间不得少于 30 min。冲洗压力可为灌浆压力的 80%，该压力若大于 1 MPa 时，采用 1 Mpa。对岩溶、断层、破碎带、大裂隙等地质复杂地段，帷幕灌浆孔的冲洗方法，应根据试验确定。如不冲洗应有专门论证。

(3)钻孔及裂缝冲洗之后，在灌浆之前应进行压水试验。帷幕灌浆的先导孔各灌浆段须进行五点正规压水试验；各次序孔的各灌浆段应做单点简易压水试验，简易压水试验的压力为灌浆压力的 80%。

6. 灌浆压力和浆液变换的技术要求

(1)灌浆压力必须严格按照设计规定控制。各灌浆段的压力值系指安装在孔口回浆管上的压力表所指示的压力值。一般情况下，压力读数为压力表指针摆动的中值，在灌浆压力超过 5 MPa 时可读峰值。

(2)灌浆浆液的浓度应遵循由稀变浓、逐级改变的原则变换。浆液的水灰比可采用 5∶1、3∶1、2∶1、1∶1、0.8∶1、0.6∶1、0.5∶1(重量比)七个比级，开灌浓度可用 5∶1。

采用高速搅拌和掺外加剂的稳定浆液，其水灰比为2：1、1：1、0.8：1、0.6：1四个比级。

(3)灌浆过程中，当灌浆压力保持不变、注入率均匀减小，或注入率不变、压力均匀升高时，灌浆工作应持续下去，不得改变水灰比。

当某一水灰比的浆液注入量已达400 L以上，而灌浆压力与注入率无改变或变化不明显时，应加浓一级灌浆液灌注。当注入率大于30 L/min时，应视其情况越级变浓；当改变浆液浓度后，灌浆压力突增或注入率突减，应查明原因进行处理。

7. 灌浆中断及串浆的处理要求

1)灌浆中断的处理

灌浆中断处理，应遵守下列原则：

(1)应及早恢复灌浆，否则应立即冲洗、扫孔，而后恢复灌浆。

(2)恢复灌浆后如注入率减少很多，且在短时间内停止吸浆，应采取补救措施。

2)串浆的处理

(1)如串浆孔具备灌浆条件，可对串浆孔同时灌浆。

(2)串浆孔不具备灌浆条件，则应将串浆孔堵塞，待灌浆孔灌浆结束后，对串浆孔扫孔冲洗后再继续钻进和灌浆。

8. 孔口涌水孔段的处理

对孔口有涌水的孔段，在灌浆前应测记涌水压力和涌水量，根据情况以可选用下述措施处理：

(1)自上而下分段灌浆；

(2)采用较短的段长、较高的灌浆压力；

(3)掺速凝剂，浓浆灌注；

(4)适当延长屏浆、闭浆、待凝时间；

(5)压力灌浆封孔。

9. 特大耗浆孔段的处理

灌浆孔段注入量特大、灌浆难以结束时，可用下列处理措施：

(1)低压、浓浆、限流、限量、间隙灌浆；

(2)灌注稳定浆液或掺入沙、灰渣的混合浆液；

(3)浆液中掺速凝剂。

10. 工程质量的检查

基岩灌浆质量的检查应以检查孔压水试验成果为主，结合分析各序孔的透水率与单位水泥注入量成果、灌浆前后物探成果和钻孔岩芯、大口径钻孔观测、孔内电视摄像资料等综合评定。

第五章　混凝土工程

模板的型式应与建筑物结构特点和施工方法相适应。对结构比较简单的大体积混凝土，宜采用大型组合钢模板，并宜优先选用悬臂式钢模板，对板、梁、柱结构亦宜采用组合钢模板。对曲线断面要求表面光滑平整的结构，宜采用滑动模板。对建筑物较长且断面不变的宜采用移动式模板。对非标准异形结构(进口扭曲面、蜗壳、肘管等)应采用木模。对过流面抗冲刷耐磨损部位、有美观要求的部位和坝体的承重部位等，可选用预制钢筋混凝土模板。在条件适宜的部位也可使用土胎修建拱圈或盖板。

第一节　对模板及支架的技术要求

一、一般规定

(1)组合模板的设计、施工、制作应符合现行 GBJ214《组合钢模板技术规范》的规定，滑动模板设计和施工应符合 SL32—92《水工建筑物滑动模板施工技术规范》的规定。

(2)具有足够的强度、刚度和稳定性。

(3)保证混凝土浇筑后结构物的形状、尺寸和相互位置符合图纸规定，各项误差在允许范围之内。

(4)模板表面光洁平整，接缝严密。

(5)制作简单、装拆方便、经济耐用，尽量做到系列化、标准化。

(6)模板及支架的材料宜选用钢材、木材或其他新型材料制作，应尽量少用木材。钢材可使用 3 号钢，木材不宜低于Ⅲ等材。

模板制作的允许误差，应符合模板设计规定，一般不得超过表 5-1 的规定。

表 5-1　模板制作的允许误差　　(单位：mm)

项　次	项　目	允许误差
木模	(1)模板的长度和宽度；	± 3
	(2)相邻两板面高差；	1
	(3)平面刨光模板局部不平(用 2 m 直尺检查)	5
钢模	(1)模板的长度和宽度；	± 2
	(2)模板局部不平；	2
	(3)连接配件的孔眼位置	± 1

注：异形模板(蜗壳、尾水管等)，滑动式、移动式模板，永久性模板等特种模板的允许偏差，按模板设计文件执行。

二、模板的安装技术要求

(1)模板安装必须按设计图纸测量放样，重要结构应多设控制点以利检查校正。

(2)支架必须支承在坚实的地基或老混凝土上，并应有足够的支承面积，斜撑应防止滑动。在湿陷性黄土地区，必须有防水措施。如系冻胀土时，必须有防冻融措施。

(3)支架和脚手架各立柱之间，应有足够数量的杆件牢固连接。模板的钢拉条不应弯曲，直径宜不大于 8 mm，拉条与锚杆的连接必须牢固。锚固件在受荷载时，必须有足够的锚固强度。

(4)多层支架的支柱应垂直，上、下层支柱应在同一中心线上，支架横垫木应平整，并应采取有效的构造措施，确保稳定。

(5)钢模接缝要严密不漏浆。模板与混凝土接触面应涂肥皂水等脱模剂，以利拆模。重复使用的模板，必须将模板上的泥浆、水泥浆、油污清除干净。

(6)现浇混凝土梁、板跨度等于或大于 4 m 时，模板应起拱，当设计无具体要求时，起拱高度宜为全跨长度的 2/1 000 ~ 3/1 000。

(7)浇筑混凝土时，应有专职值班人员随时检查模板，如有走样或漏浆必须及时采取措施处理。

(8)模板安装时的允许偏差，当设计无规定时，应符合表 5-2 的规定。

表 5-2 模板安装的允许偏差（单位：mm）

<table>
<tr><th>项次</th><th colspan="3">项 目</th><th>外部表面</th><th>隐蔽内面</th></tr>
<tr><td rowspan="2">1</td><td rowspan="2">模板平整度</td><td colspan="2">相邻两板面高低差</td><td>2</td><td>5</td></tr>
<tr><td colspan="2">表面平整(2 m 直尺检查)</td><td>5</td><td>10</td></tr>
<tr><td rowspan="2">2</td><td rowspan="2">大体积混凝土结构</td><td colspan="2">边线与设计边线</td><td>10</td><td>15</td></tr>
<tr><td colspan="2">水平截面内部尺寸</td><td colspan="2">± 20</td></tr>
<tr><td rowspan="5">3</td><td rowspan="5">非大体积混凝土结构</td><td colspan="2">轴线位置</td><td colspan="2">5</td></tr>
<tr><td colspan="2">截面内部尺寸（基础）</td><td colspan="2">± 10</td></tr>
<tr><td colspan="2">截面内部尺寸（墩、墙、柱、梁）</td><td colspan="2">± 5</td></tr>
<tr><td rowspan="2">竖向偏差</td><td>高度≤5 m</td><td colspan="2">6</td></tr>
<tr><td>高度>5 m</td><td colspan="2">8</td></tr>
<tr><td>4</td><td colspan="3">承重底模上表面高程</td><td colspan="2">± 5</td></tr>
<tr><td>5</td><td colspan="3">预留孔、洞尺寸及位置</td><td colspan="2">10</td></tr>
</table>

三、其他要求

承重模板及支架，应在混凝土达到下列强度后(按设计强度的百分率计算)方可拆除。

(1)悬臂梁、悬臂板：

跨度≤2 m　70%；

跨度>2 m　100%。

(2)其他梁、板、拱：

跨度≤2 m　50%；

2 m<跨度≤8 m　70%；

跨度＞8 m　100%。

(3)重要部位的承重支架，除强度应达到以上规定外，龄期不得少于 7d。

另外，有温控防裂要求的部位，拆除期限应专门确定。

第二节　钢筋的质量控制要点

一、钢筋材料的要求

钢筋混凝土结构所用的钢筋种类、钢号、直径等应符合设计文件的规定，热轧钢筋的质量必须符合现行国家规定做拉力延伸率、冷弯试验、焊接工艺试验，对钢筋钢号不明或使用中发现性能异常的钢筋，经检验合格后方可使用，但不得在承重结构的重要部位上使用。

钢筋需要代换时，应符合现行 SDJ20—78《水工混凝土钢筋结构设计规范》的规定，并应征得设计单位的同意、监理工程师的批准。

二、钢筋加工的技术要求

钢筋表面应洁净，钢筋应平直，无局部曲折，加工后的钢筋表面伤痕不得使钢筋截面面积减少 5%以上。钢筋弯曲角度、半径及形状应符合设计图纸的要求。如设计未作规定，所有受拉光面圆钢筋的末端应作 180°的半圆弯钩，其弯钩的内径不得小于钢筋直径的 2.5 倍，平直部分长度不宜小于钢筋直径的 3 倍。

钢筋加工后的允许误差见表 5-3。

表 5-3　钢筋加工后的允许误差　　（单位：mm）

项　次	项　目	允许偏差
1	受力钢筋顺长度方向全长净尺寸	± 10
2	钢筋弯起点位置	± 20
3	箍筋各部分长度	± 5

三、钢筋接头的技术要求

直径 10 mm 以上的热轧钢筋，可采用焊接。在加工厂中，钢筋的接头应采用闪光对焊，无条件采用闪光对焊时，宜采用电弧焊；钢筋的交叉连接宜采用电阻点焊，现场竖向和斜向直径大于 25 mm 的钢筋在条件许可下宜采用电渣压力焊；现场焊接钢筋直径在 28 mm 以上时宜用熔槽焊或帮条焊接，气压焊应用于直径 40 mm 以下Ⅰ、Ⅱ级的钢筋纵向连接，其技术要求执行 GB11219—89《钢筋气压焊》的规定。

轴心受拉构件、小偏心受压构件和承受震动荷载的构件，钢筋接头均应焊接。

钢筋焊接的接头形式、焊接工艺和质量验收，应符合 JGJ18—84《钢筋焊接及验收规程》的规定。

搭接焊和帮条焊常采用电弧焊，当采用双面焊缝时，Ⅰ级钢筋的焊缝长度应不小于

4 d (d 为钢筋直径)，Ⅱ、Ⅲ级钢筋应不小于 5 d。采用单面焊时，焊缝长度加倍，一般宜采用双面焊，焊缝高度应不小于 0.3 d，焊缝宽度不小于 0.7 d。帮条焊时两主筋端头之间，应留 2 ~ 5 mm 的间隙；搭接焊时，钢筋宜预弯，以保证两钢筋的轴线在一条直线上。电弧焊接头的外观检查，要求焊缝表面平整，不得有较大的凹陷、焊瘤、咬边和气孔，不得有裂缝，用小锤敲击接头时，应发出清脆声。钢筋焊接前，必须根据施工条件进行试焊，合格后方可施焊，焊工必须有资格证。直径在 25 mm 以下的钢筋接头，可采用绑扎接头。绑扎接头应遵守下列规定：

(1)搭接长度不得小于表 5-4 的规定值。

表 5-4　绑扎接头最小搭接长度

钢筋级别	受拉区	受压区	钢筋级别	受拉区	受压区
Ⅰ级钢筋	30 d	20 d	Ⅲ级钢筋	40 d	30 d
Ⅱ级钢筋	35 d	25 d	5 号钢筋	30 d	20 d

注：(1)d 为两搭接钢筋中较小的直径，位于受拉区的搭接长度不应小于 25 cm，位于受压区的搭接长度不应小于 20 cm，受压钢筋为Ⅰ级钢筋末端又无弯钩时其搭接长度不应小于 30 d。

(2)如在施工中分不清受拉区或受压区时，搭接长度按受拉区的规定办理。

(2)受拉区域内的光面圆钢筋绑扎接头的末端应做弯钩，带肋钢筋的绑扎接头末端可不做弯钩。

(3)对梁、柱钢筋的绑扎接头，其搭接长度范围内应加密钢箍。当搭接钢筋为受拉钢筋时，箍筋间距不应大于 5 d；当搭接钢筋为受压时，其箍筋间隔距离不应大于 10 d。

(4)受力钢筋的绑扎接头位置应互相错开，在受力钢筋直径 30 倍区段范围内(不小于 500 mm)，有绑扎接头的受力钢筋截面积占受力钢筋总面积的百分率，在受拉区不得超过 25%，受压区不得超过 50%。

四、钢筋安装的允许偏差

(1)钢筋的安装位置、间距、保护层及各部分钢筋的大小尺寸，均应符合设计规定。其偏差不得超过表 5-5 中的规定。

表 5-5　钢筋安装的允许偏差

项次	偏差名称	允许偏差
1	钢筋长度方向的偏差	± 1/2 净保护层厚
2	同一排受力钢筋的局部偏差： (1)柱及梁中； (2)板、墙中	 ± 0.5 d ± 0.1 间距
3	同一排中分布钢筋间距的偏差	± 0.1 间距
4	双排钢筋，其排与排局部偏差	± 0.1 间距
5	梁与柱中钢箍间距的偏差	0.1 钢箍间距
6	保护层厚度的局部偏差	± 1/4 净保护层厚

(2)钢筋安装时，应严格控制保护层厚度，钢筋下面或钢筋与模板间，应设置数量足

够、强度高于构件设计强度、质量合格的混凝土或砂浆垫块，测面使用的垫块应埋设铁丝，并与钢筋扎紧，所有垫块相互错开分散布置。

(3)在双层或多层钢筋之间，应用短钢筋支撑或采取其他有效措施以保护钢筋位置的准确。

第三节　混凝土施工的质量控制要点

一、一般规定

(1)中小型水电站的混凝土原材料，应符合有关技术标准，水泥品种宜优先选用硅酸盐水泥或普通硅酸盐水泥，其标号应不低于 32.5 MPa。使用矿渣水泥时，应经试验论证及主管部门批准。

(2)混凝土配合比除满足设计性能外，尚应能满足施工工艺要求：①水灰比应通过试验确定，宜取 0.45～0.55；②掺用减水、引气、缓凝等外加剂及适量的掺合料时，其掺量应通过试验确定；③坍落度应根据混凝土的运输、浇筑方式和气温条件决定，当用滑槽输送时，仓面坍落度宜为 4～7 cm。

(3)应根据混凝土的运输设备而选用施工条件。运输过程中应避免发生分离漏浆、严重泌水或过多降低坍落度，并应尽量减少转运次数和缩短运输时间。

(4)混凝土入仓宜选用滑槽输送，滑槽顶端应设集料斗，滑槽衔接不得脱落漏浆。滑槽出口距仓面的距离应不小于 3 cm。

(5)浇筑混凝土时应有防雨、防晒、防冻等保护措施。

二、对原材料的质量控制要点

(一)水泥

(1)水泥品质应符合现行的国家标准规定。

(2)大型水工建筑物所用的水泥，可根据具体情况对水泥的矿物质成分等提出专门要求。每一工程所用水泥品种以 2～3 种为宜，并宜选用固定厂家供应，有条件时优先采用散装水泥。

(3)选择水泥品种的原则如下：①水位变化的外部混凝土、建筑物的溢流面和经常受水流冲刷部位的混凝土、有抗冻要求的混凝土，应优先选用硅酸盐大坝水泥和硅酸盐水泥，或普通硅酸盐大坝水泥和普通硅酸盐水泥(硅酸盐水泥的定义：以适当成分的生料，烧至部分熔融所得的以硅酸钙为主要成分的硅酸盐水泥，熟料加入小于 5%的石灰粒化高炉矿渣，适量石膏磨细制成的水硬性胶凝材料)。②环境水对混凝土有硫酸盐侵蚀性时，应选用硫酸盐水泥。③大体积的建筑物的内部混凝土，位于水下的混凝土和基础混凝土，宜选用矿渣硅酸盐大坝水泥。也可选用矿渣硅酸盐水泥、粉煤灰硅酸盐水泥和火山灰质硅酸盐水泥。

(4)选用水泥标号的原则如下：①选用的水泥标号应与混凝土设计标号相适应。对于低标号混凝土，当其标号与水泥标号不相适应时，应在现场掺用适量的活性混合物；②建筑物外部水位变化区、溢流面和经常受水流冲刷部位的混凝土，以及受冰冻作用混凝土，其水泥标号不宜低于 32.5 MPa。

(5)运至工地的水泥应有生产厂的品质试验报告，实验室必须进行复验，必要时还应进行化学分析。

需要注意的是：每 200 ~ 400 t 同品种同标号水泥为一取样单位，如不足 200 t 也作为一取样单位，可采用机械连续取样，亦可从 20 个不同部位水泥中等量取样，混合均匀后作为样品，其总数量至少 10 kg。

(6)监理工程师应经常检查了解工地水泥运输、保管和使用情况。水泥运输保管及使用应符合下列要求：①水泥品质(种)标号不得混杂；②运输过程中应防止水泥受潮；③大中型工程应专设水泥仓库或储罐，水泥仓库宜设在干燥地点，并应有排水、通风措施；④堆放袋装水泥时，应设防潮层，距地面、边墙至少 30 cm，堆放高度不得超过 15 袋；⑤袋装水泥到货后应标明品种、标号、厂家、出厂日期，分别堆放，并留出运输通道；⑥散装水泥应及时倒罐，一般可 1 个月倒罐 1 次；⑦先到的水泥应先用，袋装水泥储运时间超过 3 个月，散装水泥超过 6 个月，使用前应重新检验；⑧避免水泥的散失浪费，注意环境保护。

(7)水泥品质的检验，按现行的国家标准进行。新水泥标准和旧标准的区别有两点：①水泥强度检验方法由 GB/T17671—1999 代替 GB/T177—1985；②水泥标号改为强度等级。

(8)常用水泥一般检测项目：①细度(GB/T1345—1991)；②标准稠度用水量(GB/T1346—1989)；③安定性(GB/T1346—1989)；④凝结时间(GB/T1346—1989)；⑤抗折强度(GB/T17671—1999)。

(9)施工现场水泥复检方法与标准：①水泥取样法(GB12573—1990)；②水泥代表批量；③水泥现场有效期限一般不能超过 3 个月，超过 3 个月必须再次复检。

为了方便大家查阅各种水泥的现行产品标准及检测参数，特将各种规范及其检测参数列于表 5-6、表 5-7。

表 5-6　水泥的现行产品标准

编号	水泥品种	产品标准	备注
1	硅酸盐水泥	GB175—1999	代替 GB175—92
2	普通硅酸盐水泥		
3	复合硅酸盐水泥	GB12958—1999	代替 GB12958—91
4	矿渣硅酸盐水泥	GB1344—1999	代替 GB1344—91
5	火山灰硅酸盐水泥		
6	粉煤灰硅酸盐水泥		
7	白色硅酸盐水泥	GB2015—91	
8	块硬硅酸盐水泥	GB199—90	
9	道路硅酸盐水泥	GB13693—92	
10	钢渣矿渣水泥	GB13590—92	
11	砌筑水泥	GB/T3183—1997	
12	铝酸盐水泥	GB/201—2000	

表 5-7　水泥检测参数执行标准

编号	检测参数	标准代号	备注
1	细度	GB/T1345—1991	强度试验方法GB/T17671—1999仅对前六种水泥有效，其他水泥在新标准未颁布之前仍使用GB175—92
2	标准稠度用水量	GB/T1346—1989	
3	凝结时间	GB/T1346—1989	
4	安定性	GB/T1346—1989	
5	抗折强度	GB/T17671—1999	
6	抗压强度	GB/T1967—1999	
7	压蒸安定性	GB/T750—1992	
8	比表面积	GB/T8047—1987	
9	SO_3	GB/T176—1996	
10	MgO	GB/T176—1996	
11	烧失量	GB/T176—1996	
12	不溶物	GB/T176—1996	
13	湿度	GB/T5950—1986	
14	SiO_2	GB/T126—1996	
15	碱	GB/T176—1996	
16	Fe_2O_3和SiO_2	GB/T201—2000	
17	含水量	GB/T1596—91	
18	火山灰性试验	GB/T2847—1996	
19	干缩性	GB/T13693—1992	
20	耐磨性	GB/T13693—1992	

(二)骨料

(1)骨料应根据优质、经济、就地取材的原则进行选择。可选用天然骨料、人工骨料，或两者互相补充。有条件的地方，宜采用石灰岩质的人工骨料。

(2)骨料的勘察按照SDJ17—78《水利水电工程天然建筑材料勘察规程》中的有关规定进行。质量标准及检验方法遵照国家标准GB/T14685—93(按优等品、一等品、合格品等级划分)、水利部编制SDJ207—82《水工建筑物施工规范》与SDJ105—82《水工混凝土试验规程》中的有关规定执行。

(3)骨料的料源在开采前应进行评级的补充勘察。同时，应该满足技术设计要求。

(4)冲洗、筛分骨料时，应控制好筛分进料量、冲洗水压和用水量、筛网的孔径与倾角等，保证各级骨料的成品质量符合要求，尽量减少细砂流失。人工砂生产中，应保持进料粒径、进料量及料浆浓度的相对稳定性，以便控制人工砂的细度模数及石粉含量。

(5)骨料的堆存和运输应符合下列要求：①堆存骨料的场地应有良好的排水设施。②不同粒径的骨料必须分别堆存，设置隔离设施，严禁相互混杂。③尽量减少转运次数。粒径大于40 mm的粗骨料的净自由落差不宜大于3 m，超过时应设置缓降设备。④骨料堆存时，不宜堆成斜坡或锥体，以防产生分离。⑤骨料储仓应有足够的数量和容积，并应维持一定的堆料厚度。砂仓的容积数量还应满足砂料脱水的要求。⑥应避免泥土混入骨料和骨料的严重破碎。

(6)砂料的质量技术要求如下：①砂料应质地坚硬、清洁、级配良好，使用山砂、特细砂应经过试验论证；②砂的细度模数在 2.4 ~ 2.8 范围内，天然砂料宜按粒径分成两级，人工砂可不分级；③砂料中有活性骨料时，必须进行专门试验论证；④其他质量技术要求，如砂的颗料级配应符合表 5-8 ~ 表 5-10 的规定。

表 5-8　砂的颗粒级配

筛孔(mm)	不同级配区累计筛余（%）		
	1	2	3
10.0(圆孔)	0	0	0
5.00(圆孔)	10 ~ 0	10 ~ 0	10 ~ 0
2.50(圆孔)	35 ~ 5	25 ~ 0	15 ~ 0
1.25(圆孔)	65 ~ 35	50 ~ 10	25 ~ 0
0.630(方孔)	85 ~ 71	70 ~ 41	40 ~ 16
0.315(方孔)	95 ~ 80	92 ~ 70	85 ~ 55
0.160(方孔)	100 ~ 90	100 ~ 90	100 ~ 90

注：砂的实际颗料级配与表中所列数字相比，除 5.0 mm 和 0.630 mm 筛档外，可能允许略有超出分界线，但总筛余应小于 5%。

表 5-9　砂的质量技术要求

项目	指标	备注
天然砂中含泥量(%) 其中：黏土含量(%)	＜3 ＜1	(1)泥含量系指粒径小于 0.08 mm 的细屑、淤泥和黏土的总量； (2)不应含有黏土团粒
人工砂中的石粉含量(%)	6 ~ 12	系指小于 0.15 mm 的颗粒
坚固性(%)	＜10	系指硫酸内溶液法与次循环后的重量损失
云母含量(%)	＜2	
比重(t/m^3)	＞2.50	
轻物质含量(%)	＜1	视比重小于 2.0 g/cm^3
硫化物及硫酸盐含量按重量计(%)	＜1	折算成 SO_3
有机质含量	浅于标准色	如深于标准色，应配成砂浆进行强度对比试验

表 5-10　泥和黏土块含量分等级的规定

项目	优等品	一等品
泥	2.0	3.0
黏土块	0.5	1.0

有害物质：砂不宜混有草根、树叶、塑料品、煤块、炉渣等物。砂中云母、硫化物与硫酸盐、氯化物和有机物的含量、等级符合表 5-11 规定。

表 5-11　砂中云母等的含量、等级规定

项目	优等品	一等品
云母(%)	<1	<2
硫化物与硫酸盐(以 SO_3 计)(%)	<0.5	<1
有机物	合格	合格
氯化物(以 NaCl 计)(%)	<0.03	0.1

坚固性：采用硫酸钠溶液法进行试验，砂样在其饱和溶液中经 5 次循环浸渍后，其质量损失应符合表 5-12 等级标准。

表 5-12　质量损失等级标准

项目	优等品	一等品
质量损失	<8	<10

(7)粗骨料的质量技术要求如下：①粗骨料的最大粒径：不应超过钢筋净间距的 2/3 及构件断面最小边长的 1/4；素混凝土板厚的 1/2；对少筋或无筋结构应选用较大的粗骨粒径。②施工中宜将粗骨料按粒径分成下列几个粒径级：当最大粒径为 40 mm 时，分成 5 ~ 20 mm 和 20 ~ 40 mm 两级；当最大粒径为 80 mm 时，分成 5 ~ 20、20 ~ 40 mm 和 40 ~ 80 mm 三级；当最大粒径为 150 mm(或 160 mm)时，分成 5 ~ 20、20 ~ 40、40 ~ 80 mm 和 80 ~ 150 mm(或 120 mm)四级。③应严格控制各级骨料的超逊径含量，以原孔筛检验，其控制标准：超径<5%、逊径<10%。④采用连续级配或间断级配应由试验确定。如采用间断级配，应注意混凝土运输中骨料的分离问题。⑤粗骨料中含有活性骨料、黄锈等，必须进行专门试验论证。⑥粗骨料力学性能的要求和检验，可按国家建筑工程总局标准 JGJ53—79《普通混凝土用碎石或卵石质量标准及检验方法》或中国建筑科学院主编的行业标准(JGJ53—92)中的有关规定进行。⑦其他质量技术要求应符合表 5-13 ~ 表 5-15 中的规定。

表 5-13　粗骨料颗粒级配

公称粒径(mm)		不同筛孔尺寸(mm)(圆孔筛)的累计筛余(%)											
		2.5	5.0	10.0	16.0	20.0	25.0	31.5	40.0	50.0	63.0	80.0	100
连续粒径	5~10	95~100	80~100	0~15	0								
	5~16	95~100	90~100	30~60	0~10	0							
	5~20	95~100	90~100	40~70		0~10	0						
	5~25	95~100	90~100		30~70		0~5	0					
	5~31.5	95~100	90~100	70~90		15~45		0~5	0				
	5~40	95~100	95~100	75~90		30~60			0 ~ 5	0			
单粒粒径	10~20		95~100	85~100		0~15	0						
	16~31.5		95~100		85~100			0~10	0				
	20~40			95~100		80~100			0~10	0			
	31.5~63				95~100			75~100	45~75		0~10	0	
	40~80					95~100			70~80		30~60	0~10	0

表 5-14　粗骨料的质量要求

项目	指标	备注
含泥量(%)	D_{20}、D_{40}粒径级<1，D_{80}、D_{150}(或 D_{120})粒径级<0.5	各粒径级均不应含有黏土团块
坚固性(%)	<1	有抗冻要求的混凝土
	<12	无抗冻要求的混凝土
硫酸盐及硫化物含量按重量计(%)	<0.5	折算成 SO_3
有机质含量	浅于标准色	如深于标准色，应进行混凝土强度对比试验
比重(t/m^3)	>2.55	
吸水率(%)	<2.5	
针片状颗粒含量(%)	<15	碎石经试验论证可以放宽至 25%

表 5-15　碎石或卵石的压碎指标值

岩石种类	水工建筑物施工规范			建筑行业标准 JGJ53—92			
	混凝土标号	压碎率(%)		碎石		卵石	
		碎石	卵石	混凝土标号	压碎率(%)	混凝土标号	压碎率(%)
水成岩	C10～C30	13～20	10～18	≤C35	≤16	≤35	≤13
	C40～C60	10～12	≤9	C35～C40	≤10		
变质岩或深层的火成岩	C10～C30	20～31	19～30	≤C35	≤20	C55～C40	≤13
	C40～C60	12～19	12～18	C55～C40	≤12		
火成岩	C10～C30	≤13	不限	≤C35	≤30		
	C40～C60			C35～C40	≤13		

注：水成岩包括石灰岩、砂岩等；变质岩包括片麻岩、石英岩等；深层的火成岩包括花岗岩、正长岩、闪岩和橄榄岩等，喷出的火成岩包括玄武岩和辉绿岩等。

对重要工程的混凝土所用的碎石或卵石应进行碱活性检验。进行碱活性检验时，首先应采用岩相法检验碱活性集料的品种、类型和数量(也可由地质部门提供)，若集料时，应采用岩石柱法进行检验，经上述检验集料判定为潜在危害时，属碱–碳酸盐反应的，不易作混凝土集料。如必须使用，应以专门的混凝土试验结果作出最后评定。潜在危害属碱–硅反应的，遵守以下规定方可使用：①使用碱含量小于 0.6%的水泥或采用能抑制碱–集料反应的掺合料；②当使用含钾、钠离子的混凝土外加剂时，必须进行专门的试验。

试验方法：参照水工试验规程(SD105—82)及国标 GB/T14685—93 进行试验，试验项目见表 5-16，每项试验的取样量按表 5-16 中规定。

(三)水的质量要求

(1)凡适于饮用的水，均可以拌制和养护混凝土。未经处理的工业污水和沼泽水，不得用以拌制和养护混凝土。

(2)天然矿化水，如果化学成分符合表 5-17 中规定，可以用来拌制和养护混凝土。

表 5-16　试验项目及取样量

序号	试验项目	不同最大粒径(mm)的试验量(kg)							
		10	16	20	25	31.5	40	63	80
1	颗粒级配	10	20	20	40	40	60	80	120
2	含泥量	10	10	30	30	40	40	60	60
3	黏土含量	10	10	30	30	40	40	60	60
4	针片状颗粒含量	2	4	8	10	20	40	—	—
5	有机物含量	4	4	5	5	5	10	10	10
6	硫酸盐和硫化物含量	10	10	10	10	10	20	20	20
7	氯盐含量	2	2	2	2	2	4	4	4
8	坚固性	5	5	8	8	20	20	20	20
9	抗压强度	随机选取完整石块切或钻取成试样品							
10	压碎值	15	15	15	—	—	—	—	—
11	密度与吸水率	10	10	20	20	20	25	25	25
12	含水率与表面含水率	4	4	4	6	8	10	10	10
13	体积密度及空气隙率	40	40	60	60	80	80	100	100
14	碱–集料反应	8	8	8	8	10	10	10	10

注：试验用筛应符合 GB6003 的规定。

表 5-17　拌制和养护混凝土的天然矿化水物质含量限值

项目	预应力混凝土	钢筋混凝土	素混凝土
pH 值	＞4	＞4	＞4
不溶物(mg/L)	＜2 000	＜2 000	＜500
可溶物(mg/L)	＜2 000	＜5 000	＜10 000
氯化物(Cl^-)(mg/L)	＜500	＜1 200	＜3 500
硫酸盐(SO_4^{2-})(mg/L)	＜600	＜2 700	＜2 700
硫化物(S^{2-})	＜100	—	—

注：本表适用于各种大坝水泥硅酸盐水泥、普通硅酸盐水泥、矿渣硅酸盐水泥、火山灰硅酸盐水泥、粉煤灰硅酸盐水泥拌制的混凝土。

(3)对拌制和养护混凝土的水质有怀疑时，应进行砂浆强度试验。如用该水制成的砂浆的抗压强度低于饮用水制成的砂浆 28 d 龄期的抗压强度的 90%，则这种水不宜用以拌制和养护混凝土。

(四)掺合料的质量要求

(1)为改善混凝土的性能，合理降低水泥用量，宜在混凝土中掺入适量的活性掺合料，掺用部位及最优掺量应通过试验决定。

(2)非成品原状粉煤灰的品质指标：①烧失量不得超过 12%；②干灰含水量不得超过 1%。

(3)SO_3(水泥和粉煤灰总量中的)含量不得超过 3.5%。

(4)0.08 mm 方孔筛筛余量不得超过 12%。

另外，成品粉煤灰的品质指标应按国家标准执行。

(五)外加剂的质量要求

(1)为改善混凝土的性能，提高混凝土的质量及合理降低水泥用量，必须在混凝土中掺加适量的外加剂，其掺量通过试验确定。

(2)拌制混凝土或水泥砂浆常用的外加剂有减水剂、加气剂、缓凝剂、速凝剂和早强剂、泵送剂等，应根据施工需要，对混凝土性能的要求及建筑物所处的环境条件，选择适当的外加剂。

(3)有抗冻要求的混凝土必须掺用加气剂，并严格限制水灰比。

(4)混凝土的含气量宜采用下列数值：①骨料最大粒径 20 mm 时，含气量值为 6%；②骨料最大粒径 40 mm 时，含气量值为 5%；③骨料最大粒径 80 mm 时，含气量值为 4%；④骨料最大粒径 150 mm 时，含气量值为 3%。

(5)长期处于潮湿和严寒环境中的混凝土，应掺用引气剂，引气剂的掺入量应根据混凝土的含气量确定。混凝土的最小含气量应符合表 5-18 中的规定，混凝土含气量亦不宜超过 6%，混凝土中的粗细骨料均做坚固性试验。

表 5-18　混凝土的最小含气量

粗骨料最大粒径(mm)	最小含气量值(%)
31.5	4
16	5
10	6

(6)如需提高混凝土的早期强度，宜在混凝土中掺加早强剂。工业用氯化钙只宜用于素混凝土中，其掺量(以无水氯化钙占水泥重的百分数计)不得超过 3%。在砂浆中的掺量不得超过 5%。为了避免氯化钙腐蚀钢筋，在钢筋混凝土中掺用非氯盐早强剂。

(7)使用早强剂后，混凝土初凝将加速，应尽量缩短混凝土的运输和浇筑时间，并应特别注意洒水养护，保持混凝土表面湿润。

(8)使用外加剂时应注意：①外加剂必须与水混合配成一定浓度的溶液，各种成分用量应准确，对含有大量固体的外加剂(如含石灰的减水剂)，其溶液应通过 0.6 mm 孔眼的筛子过滤；②外加剂溶液必须搅拌均匀，并定期取有代表性的样品进行鉴定；③当外加剂贮存时间过长，对其质量有怀疑时，必须进行试验鉴定，严禁使用变质的外加剂。

(9)外加剂和掺合料的掺量应通过试验确定，并应符合国家现行标准 GBJ119《混凝土外加剂应用技术规范》和 LGJ28《粉煤灰在混凝土和砂浆中应用技术规范》的规定。

三、配合比的选定质量要求

(一)混凝土配合比设计中基本参数的选取

(1)为确保混凝土的质量，工程所用的混凝土配合比必须通过试验确定。

(2)对于大体积建筑物的内部混凝土，其胶凝材料用量不宜低于 140 kg/m^3。

(3)混凝土的水灰比应以骨料在饱和面干状态下的混凝土单位用水量对单位胶凝材料用量的比值为准，单位胶凝材料用量为每立方米混凝土中水泥与混合材料重量的总和。

(4)混凝土的水灰比应根据设计对混凝土性能的要求，由实验室通过试验确定，并不超过表 5-19 中的规定。

表 5-19　水灰比最大允许值

混凝土所在部位	寒冷地区	温和地区
上下游最低水位以上(坝体外部)	0.60 0.50 0.55	0.65 0.55 0.60
基础	0.55	0.60
内部	0.70	0.70
受水流冲刷部位	0.50	0.50

注：①在环境水有侵蚀性的情况下，外部水位变化区及水下混凝土的最大允许水灰比应减小 0.05；②在采用减水剂和加气剂的情况下，经过试验论证，内部混凝土最大允许水灰比可增加 0.05；③寒冷地区，系指最冷月月平均气温在-3℃以下的地区。

(5)粗骨料级配及砂率的选择，应考虑骨料生产的平衡、混凝土和易性及最小单位用水量等要求，综合分析后确定。

(6)混凝土的坍落度：应根据建筑物的性质、钢筋含量以及混凝土的运输、浇筑方法和气候条件决定，尽可能采用小的坍落度。混凝土在浇筑地点的坍落度可参照表 5-20 中的规定。

表 5-20　混凝土在浇筑地点的坍落度(使用振捣器)

建筑物的性质	标准圆锥坍落度(cm)
水工素混凝土或少钢筋混凝土	3～5
配筋率不超过 1%的钢筋混凝土	5～7
配筋率超过 1%的钢筋混凝土	7～9

注：有温控要求或低温季节浇筑混凝土时，混凝土的坍落度可根据具体情况酌量增减。

(二)混凝土砂率的确定

(1)混凝土坍落度小于或等于 60 mm 或大于 100 mm 的混凝土砂率可根据粗骨料品种、粒径及水灰比按表 5-21 选取。

表 5-21　混凝土的砂率　(%)

水灰比(W/C)	卵石最大粒径(mm)			碎石最大粒径(mm)		
	10	20	40	16	20	40
0.40	26～32	25～31	24～30	30～35	29～34	27～32
0.50	30～35	29～34	28～33	33～38	32～37	30～35
0.60	33～38	32～37	31～36	36～41	35～40	33～38
0.70	36～41	35～40	34～39	39～44	38～43	36～41

注：①本表的数值系中砂的选用砂率，对细砂或粗砂，可相应地减小或增大砂率；②只用一个平粒级配粗骨料配制混凝土时，砂率应适当增大；③对薄壁构件砂率取偏大值；④本表中的砂率系指砂与骨料总量的重量比。

(2)坍落度等于或大于 100 mm 的混凝土砂率，应在表 5-21 中的基础上，按坍落度每增大 20 mm，砂率增大 1%的幅度予以调整。

(3)坍落度大于 60 mm 或小于 10 mm 的混凝土及掺用外加剂和掺合料的混凝土，其砂率应以试验确定。

(三)混凝土配合比的试配、调整与确定

1. 试配

(1)混凝土试配时应采用工程中实际使用的原材料，混凝土的搅拌方法应与生产时使用的方法相同。

(2)混凝土试配时，每盘混凝土的最小搅拌量应符合表 5-22 中的规定。当采用机械搅拌时，搅拌量不应小于搅拌机额定搅拌量的 1/4。

表 5-22 混凝土试配用最小搅拌量

骨料最大粒径(mm)	拌和物数量(L)
31.5 及以下	15
40	25

(3)按计算的配合比首先应进行试拌，以检查拌和物的性能。当试拌得出的拌和物坍落度或维勃稠度不能满足要求时，或黏聚性和保水性能不好时，应保证水灰比不变的条件下相应调整用水量或砂率，直到合格为止，然后应提出供混凝土强度试验用的基准配合比。

(4)混凝土强度试验时，应最少采用三个不同的配合比，其中一个是按计算得出的基准配合比；另外两个配合比的水灰比，宜较基准配合比分别增加或减少 0.05，其用水量与基准配合比的基本相同，砂率可分别增加或减少 1%。当不同水灰比混凝土拌和物坍落度与要求相差超过允许偏差时，可以增减用水量进行调整。

(5)制作混凝土强度试件时，就检验混凝土的坍落度或维勃稠度、黏聚性、保水性及拌和物表观密度，并以此结果作为代表相应配合的混凝土拌和物的性能。

(6)混凝土强度试验时，每种配合比至少制作 1 组(3 块)试件，并应标准养护到 28 d 时试压。混凝土立方试件的边长不应小于表 5-23 的规定。

表 5-23 混凝土立方体试件的边长

骨料最大粒径(mm)	试件边长(mm)
31.5 及以下	100×100×100
40	150×150×150
60	200×200×200

2. 配合比的调整与确定

(1)由试验得出的各水灰比及其相对应的混凝土强度关系，用计算法求出与混凝土配制强度相对应的水灰比，并按下列原则确定每立方米混凝土的材料用量。

(2)用水量应取基准配合比中的用水量，并根据制作强度测得的坍落度或维勃稠度进行调整。

(3)水泥用量以用水量乘以选定出的水灰比计算确定。

(4)粗骨料的和细骨料应取基准配合比中的粗骨料和细骨料用量，并按选定的水灰比进行调整。

(5)当配合比已试配确定后，尚应按下列步骤校正：

①根据确定的材料用量按下式计算混凝土的表观密度值：

$$表观密度\ P_{cc} = 用水量+水泥用量+细骨料$$

②应按下式计算混凝土配合比校正系数：

$$\delta = \frac{混凝土表观密度实测值(kg/m^3)}{混凝土表观密度计算值(kg/m^3)}$$

③当混凝土表观密度实测值与计算值之差的绝对值不超过计算值的 2%时，应为确定的设计配合比；当两者之差超过 2%时，应将配合比中每项材料用量均乘以校正系数δ值，即为确定的混凝土设计配合比。

四、特殊要求混凝土的配合比设计质量要求

(一)抗渗混凝土的配合比设计

抗渗等级等于或大于 P_6 级的混凝土(简称抗渗混凝土)，所用原材料应符合下列要求：①水泥标号不宜小于 32.5 MPa，其品种按设计要求选用；当有抗冻要求时，应优先选用硅酸盐水泥或普通硅酸盐水泥；②粗骨料的最大粒径不宜大于 40 mm，其含泥量(重量比)不得大于 1%；泥块含量(重量比)不得大于 0.5%；③细骨料的含泥量不得大于 3%，泥块含量不得大于 1%；④外加剂宜采用防水剂、膨胀剂、引气剂或减水剂。

抗渗混凝土配合比计算和试验的步骤、方法除应遵守规范规定外，尚应符合下列规定：①试配要求的抗渗水压值应比设计值提高 0.2 MPa；②试配时，应采用水灰比最大的配合比做抗渗试验，其试验结果应符合下式要求：

$$P_1 \geqslant P/10+0.2$$

式中：P_1——6 个试件中 4 个未出现渗水时的最大水压值，MPa；

P——设计要求的抗渗等级。

掺引气剂的混凝土还应进行含气量试验，试验结果应符合规定。

(二)抗冻性混凝土的配合比设计

抗冻等级 F_{50} 及以上的混凝土(简称抗冻混凝土)，所用原材料应符合下列要求：①水泥应优先选用硅酸盐水泥或普通硅酸盐水泥，并不得使用火山灰质硅酸盐水泥；②粗骨料含泥量(重量比)不得大于 1%，泥块含量(重量比)不得大于 1%；细骨料含泥量(重量比)不得大于 3%，泥块含量(重量比)不得大于 1%；③抗冻等级 F_{100} 及以下的混凝土所用的粗骨料和细骨料均应进行坚固性试验，其结果应符合国家现行标准 JGJ53—79《普通混凝土用碎石或卵石质量标准及检验方法》及《普通混凝土用砂质量标准及检验方法》的要求；④抗冻混凝土宜采用减水剂，对抗冻等级 F_{100} 及以上的混凝土应掺引气剂，掺用后的混凝土的含气量应符合下列标准：粗骨料为 31.5 mm 及以上最小含气量值为 4%；粗骨料为 16 mm，最小含气量值 5%；粗骨料为 10 mm，最小含气量值为 6%。

抗冻混凝土的配合比计算方法和步骤除应遵守规范外，供试配用的最大水灰比宜按表 5-24 的规定。

表 5-24　抗冻混凝土的最大水灰比

抗冻等级	无引气剂时	掺引气剂时
F_{50}	0.55	0.60
F_{100}		0.55
F_{150}及以上		0.50

抗冻混凝土的试配和调整除应按规定进行外，尚应增加抗冻性能试验，试验所用试件应以 3 个配合比中水灰比最大的混凝土制作。

(三)高强混凝土的配合比设计

(1)配制 C60 及以下强度等级的混凝土，应选择标号不低于 42.5 MPa，且质量稳定的水泥、优质骨料及高效减水剂，宜掺用具有一定活性的优质矿物掺合料。

(2)配制高强混凝土时，应选用硅酸盐水泥或普通硅酸盐水泥，其强度不宜低于 57 MPa。

(3)配制高强混凝土用粗骨料的最大粒径不应大于 31.5 mm，针片状颗粒含量不宜大于 5%，含泥量(重量比)不应大于 1%。配制高强混凝土所用粗骨料除进行压碎指标试验外，对碎石尚应进行岩石立方体挤压强度试验，其结果不应小于要求配制的混凝土抗压强度标准值的 1.5 倍。

(4)配制高强度混凝土宜采用中砂，其细度模数宜大于 2.6，含泥量(重量比)不应大于 2%，泥块含量(重量比)不应大于 1%。

(5)高强混凝土配合比的计算方法和步骤除应按规程进行外，尚应符合下列要求：①基准配合比中的水灰比，对 C60 级混凝土仍可按规定确定，对 C60 级以下强度等级的混凝土，可根据经验选取；②配制高强度混凝土所用的砂率及所用的外加剂和矿物掺合料的品种、掺量应通过试验确定；③计算高强混凝土配合比时，其用水量按规定确定；④高强度混凝土的水泥用量不宜大于 550 kg/m^3 ；⑤高强混凝土配合比的试配与确定的步骤按规程规定进行，其中水灰比的增减值为 0.02 ~ 0.03；⑥高强混凝土设计配合比提出后，尚应用该配合比进行 6 ~ 10 次重复试验进行验证。

(四)泵送混凝土的配合比设计

泵送混凝土拌和的坍落度不应小于 80 mm，其所采用的原材料应符合下列要求：①泵送混凝土应选用硅酸盐水泥、普通硅酸盐水泥、矿渣硅酸盐水泥和粉煤灰硅酸盐水泥，不宜采用火山灰质硅酸盐水泥。②泵送混凝土所用粗骨料的最大粒径与输送管径之比，当泵送高度在 50 m 以下时，对碎石不宜大于 1 : 3，对卵石不宜大于 1 : 2.5；泵送高度在 50 ~ 100 m 时，对碎石不宜大于 1 : 4，对卵石不宜大于 1 : 3；粗骨料在泵送高度 100 m 以上时，对碎石不宜大于 1 : 5，对卵石不宜大于 1 : 4，粗骨料应采用连续级配，且针片状颗粒含量不宜大于 10%。③泵送混凝土采用中砂，其通过 0.315 mm 筛孔的颗粒含量不应小于 15%，通过 0.160 mm 筛孔的含量不应小于 5%。④泵送混凝土时可掺用泵送剂或减水剂，粉煤灰或其他活性掺合料。当掺用粉煤灰时，其质量应符合国家现行标准 LGJ28《粉煤灰在混凝土和砂浆中应用技术规范》中规定的 I 、II 级粉煤灰的要求。

泵送混凝土入泵坍落度见表 5-25。

表 5-25　混凝土入泵坍落度选用

泵送高度(m)	＜30	30 ~ 60	60 ~ 100	＞100
坍落度(mm)	100 ~ 140	140 ~ 160	160 ~ 180	180 ~ 200

泵送混凝土，试配时要求的坍落度按下式计算：

$$T_1=T_p+\Delta T$$

式中　T_1——试配时要求的坍落度；

T_p——入泵时要求的坍落度值；

ΔT——试测得在预计时间内的坍落度时损失值。

泵送混凝土的配合比计算和试配除按规范进行外，尚应符合以下规定：①泵送混凝土的水灰比不宜大于 0.6；②泵送混凝土的水泥用量不宜小于 300 kg/m^3；③掺用引气型外加剂时，其混凝土含气量不宜大于 4%。

大体积混凝土的配合比设计要求如下：

(1)混凝土结构物中实体最小尺寸大于或等于 1 m 的部位所用的混凝土，所用原材料应符合下列要求：①水泥应选用水化热低、凝结时间长的水泥，优先选用大坝水泥、矿渣硅酸盐水泥、粉煤灰硅酸盐水泥、火山灰质硅酸盐水泥；②粗骨料宜采用连续级配，细骨料宜采用中砂；③大体积混凝土宜掺用缓凝剂、减水剂和减少水泥水化热的掺合料。

(2)大体积混凝土在保证混凝土强度及坍落度要求的前提下应提高掺合料及骨料的含量，以降低单方混凝土的水泥用量。

(3)大体积混凝土配合比确定后宜进行水化热的验算或测定。

五、混凝土拌和的质量控制要点

(1)拌制混凝土时，必须严格遵守实验室签发的混凝土配料单进行配料，严禁擅自更改。

(2)水泥、砂、石掺合料均应以重量计，水及外加剂溶液可按重量折算成体积，称量的偏差不应超过表 5-26 中规定的数值。

表 5-26　混凝土各组分称量的允许偏差

材料名称	允许偏差
水泥、混合材	± 1%
砂石	± 2%
水、外加剂溶液	± 1%

(3)施工前，应结合工程的混凝土配合比情况，检验拌和设备的性能，如发现不相适应时，应适当调整混凝土配合比，有条件时也可调整拌和设备的速度、叶片结构等。

(4)在混凝土拌和过程中，应根据气候条件定时地测定砂石骨料的含水量(尤其是砂子)，在降雨的情况下，应相应地增加测定次数，以便随时调整混凝土的加水量。

(5)在混凝土拌和过程中，应采取措施保持砂、石、骨料含水率稳定，砂石含水率控制在 6%以内。

(6)掺有混合材(如粉煤灰等)的混凝土进行拌和时，混合材可以湿掺也可以干掺，但应保证掺和均匀。

(7)如使用外加剂，应将外加剂溶液均匀配入拌和用水中，外加剂中的水量，应包括在拌和用水量之内。

(8)必须将混凝土各组分拌和均匀，拌和程序和时间应通过试验决定，最少拌和时间(见表 5-27)。

表 5-27　混凝土最少拌和时间　　(单位：min)

拌和机进料容量(m^3)	最大骨料粒径(mm)	坍落度(cm)		
		2～5	5～8	>8
1.0	80	—	2.5	2.0
1.6	150 或 120	2.5	2.0	2.0
2.4	150	2.5	2.0	2.0
5	150	3.5	3.0	2.5

第四节　特殊气候条件下混凝土施工的质量控制要点

一、低温季节混凝土施工的质量控制要点

(1)低温季节混凝土施工要密切注意天气预报，防止混凝土遭受寒潮和霜冻的侵袭，加强新老混凝土冻裂的保护措施，尤其是面板混凝土更应该注意新浇面板的保温措施，如草袋覆盖等，以防外界温度冲击的不利影响。

(2)低温季节施工时，必须有专门的施工组织设计和可靠的措施，以保证混凝土满足设计规定的抗压、抗冻、抗渗、抗裂等各项指标。混凝土浇筑应采取的措施：①施工时间避开寒流，并在白天正温浇筑；②混凝土浇筑温度应在温和地区不宜低于 3℃，在寒冷地区不宜低于 5℃；③采用保温措施养护，可用塑料薄膜和多层草袋覆盖保温，并注意混凝土脱模后及时覆盖；④充分利用气象资料，科学确定低温季节施工起止日期；⑤对拟采用的施工方法及施工各环节(加热，保温措施)要进行热工设计；⑥广泛调查，选用合格保温材料，降低工程造价；⑦对施工确定使用的外加剂和配合比要在施工前试验校核完毕；⑧要确定施工中的温度观测方法，混凝土的质量检测方法，提前准备好观测仪器及检测设备，绘制供记录用的各种图表曲线备查；⑨对掺用的抗冻剂、早强剂和水泥的总体含碱量要在允许范围内；⑩应做好气温骤降和寒潮袭击的措施。

(3)混凝土的允许受冻的临界强度应控制在以下范围：

对于大体积的混凝土($M<5$)，有

表面系数 $M=AC$ 结构全部表面积/VC 结构体积(m^{-1})

受冻期有外来水分时，素混凝土不应低于 0.5 MPa（$\leqslant F_{150}$混凝土，F 为抗冻设计符号）或 0.7 MPa（$\geqslant F_{200}$的混凝土）钢筋混凝土不应低于设计强度等级的 85%；受冻期可能有外来水分时，素混凝土和钢筋混凝土均不应低于设计强度等级的 85%。

对于非大体积的混凝土($M\geqslant5$)，混凝土强度等级大于 C10 时，硅酸盐水泥或普通硅

酸盐水泥混凝土为设计强度等级的 3%，矿渣硅酸混凝土为设计强度等级的 40%；混凝土强度等级小于或等于 C10 时，素混凝土或钢筋混凝土均不应低于 5.0 MPa。

(4)低温季节施工，尤其是严寒和寒冷地区，施工的部分不宜分散。当年浇筑的有保温要求的混凝土，在进入低温季节之前，应采取妥善保温措施防止混凝土产生裂缝。

(5)施工期间采用的加热、保温、防冻材料(包括早强防冻剂)应事先准备好，并且应有防火措施。

(6)在温和地区和日平均气温在–5 ~ –10℃范围的严寒和寒冷地区，可采用蓄热法施工；对风沙大的地区可搭设简易防风棚，在预计日平均气温–10℃或预计最低气温–15℃以上，可采用综合蓄热法；低于上述气温时不应再在露天施工，宜采用暖棚法；对风沙大不宜搭设暖棚地区可采用覆盖保温被下布置供暖设备的办法；日平均气温在–20℃以下不宜低温季节施工。

(7)混凝土浇筑温度应符合温控和设计要求，并按下列规定执行：温和地区不低于3℃；严寒和寒冷地区用蓄热法日平均气温不宜低于 5℃，暖棚法日平均气温不宜低于3℃。

(8)低温季节施工的混凝土外加剂(减水引气、早强、抗冻型)产品质量应符合国家标准，除每批进场检查质量外，还要不定期随时抽检。其掺量要通过混凝土试验确定。

(9)原材料的加热输送，储存和混凝土的拌和运输、浇筑设备及设施，均应根据热工计算，结合实际气候条件，采取适宜的保温措施。

(10)砂石骨料宜在进入低温季节前筛洗完毕；成品料堆放应有足够的储备和堆高，要有必要的措施防止冰雪和冻结。

(11)提高拌和物温度的方法：首先应考虑加热拌和用水，当加热拌和用水尚不能满足浇筑温度要求时，再加热砂石骨料。水泥不得直接加热。

(12)加热拌和用水温度一般不宜超过 80℃时，骨料加热不宜超过 60℃，拌和混凝土时，应先将骨料与水拌和，然后加入水泥以免假凝。

(13)当日平均气温稳定在–5℃以下时，宜加热骨料。骨料加热方法宜采用蒸气排管法；粗骨料可以直接用蒸气加热，但不得影响混凝土的水灰比。骨料砂石不需要加热时应注意不能掺混冰雪，表面不能结冰。

(14)拌和混凝土之前，应用热水和蒸气冲洗拌和机，并将水或冰水排除。混凝土拌和时间应比常温季节适当延长，延长的时间由试验确定。加热过的骨料及混凝土应尽量缩短运距，减少倒运次数。

(15)在岩石基础或表混凝土上浇筑混凝土前，应检查其温度，如为负温，应将其加热成正温，以浇筑仓面边角(最不利处)表面测温为正温(70℃)为准，经检验合格后方可浇筑混凝土。

(16)仓面清理宜采用喷洒温水配合热风枪或机械方法，寒冷期间宜采用蒸汽枪，不宜用水枪或风枪。

(17)在软基上浇筑第一层基础混凝土时，必须确保软基没有冻溺变形。

(18)浇筑混凝土前和浇筑过程中，应注意清除钢筋、模板和浇筑设施上附着的冰雪块，严禁将冰雪块带入仓内。

(19)在浇筑过程中，应注意控制并及时调节混凝土的温度，尽量减少波动，保持浇筑温度均匀。控制方法以调节拌和水温为宜。

(20)混凝土浇筑完毕后，外露表面应及时保温、防冻风干。新老混凝土连接处和易受冻的边角部分应加强保温，保温层厚度应是其他面保温层的 2 倍，搭接保温层除密实外长度不应小于 50 cm。

(21)当采用蒸气加热或电热法施工时按专门的设计文件进行。

(22)温和地区和寒冷地区采用蓄热法施工，应注意下列事项：①保温模板应严密，保温层应搭接牢靠，尤其在接头处，应特别注意施工质量。②有孔洞和迎风面的部位，应增设挡风保温设施。③浇筑完毕后应立即覆盖保温。④使用不易吸潮的保温材料。

(23)低温季节施工的保温模板，除应符合一般模板要求外，还必须满足保温效果的要求。所有孔洞缝隙均应填塞封堵，保温层的衔接必须严密可靠。

(24)外挂保温层必须牢固地固定在模板上。内贴保温层的表面应平整，并有可靠措施保证其固定在混凝土表面，不因拆模而脱落。

(25)重视低温季节施工混凝土的性能质量及外观质量检查。混凝土的质量检查除按规定成型试验检测外，还要采取无破损手段或成熟度法随时检查混凝土早期强度，拆模后混凝土结构发现受冻、低强、脱皮，应及时采取补救措施。

(26)在低温季节施工的模板，一般在整个低温期间不宜拆除，如果需要拆除必须遵守下列规定：①混凝土强度必须大于允许受冻的临界强度。②具体拆模时间及拆模的要求应满足温控防裂要求，并遵守内外温差不大于 20℃或表面温降不超过 6～9℃规定。

(27)低温季节施工期间应注意各项温度变化，加强测温工作，测试项目及测试方法等应符合有关规范。

二、高温季节混凝土施工的质量控制要点

(1)高温季节应严格控制混凝土浇筑温度(高温季节指日平均气温连续 5 d 在 25℃以上的季节)，混凝土最高浇筑温度不得超过 28℃，最高浇筑温度应符合设计规定。当设计文件未明确混凝土最高温度时，则施工单位应根据设计规定的混凝土允许最高温度，计算最高浇筑温度。

(2)电站混凝土的浇筑，原则上应避开高温季节。当确因工程进度需要浇筑时，应采取以下温控措施进行施工：①避开高温时段，利用夜间及清晨温度较低时浇筑。②拌和站应有制冷设备，使混凝土出机口温度在 23℃以下。③应采用混凝土搅拌车运输，混凝土运输车注意经常用冰水喷洒。④滑模顶部搭设遮阳篷，使入仓温度控制在 28℃以下。⑤在滑模后部用喷水管向空中喷水，保持温度。⑥混凝土面使用湿草袋及时覆盖，前期养护注意及时洒水，使草袋始终处于潮湿状态。

(3)混凝土浇筑的分段、分缝、分块高度及浇筑间歇时间等，均应符合设计规定。

(4)在施工过程中，各坝块尽量均匀上升，相邻坝块的高差不宜超过 10～12 m，如因施工特殊需要，并有专门论证，经设计、监理单位同意可适当调整。

(5)为了防止裂缝，必须从结构设计、温度控制、原材料选择、配合比优化、施工安排、施工质量、混凝土的表面保护和养护等方面采取综合措施。施工中严格地进行温度

控制，是防止混凝土裂缝的主要措施。混凝土的浇筑温度和最高温升均应满足设计要求，否则不宜浇筑混凝土。如施工单位有专门论证，并经过设计和监理单位同意后，才能变更浇筑块的浇筑温度，在有充分论据的前提下，可使用微膨胀型水泥，对混凝土降温过程的收缩进行补偿。

(6)为提高混凝土的抗裂能力，必须改进混凝土的施工工艺。混凝土的质量除应满足强度保证率的要求外，还应在均匀性方面符合有关规范中的良好标准。

(7)为了防止裂缝，应避免基础部位混凝土块体长间歇放置，避免基础部分在混凝土土块体在早龄期过水，其他部位也不宜长间歇放置或过早过水。

(8)对于设计龄期大于 28 d 的混凝土，必须在混凝土配合比设计时，就考虑保证混凝土必要的早期(28 d 以前)抗裂能力。

(一)降低混凝土浇筑温度的主要措施

(1)为降低骨料温度，料场宜采用下列措施：①成品料场的骨料，堆高一般不宜低于 6～8 m，并应有足够的储备；②通过地垅取料；③搭盖凉棚喷水雾降温(砂子除外)等。

(2)粗骨料预冷可采用风冷法、浸水法、喷洒冷水法等措施。如用水冷时，应有脱水措施，使骨料含水量保持稳定。在拌和楼顶部拌仓使用风冷法时，应采取有效措施防止骨料(尤其是小石)冻仓。

(3)为防止温度回升，骨料从预冷仓到拌和楼应采取隔热降温措施。

(4)拌和时，可采用低温水、加冰等降温措施。加冰时可用片冰或冰屑，并适当延长拌和时间。

(5)在高温季节施工时，应根据具体情况采取下列措施，以减少混凝土的温度回升。①缩短混凝土的运输时间，入仓后对混凝土及时进行平仓振捣，加快混凝土的入仓覆盖速度，缩短混凝土的暴晒时间。②混凝土运输工具应有隔热遮阳措施。③宜采用喷水雾等方法，以降低仓面周围的气温。④混凝土浇筑时应尽量安排在早、晚、夜间以及阴天进行。⑤当浇筑尺寸较大时，可采用台阶式浇筑法，浇块高度应小于 1.5 m。⑥入仓后混凝土平仓振捣完至下一层混凝土下料之前，宜采用隔热保温被将其顶面接头部位覆盖。

(6)基础部分混凝土宜利用有利的季节进行浇筑，如须在高温季节浇筑，必须经过充分论证，并采取有效措施，经设计、监理单位同意后方可进行混凝土浇筑。

(二)减少混凝土的水化热温升的主要措施

(1)在满足混凝土各项设计指标条件下，应采用加大骨料粒径、改善骨料级配、掺合料、外加剂和降低混凝土坍落度等综合措施，合理地减少单位水泥用量，并尽量选用水化热低的水泥。

(2)为有利于混凝土浇筑块的散热，基础和老混凝土约束部位，浇筑块厚以 1～2 m 为宜，上下层浇筑间歇时间为 5～10 d。在高温季节，有条件时还可采用表面流水冷却的方法进行散热。

(3)采用冷却水管进行初期冷却时，埋管应在覆盖一层混凝土后开始通水，通水时间由计算确定，一般为 10～15 d。混凝土温度与水温之差以不超过 25℃为宜。对于 $\Phi 25$ 水管，管中流速以 0.6 m/s 为宜，水流方向应每天改变一次，使坝体冷却较为均匀；对于

Φ28 聚乙烯水管，管中流速以 0.5 ~ 1.0 m/s 为宜，水流方向应每天改变 1 ~ 2 次，使每天降温不超过 1℃。

(三)特殊部位的温控措施

(1)岩基的坑槽必须用混凝土回填找平，深度超过 3 m 时，应分层进行，当与地表齐平后，应采用通水冷却的方法将回填的混凝土温度降低到设计要求温度，再继续浇筑混凝土。

(2)预留槽必须在两侧老混凝土温度达到设计规定后，才能回填混凝土。

(3)拼缝块混凝土浇筑除应严格控制浇筑温度外，可采用薄块浇筑，短间歇均匀上升方法，并尽量安排在有利季节进行，必要时还可采用初期通水冷却或其他措施。

(4)混凝土的接缝灌浆，当自然冷却不能达到设计要求的温度时，应埋设冷却水管进行后期冷却。

(四)表面保护控制措施

(1)气温骤降频繁季节，基础混凝土、上游坝面及其他重要部位，应 SDJ21—78《重力坝设计规范》第 166 条要求，进行早期表面保护。

(2)在气温年变幅较大的地区，长期暴露的基础混凝土及其他重要部位，应妥加保护。寒冷地区的老混凝土，在冬季停工前，应尽量使各块浇筑齐平，其表面保护措施可根据各地具体情况拟定。

(3)模板拆除时间应根据混凝土已达到的强度及混凝土的内外温差而定，但应避免在夜间或气温骤降期间拆模。在气温较低季节，当预计拆模后混凝土表面温降可能超过 6 ~ 9℃时，应推迟拆模时间。如必须拆模时，应在拆模后立即采取保护措施。

(4)混凝土表面保护应结合模板类型、材料等综合考虑，必要时应考虑采用模板内贴保温材料或混凝土预制模板。

(5)已浇好的底板、护坦等薄板建筑物，其顶面宜保温到过水前；对于混凝土构件，在气温骤降频繁的季节，宜将其暴露空腔封闭或进行表面保护，隧洞、竖井、调压井、廊道、尾水管、泄水孔及其他孔洞的进出口宜封闭，不使空气流通，浇筑块的棱角和突出部分应加强保护。

(6)为降低坝体内外的温度差，减少表面裂缝，宜采用构件中期通水冷却。中期通水冷却的时间由计算而定，一般为 30 ~ 60 d。混凝土与水温之差不应超过 20℃，日降温幅度不超过 1℃。

(7)对龄期在 28 d 内的新混凝土，根据气象预报，如有在 2 ~ 3 d 内平均气温下降 6 ~ 8℃的气温骤降情况，应在气温下降之前进行表面保护，保护时间到气温骤降结束后或上层混凝土开仓之前。

(8)混凝土表面保护的厚度，应根据不同部位、不同结构、保温材料和气象条件计算确定。

(五)温度测量的控制要点

(1)施工过程中，应每 1 ~ 4 h 测量一次混凝土原材料的温度、机口混凝土的温度及坝体冷却水的温度和气温，并应有专门的记录。

(2)混凝土浇筑温度的测量每 100 m^3 仓面面积应不少于 1 个测点，每一浇筑层应不少于3个测点。测点应均匀分布在混凝土浇筑层面上。

(3)浇筑块内部的温度观测，除按设计规定进行外，应根据混凝土温度控制的需要，补充埋设仪器进行观测。

三、雨季混凝土施工的质量控制要点

(1)雨季施工应做好下列工作：①砂石料场的排水设施应畅通无阻；②运输工具应有防雨及防滑措施；③浇筑仓面应有防雨措施并备有不透水覆盖材料；④增加骨料含水率的测定次数，及时调整拌和用水量。

(2)中雨、大雨、暴雨天气，不得进行混凝土施工。有抗冲耐磨和有抹面要求的混凝土不得在雨天施工。

(3)在小雨中进行浇筑时，应采取下列措施；①适当减少混凝土拌和用水量；②加强仓面内排水和防止周围的雨水流入仓内；③做好新浇混凝土面尤其是接头部位的保护工作。

(4)在浇筑过程中，如遇中雨、大雨、暴雨应将已入仓混凝土振捣密实，立即停止浇筑，并遮盖混凝土表面。雨后必须先排除仓内积水，对受雨水冲刷的部位，应立即处理。如停止混凝土浇筑后，混凝土尚未超过允许间歇时间或还能重塑时(用振捣器振捣30 s，周围10 cm内能泛浆且不再留孔洞者)，应加铺至少与混凝土同标号砂浆后浇筑，否则应按施工缝处理。

(5)注意天气预报加强坝区气象观测，合理安排施工。

(6)当降雨量不大，坝坡面无淌水时，一般可继续施工，但应对骨料加强含水量测定及时调整配合比中的加水量。

第五节　面板混凝土防裂措施的要求

施工期裂缝是经常发生的质量问题。其主要原因是温度变化引起的拉应力，拉应力超过混凝土自身的抗拉强度或权限应变所致。防止发生裂缝的措施是提高混凝土的自身抗裂能力及减少导致裂缝的破坏力两个方面。因此，混凝土的浇筑的施工工艺方面应采取防裂措施进行以下控制。

一、选择有利的浇筑时间

选择有利浇筑时间对防止或减少温度和干缩裂缝是十分有效的。避开高温季节，在北方还应避开负温季节。在施工组织设计中预先作出安排，在日平均气温 5～22℃的低温、常温时段浇筑为宜，还宜选择空气湿度较高甚至是阴雨连绵的季节，以有利于防止缩干裂缝。

二、选择适当的温控措施

虽然中小型水电站的混凝土构件厚度较薄对混凝土水化热消散有利，但对环境温度的冲击很敏感，所以还要有简单的温控措施，如高温时的遮阳措施，用冷水或冰水拌和；低温时的加热水拌和以及对骨料加温等，以达到适当的入仓温度。在条块过长时采取分

期浇筑措施，减小一次浇筑的长度，也有利于防裂。

三、做好养护和防护

混凝土的养护和防护主要有保温、保湿和防风等方面。

(一)保温

表面保护是防止温度缝有效而重要的措施之一。外界气温骤降寒潮袭击，表面保护拆除及连续高温日晒后，遇暴雨而大幅度降温等情况，都将使表面温度急速降低，产生很大的拉应力而导致面板裂缝。表面保护的作用就在于降低构件的热交换系数、提高表面温度，以降低表面温度冲击应力。

(二)保湿

长期潮湿养护对减轻收缩的影响是非常重要的，尤其是潮湿养护一直持续到 28 d 为止。对防止构件裂缝十分有利，因为在初期养护停止后，混凝土处于干燥环境下，其干缩变形仍是较大的，且无论养护 7 d、14 d 或 28 d，停止养护后的收缩值没有明显差别。这也就是说明只有始终处于潮湿环境下的混凝土才能有效地减少干缩，因此养护到 28 d 是可取的，还应特别强调构件混凝土出模后，立即用塑料薄膜覆盖保温对防止裂缝也十分有效。

(三)防风

风速是引起面板裂缝的重要原因。风速增大引起混凝土热交换系数增大，从而导致构件温度降低，构件内外温度梯度变陡，拉应力剧烈增加。例如，风速由 0 增加到 5 m/s 时，混凝土热交换系数由 26.0 kJ/(m^2·h·℃)增加到 98.4 kJ/(m^2·h·℃)。表面温度下降 9.5℃左右，表面拉应力增加约 1.0 MPa，与此同时，湿度交换系数 C 增大，收缩剧烈增加，温度、湿度两者影响结果叠加，情况就更加严重。因此，应及时覆盖保护，防止由风速产生的不利影响。

(四)密实和平顺的垫层

密实和平顺的垫层有利于减少基础的约束，避免构件内引发导致裂缝的拉应力，因此要保证面板削坡后的平整度和斜坡碾压的密实度。此外用低标号砂浆、乳化沥青等低强材料作为施工期坡面保护层，也有利于减少基础约束。如喷混凝土保护层要将表面抹平，最好在浇面板前先喷一层乳化沥青，以减少摩擦。垫层表面的架立筋也会增加约束，要尽量减少其数量和打入深度。

(五)避免和减少混凝土内部的薄弱环节

如模板的机械损伤，浇筑时中断时间过长又未按规定处理的冷缝。入仓时加水等的薄弱环节，都可能成为诱发裂缝的潜在因素。在滑模拉升时，所浇筑的面积混凝土恰好与滑模拉升的方向相垂直，模板下缘混凝土表面要承受较大的拉应力，如混凝土的坍落度太小或脱模时间接近初凝，往往会造成机械损伤，造成裂缝产生的薄弱环节。因此，要掌握好脱模时间，并在脱模后及时抹面压平消除表面的可能伤痕，而且在混凝土浇筑中间不要停顿，以免造成冷缝式的薄弱环节。如因故造成冷缝，要停下来按施工缝处理后再续浇。

(六)严格进行施工质量的管理，保证混凝土浇筑质量

水电站混凝土施工前，应编制施工组织设计，制定适当的施工工艺和技术措施，施

工中严格进行质量管理，根据现场情况及时调整施工方法和参数，使施工质量符合设计和规范要求。在浇筑混凝土面板初期，各参建方的有关人员要加强现场施工管理、行政领导，技术干部、监理人员、科研人员、设计人员均在现场值班严格把关，及时解决问题，确保工程质量。

(七)严格施工工艺

严格按施工工艺管理要求执行，并适时调整。

(八)原材料控制

对原材料(包括骨料、水泥、粉煤灰、外加剂等)的质量要做严格的施工控制，保证混凝土有正确的施工配合比，这是最重要的基础条件。

(九)采用新工艺的混凝土配合比

如珊溪堆石坝面板采用补偿收缩混凝土施工配合比，其设计原则：①满足用溜槽车送混凝土滑模浇筑的情况，混凝土拌和物在溜槽中易下滑、不离析，入仓后不泌水、易振实，出模后不流淌、不拉裂等要求。②满足混凝土设计指标要求。③满足混凝土限制膨胀率、补偿冷缩和干缩的要求，避免或减少混凝土由于收缩变形而引起的裂缝。

第六节　混凝土构件的预制与吊装的要求

一、一般规定

预制构件的场地位置应平整坚实，应按材料路线、作业顺序、堆放场地，结合吊装和运输路线妥善安排。场地应注意排水畅通，防止沉陷变形，如采用土模预制，应有压实指标要求，其表面应作专门处理，并防止水对土模浸湿沉陷，引起结构变形开裂，并避免材料或构件的不合理工序间的干扰，并尽可能设立集中生产场地，减少现场设施并提高质量。对转向困难的大型构件，场地应注意浇筑方向，大跨度拱肋以采用立式预制为宜。

对于预制构件的吊环或扣环，一般用3号钢制造，不许采用冷拉钢筋，多个吊点应考虑吊环拉力的不均匀性，吊环在混凝土中的锚固长度应不少于30 d(d为吊环钢筋的直径)。

二、预制构件浇筑的技术要求

(1)浇筑前，应检查预埋件的数量和位置。

(2)每件构件应一次浇筑完成，不得中断，并应采用机械捣实。

(3)构件外露的表面应平整、光滑，无蜂窝麻面。

(4)重叠法预制时，其下层构件混凝土强度应达到5 MPa，方可浇筑上层构件，层间应有隔离措施。

(5)构件浇筑完毕，应标注型号、混凝土强度、预制日期，上、下面无吊环的构件应标明吊点位置。

(6)小型定型构件，可采用干硬性混凝土，脱模后应及时进行修整，构件不得有损坏、不得有掉角、扭曲和开裂等缺陷。

(7)预制构件的混凝土质量检查：取试块做混凝土强度试验，有抗渗、抗冻要求的还应做抗渗抗冻试验，对原材料应做试验，各项指标均应符合规范要求和设计指标。预制构件的允许偏差，应符合表 5-28 的规定。

表 5-28　预制构件允许误差　　（单位：mm）

<table>
<tr><th rowspan="2">项目</th><th colspan="4">截面尺寸</th><th rowspan="2">侧向弯曲</th><th rowspan="2">对角线</th><th rowspan="2">表面平整</th><th rowspan="2">预留孔</th><th rowspan="2">预留洞</th><th colspan="3">预埋件</th></tr>
<tr><th>长度</th><th>宽度</th><th>高度</th><th>厚度</th><th>中心线位移</th><th>螺栓位置</th><th>螺栓露出长度</th></tr>
<tr><td>板</td><td>+10
−5</td><td>±5</td><td>±5</td><td>+4
−2</td><td>L/1 000≤20</td><td>10</td><td>5</td><td rowspan="5">5</td><td rowspan="5">15</td><td rowspan="5">10</td><td rowspan="5">5</td><td rowspan="5">+10
−5</td></tr>
<tr><td>钢架、桁架、排架</td><td>±10</td><td>±5</td><td>±5</td><td></td><td>L/1 000≤20</td><td></td><td></td></tr>
<tr><td>柱、块体</td><td>+5
−10</td><td>±5</td><td>±5</td><td></td><td>L/750≤20</td><td></td><td></td></tr>
<tr><td>梁</td><td>+10
−5</td><td>±5</td><td>±5</td><td></td><td>L/750≤20</td><td></td><td></td></tr>
<tr><td>U 型、箱型、壳体</td><td>±5</td><td>±5</td><td>±5</td><td>+4
−2</td><td>L/1 000≤20</td><td>10</td><td>5</td></tr>
</table>

三、构件移位和堆放要求

长构件移位时，一端撬起的高度一般限在 2 cm 以内，先松后撬，边撬边垫，防止构件开裂。

构件移位方法和吊点支承位置，应符合构件的受力情况，防止损伤。

构件堆放应符合下列规定：

(1)堆放场应平整夯实，并有排水措施；

(2)构件应按吊装顺序以刚度较大的方向堆放；

(3)重叠堆放的构件，标志应向外，堆放高度应按构件强度、地面承载力、垫块强度和堆垛的稳定性确定，各层垫块的位置应一致，上、下层垫块应相互对齐；

(4)构件的堆放应考虑吊装的先后次序。

四、混凝土预制构件吊装的注意事项

(1)吊装方法应根据工程规模、地形、设备条件、技术水平和经济合理综合考虑、优选决定。

(2)吊装前应根据吊装部位、构件长度、重量、运输道路和吊装设备，制定吊装措施计划，并应对设备进行检查，标注纵横中心线，支承结构也应校测并标划中心线及高程。

(3)水利水电无支架施工，通常采用缆索吊装。缆索吊装应对地锚、塔架、主索、牵引索、卷扬设备进行计算确定，其安全系数应符合表 5-29 的规定。

表 5-29　安全系数

安全系数	地锚			主索	牵引索、起重索
	抗拔力	抗倾覆	抗滑力		
K	≥2	≥1.5	≥1.3	3～4	5～6

(4)构件吊装的支承结构的混凝土强度不应低于设计强度的 70%。

五、模壳或砌体预制构件吊装的规定

(1)构件的层间接触面应凿毛并刷洗干净；

(2)构件安装砌筑 1～3 层时，应及时浇筑混凝土；

(3)构件的层间接触面的缝隙宽度应为 2～3 cm，应用不低于构件的混凝土强度的水泥砂浆填塞密实。各层混凝土接触面应按工作缝处理。

六、构件吊装的规定

(1)构件应按标明的吊点位置或埋设的吊环起吊。

(2)起重绳索与构件的水平夹角不宜小于 45°。

(3)构件起吊要求平稳并能正确就位。

七、刚架构件吊装的要求

(1)埋插构件的杯形基穴在平面上的位置和底部高程应符合设计要求。在基础杯口上应标出纵横轴线，底板高程应低于设计高程 2～5 cm，以为预制构件难以避免的长度误差留有调整余地。

(2)杯槽的四壁与构件柱脚四边之间应留出不少于 3 cm 的间隙，以便校正位置和灌注二期混凝土及水泥砂浆。

(3)埋插构件的杯形基穴应凿毛并清洗干净。

(4)构件定位后应及时支撑牢固并锚固方可脱钩。

八、拱形预制构件吊装的要求

(1)吊装前应校核净跨径、起拱线位置、标高和拱座倾斜面，并应在拱座处标出起拱线及拱轴线位置。检查各拱形构件弦长及接头倾角，在拱块上应设置标尺。

(2)端段拱块吊至安装位置后应检查水平和轴线位置，端头中轴位置左右偏移不应大于 30 mm，高程比设计高程高 20～30 mm，后用墩扣或悬扣固定牢固。

(3)拱肋接头采用黏结力强、稳定性高、收缩率小的高分子化学黏合剂如环氧树脂、水泥砂浆充填。要正确掌握配方，严格控制混凝土的温度(不高于 30℃)，构件接头处应干燥、无水、洁净。

(4)装配式构件的接头和接缝应用不低于构件设计强度的混凝土或砂浆填筑，并可掺用适量的快硬水泥或膨胀水泥。

九、薄壳槽身吊装应符合下列要求

(1)应对支座顶面的高程进行测量校正，并划出纵横中心线。

(2)对槽底高程和平面位置的检测进行校正。

(3)槽身接头缝隙应满足设计阻水材料的安设要求，最小缝隙不低于 20 mm。

十、构件安装的技术安全要求

要认真做好构件安装的技术安全工作，安(吊)装前，应对所使用的工具设备及构件等进行详细检查，现场安(吊)装，必须统一指挥，各项工作均应有专人来负责。

构件安装的允许偏差见表 5-30。

表 5-30　构件安装的允许偏差　　（单位：mm）

项　目			允许偏差
杯形基础	中心线对轴线位置		10
	杯底安装标高		0，−10
柱	中心线对轴线的位置		5
	垂直度	≤5 m	5
		＞5 m，＜10 m	10
		≥10 m	H/1 000≤20
	牛腿上表面和柱顶标高	≤5 m	0，−5
		＞5 m	0，−8
梁式吊车梁	中心线对轴线位置		5
	梁上表面标高		0，−5
墙板	中心线对轴线位置		3
	垂直度	≤5 m	3
		＞5 m	5
	相邻楼板构件表面的误差		5
拱肋	中心线对轴线位置		10
	接头点和拱顶标高		30
	两对称接头点高差		20
渡槽槽身	平面位置轴向偏差		5
	跨度偏差		15
	两相邻槽身底板高程偏差		10

注： H 为柱的全高。

第六章　厂房的施工质量控制

地面及地下厂房的开挖，均应符合第一章及第四章的规定执行，地面厂房的开挖宜结合尾水渠开挖进行布置。地下厂房开挖时，应合理布置施工支洞，并充分利用永久洞作为施工通道。在开挖导洞时，其位置可按采用的施工方法确定。

地下厂房的施工方法：对于Ⅰ～Ⅲ类围岩，可采用先拱后墙法；对Ⅲ～Ⅳ类围岩，可采用先墙后拱法；对于Ⅳ～Ⅴ类围岩，宜采用肋墙法或肋拱法。对中间岩体可采用分层开挖或全断面开挖的方法。

施工期间应做好施工观测，了解岩体及支护结构的应力、围岩破坏区的范围，量测岩体及支护中的位移及变形情况。

当有相邻平行洞室时，应先加固岩墙，再往下挖。在厂房交叉部位施工时，应先对交叉部位进行加固，加固长度应结合围岩条件，控制住软弱面的延伸范围等确定，一般不应短于 5 m。

电站厂房的施工除应符合本书前面章节的有关规定外，还应经过计算确定保证汛期安全。厂房水下混凝土应在当年汛前达到相应的安全度汛高程，并封堵与度汛有关的所有孔洞。

尾水检修闸门不得用于汛期的孔口封堵，如需使用，必须按封堵条件、时间进行加固处理。

厂区排水，应按设计图纸施工，在永久排水系统未形成以前，应做好施工期间厂区排水系统的布置，对厂区外界临时排水宜直接引入上、下游围堰之外。厂房渗漏集水井宜在厂房施工前施工，并作为厂房施工排水的主要措施。

第一节　厂房混凝土的分层分块原则及形式要求

一、分层分块的原则

(1)根据厂房结构特点、形状、应力情况和设备安装等因素进行分层分块，避免在应力集中、结构薄弱部位分缝，几何形状应力求避免锐角和薄片；分块时应尽量使施工缝与结构缝相对协调，力求不削弱结构的完整性，分层分块还应考虑到模板、钢筋、预埋件、混凝土振捣及二期混凝土施工方便。

(2)分层厚度应根据结构特点和温度控制要求确定，基础约束区层厚宜不大于 2 m，约束区以上可适当增加分层厚度，但不得超过 4.0 m。

(3)对于确需分缝且可能产生裂缝的薄弱部位，应布置防裂钢筋。

(4)根据混凝土施工能力、温度控制要求确定分块面积的大小，尽量减少不必要的施工缝。块体的长宽比不宜过大，一般以小于 2.5：1 为宜。

二、分层分块的形式及要求

(1)分层宜按底板、尾水管、蜗壳、水轮机层、机墩和发电机层进行分层，贯流式和冲击式机组厂房可以参照分层。

(2)纵向宜以机组为单元进行分缝。

(3)厂房下部结构分层分块，一般采用通仓、错缝等形式，小型水电站厂房宜采用通仓浇筑。

(4)分缝缝口应做到横平竖直，避免在外露面形成可见的不规则裂缝。错缝分块的上、下层浇筑块搭接长度一般取浇筑厚度的 1/2 ~ 1/3，且不宜小于 50 cm，错缝施工应采取措施防止施工缝继续延伸。

(5)相邻块应均匀上升，当采用台阶缝施工时，相邻块高差一般不得超过 4 ~ 5 m。

(6)分期安装水轮机埋件的发电机层可以机组为单元分块浇筑。

(7)蜗壳的边墙与顶板不宜一次浇筑。

(8)下部结构的上、下游和左右侧墙混凝土可分块浇筑，有防渗要求部位的缝面可设止水设施。

第二节　钢筋混凝土蜗壳及尾水管模板

一、模板制作

蜗壳及尾水管正圆锥管、弯管模板宜采用木模，尾水管扩散段模板可采用钢木模板或其他材料代替，但钢模与木模的结合部位，必须有可行的详细措施，以保证在模板安装、混凝土施工等过程中不能产生超过表 5-1 和表 5-2 规定的偏差。尾水管在底板混凝土浇完后的直线段，可用混凝土模板、砖或砌石代替钢木模板、尾水管扩散段顶板。在具备吊装条件时，可采用预制倒 T 型梁进行吊装施工。

木模应在加工厂内制作，避免日晒雨淋。模板长度根据设计尺寸、制作、起吊、运输、安装施工能力确定。可采用整体或分段制作，一般应优先采用整体制作，蜗壳锥体可按 1/4 圆锥面制作。

模板制作的允许误差应符合模板设计规定，一般不得超过表 6-1 的规定。

表 6-1　蜗壳及尾水管模板制作的允许误差　　(单位：mm)

项次	偏差名称	蜗壳	尾水管
1	模板的长度和宽度	± 5	± 5
2	相邻两板面高差	3	2
3	局部不平	5	3
4	面板缝隙	2	2

注：局部不平指曲面模板与设计尺寸的误差，平面模板用 2 m 直尺检查所得的误差。

尾水管模板放样可采用图解法、数解法或放大样制作。采用图解法应做图精细，误差精度能满足工程设计和表 6-1 的要求。

(一)数解法的步骤与公式

肋形尾水管由正圆锥管、弯管段(包括上弯段、下弯段上游部分和下游部分)、水平扩散段三大部分组成，见图 6-1。正圆锥管和水平扩散段结构简单，数解法主要用于弯管段模板放样。

弯管段结构复杂，由圆环面、水平面(平台)、斜平面、斜圆锥面、水平圆柱面(或称正垂圆柱面)、垂直圆柱面、垂直面及水平面(底板)所组成，如图 6-2 所示。

表 6-2　蜗壳及尾水管模板安装的允许偏差　(单位：mm)

项次	偏差项目	蜗壳	尾水管
1	模板平整度、相邻两面板高差	3	3
2	局部不平	5	5
3	轴线位移	± 5	± 5
4	模板标高	± 5	± 5
5	截面尺寸	± 10	± 10
6	预埋尺寸		5
7	预留孔洞尺寸及位置	5	10

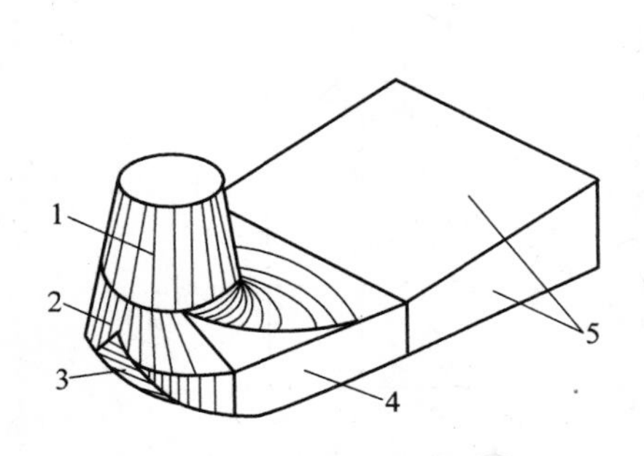

图 6-1　肘形尾水管示意图

1—正圆锥管；2—上弯段；3—下弯段上游部分；4—下弯段下游部分；5—水平扩散段

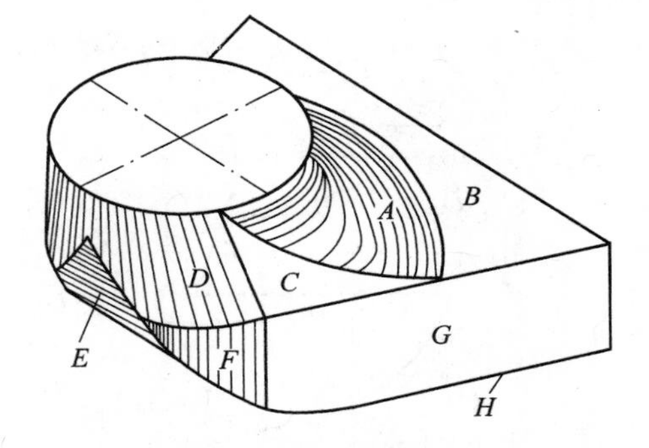

图 6-2　弯管段几何形状

A—圆环面；*B*—水平面(平台)；*C*—斜平面；*D*—斜圆锥面；*E*—水平圆柱面；*F*—垂直圆柱面；*G*—垂直面；*H*—水平面(底板)

(二)求解的基本尺寸

水轮机制造厂家提供尾水管的主要参数见图 6-3。根据这些参数计算尾水管施工放样或制作钢筋所需要的剖面尺寸，并绘制单线图 6-4。

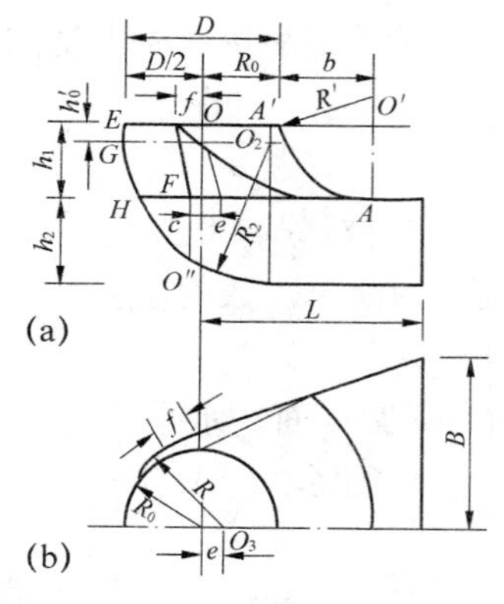

图 6-3　尾水管主要参数

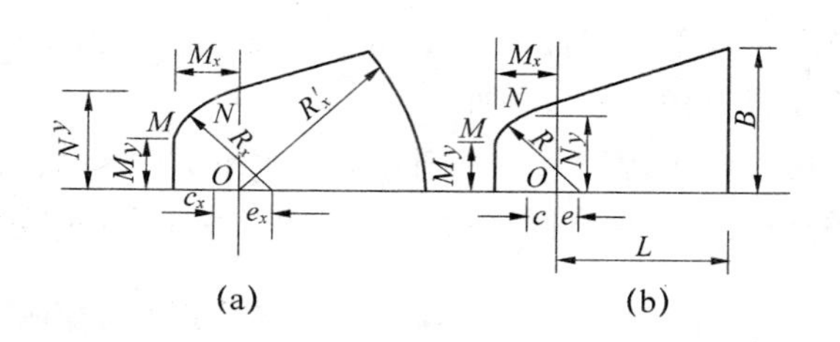

图 6-4　单线图

(a)上弯段；(b)下弯段

(三)计算公式

1. 斜椭圆锥面

斜椭圆锥面是以斜圆锥体的中心轴 OO_3 为圆心，以 R_x 为半径的水平圆弧组合而成，见图 6-5；R_x 在 $R_0 \sim R$ 间呈线性变化，见图 6-6。

圆心距 e_x：各剖面之圆心距在 $o \sim e$ 值之间线性变化，即：

$$e_x=\frac{eh_x}{h_1}$$

式中　e——斜圆锥体中心与尾水管纵轴之偏距；

h_1——弯段尾管上半部高度；

h_x——所求任一剖面高度。

半径 R_x：斜圆锥体系由上口半径 R_0 线性递增至下口半径 R，见图 6-6，故所求任一剖面半径 R_x 为

$$R_x = R_0 + h_x(R - R_0)/h_1$$

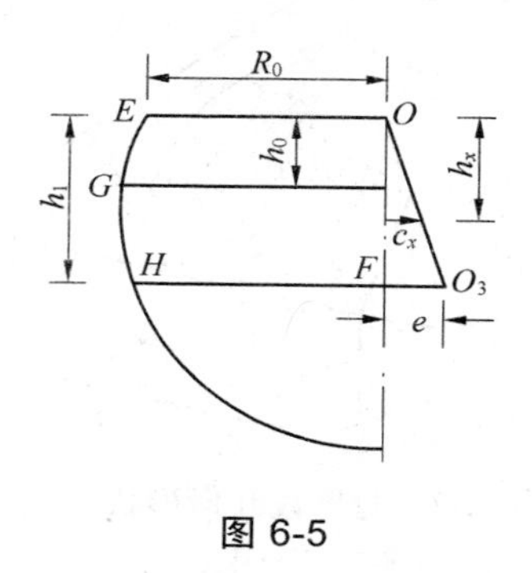

图 6-5

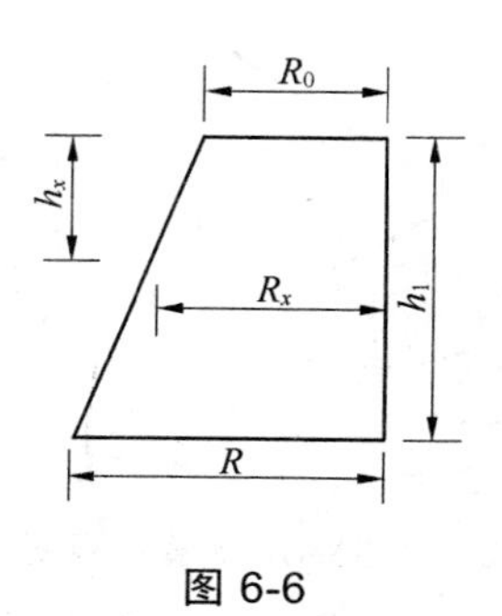

图 6-6

切点坐标：圆锥面与斜平面相切，切线交点在 $c \sim f$ 值之间线性变化，见图 6-7，切点坐标 N 为

$$N_x=c_x=f-(f-c)h_x/h_1$$

$$N_y=\sqrt{R_x^2-(e_x+c_x)^2}$$

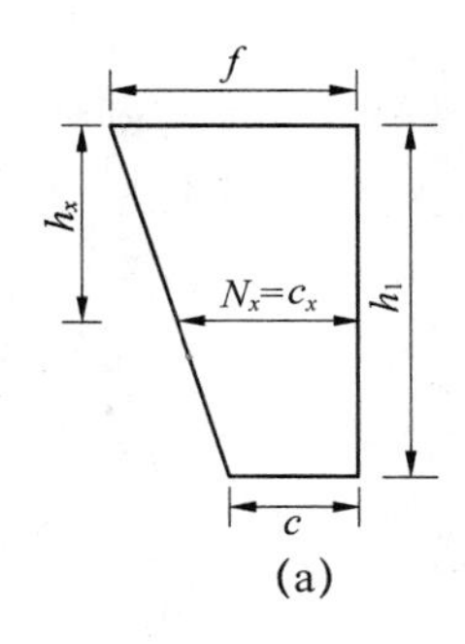

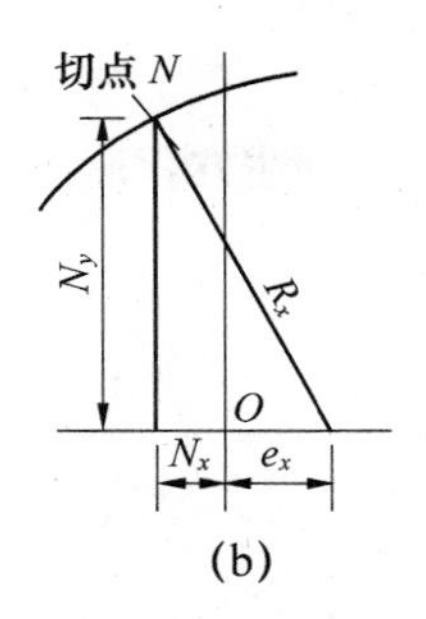

图 6-7

2. 水平圆柱面

水平圆柱面系以 O_2 为圆心、以 R_2 为半径的圆柱面，见图 6-8。

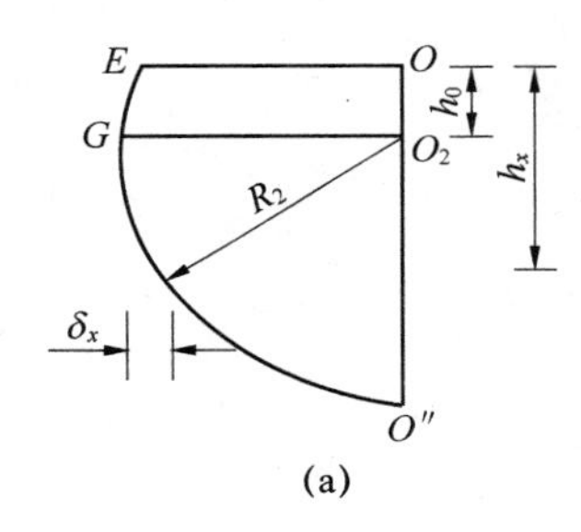

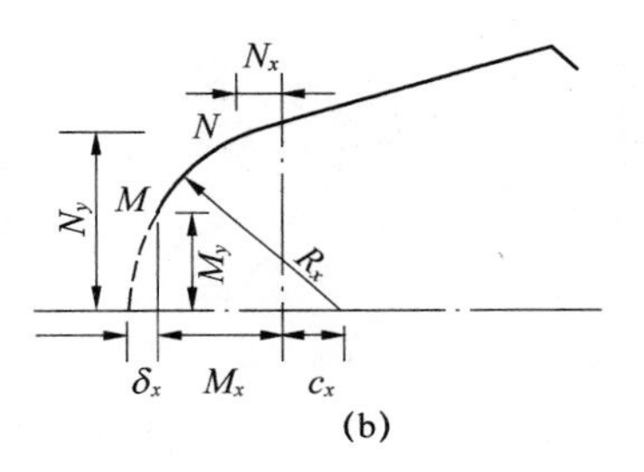

图 6-8

水平圆柱面与斜圆锥面相交于点 M，因为

$$\delta_x = R_2 - \sqrt{R_2^2 - (h_x - h_0)^2}$$

所以其交点 M 的坐标

$$M_x = R_x - e_x - R_2 + \sqrt{R_2^2 - (h_x - h_0)^2} \tag{6-1}$$

$$M_y = \left[R_x^2 - (R_x - R_2 + \sqrt{R_2^2 - (h_x - h_0)^2})^2 \right]^{\frac{1}{2}} \tag{6-2}$$

式中 h_0——水平圆柱面圆心 O_2 至斜面圆锥体上口的高度。

3. 圆环面

圆环面系以 O' 为圆心，以 R_1 为半径的圆弧 AA' 绕纵轴 $O—O''$旋转而成的曲面(见图 6-9)。

(1)任一剖面半径的 R_x' ，因为

$$x_0 = \sqrt{R_1^2 - \left(R_1 - (h_1 - h_x)\right)^2}$$

所以

$$R_x' = R_0 + b - \sqrt{R_1^2 - (R_1 - h_1 + h_x)^2}$$

(2)圆心在 $O—O''$纵轴上。

(3)与斜平面交点坐标：因斜平面系与斜圆锥面相切而与圆环面相交，所以可利用圆环面圆的方程与斜平面线性方程联立求解。其交点 P 的坐标，见图 6-10。

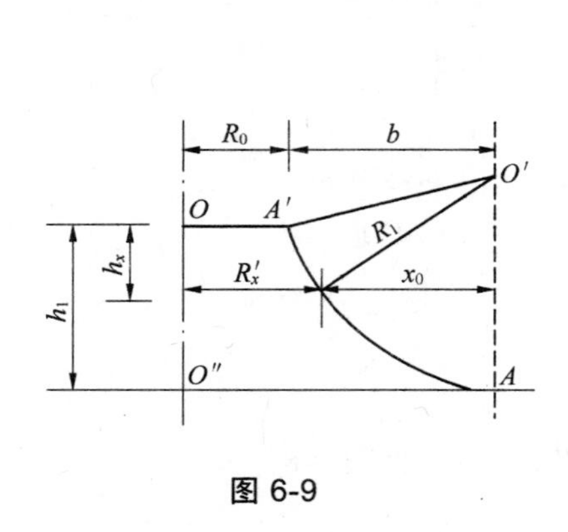

图 6-9

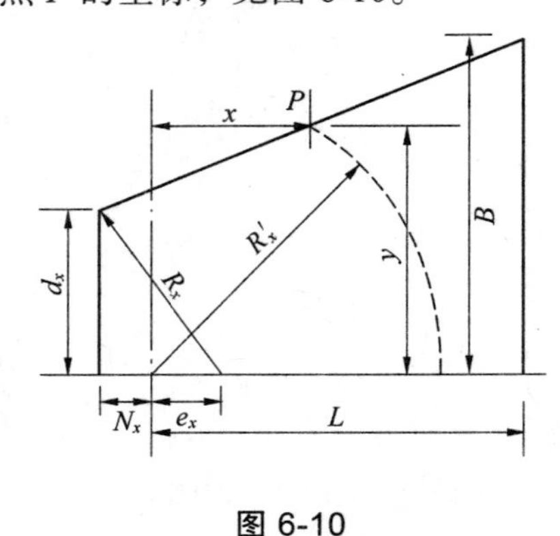

图 6-10

直线方程为

$$Y=K(X-L)+B$$

式中直线斜率 $K=(B_1-d_x)/(N_x+L)$

其中

$$d_x=\sqrt{R_x^2-(e_x+N_x)^2}$$

圆方程为

$$x^2+y^2=R_x'^2$$

需要注意的是，由于下弯段下游部分不一定对称，对于不对称结构应分别用不同的 B 值进行计算。

4. 垂直圆柱面

垂直圆柱面是以 O_3 为圆心、R 为半径的圆柱面，见图 6-3(b)。

(1)与水平圆柱面的交点 M 点的坐标，参考图 6-8。

将 $R_x=R$、$e_x=e$ 代入式(6-1)和式(6-2)，得

$$M_x=R-e-R_2+\sqrt{R_2^2-(h_x-h_0)^2}$$

$$M_y=\sqrt{R^2-(M_x+e)^2}=\left[R^2-(R-R_2+\sqrt{R_2^2-(h_x-h_0)^2})^2\right]^{\frac{1}{2}}$$

(2)与垂直面之切点 N 的坐标(见图 6-4(b))为

$$N_x=c,\quad N_y=\sqrt{R^2-\left(c+e\right)^2}$$

另外，蜗壳锥体模板安装应在座环安装完后进行，其模板上口须紧贴下锥体。

模板的运输应注意避免碰撞和变形，模板尺寸较大时应有加固措施。

模板就位后应测量复核与机组纵横轴线、安装高程的吻合精度。其安装误差应符合表 6-2 的规定。

二、模板拆除的规定

(1)不承重的侧模板，应在混凝土强度达到 2.5 MPa 以上，保证其表面及棱角不因拆模而损伤时，方可拆除。

(2)承重模板及支架，应在混凝土达到下列强度后(按设计强度的百分率计算)方可拆除。

①悬臂梁、悬臂板：跨度≤2 m、70%；跨度＞2 m、100%。

②其他梁、板、拱：跨度≤2 m、50%；跨度＞8 m、100%；2 m＜跨度≤8 m、70%。

(3)桥梁、胸墙等重要部位的承重支架，除强度应达到以上规定外，龄期应少于 7 d。

(4)有温控防裂要求的部位，拆除期限应专门确定。

第三节　厂房上、下部二期混凝土的施工要点

一、上部混凝土的施工要点

(1)上部结构应在吊车运行前完成。

(2)安装间宜超前主机房施工，在封顶前利用外部设备使行车吊入就位，为机组部件的检测和预组装创造条件。

(3)与第一发电有关的部位应提前施工。

(4)行车梁宜采用简支梁结构，便于预制吊装施工，吊装要求按规范进行。

(5)采用劲性骨架自承法或承重构架施工时，应对劲性骨架和构架进行强度设计、刚度校核，保证足够的稳定性和施工方便。施工时还要按设计要求设置施工预拱度。

(6)升压站发输配钢筋混凝土排架，宜采用预制吊装施工。

(7)屋顶大梁宜采用劲性骨架自承法，上承式承重构架或下承式承重构架施工。具有吊装条件时，应优先预制吊装施工。屋面宜采用钢筋混凝土预制板，并做好屋面防水工作。

二、下部混凝土的施工要求

(1)下部混凝土的施工应以浇筑混凝土为主，机电安装配合；上部混凝土施工则应以机电安装为主，土建施工配合。

(2)下部混凝土的温控措施，根据施工季节而按有关规定进行控制。

(3)下部混凝土施工过程中遇到气温骤降时，应加强已浇混凝土结构暴露表面的保护，在低温季节应封闭已浇筑的孔洞。

(4)主要运输、浇筑混凝土机械的配备及其可能达到的生产率，应根据厂房结构形状复杂、埋件多、辅助工作量大等特点决定。

三、厂房二期混凝土的施工注意事项

(1)模板安装和钢筋绑扎与预埋件安装交叉作业时，应注意对预埋件进行保护。

(2)座环安装应在尾水管层混凝土完成后进行，使水轮机层、机墩和发电机层依次序施工。水轮机层预留的二期混凝土尺寸应满足座环安装作业的足够空间。

(3)二期混凝土与一期混凝土不能很好结合的部位，应在二期混凝土达到设计强度，对缝面进行水泥灌浆，灌浆时应注意避免灌浆压力对预埋件产生抬动。

(4)在厂房封顶后浇筑二期混凝土应注意解决好混凝土的运输和入仓方法，应避免混凝土运输通过已经运行或正在安装机组的上空。

(5)狭窄断面和混凝土不易达到的部位，二期混凝土可采用预填骨料压浆混凝土法施工。压浆混凝土的施工，应按设计规定和操作规程进行。

(6)锥管里衬、转轮室和座环预埋件宜一次安装完成，便于整体安装精度的调控，其二期混凝土也宜一次浇筑完成。

四、厂房二期混凝土施工的技术要求

(1)二期混凝土的强度宜高于一期混凝土强度 5 MPa。

(2)二期混凝土的骨料不得大于二期混凝土最小结构厚度的 1/4 或钢筋(预埋件)最小净间距的 1/2。

(3)在进行二期混凝土浇筑时，混凝土入仓不得冲击预埋件和模板，尽量避免冲击钢筋。混凝土振捣机械机头不得在与模板、预埋件及支撑的距离为振捣器有效半径的 1/2 范围内振捣，并不得触动埋件、止水片和与预埋件、止水片相接的钢筋等。无法使用振捣器的部位应进行人工捣实。

(4)当二期混凝土最小结构厚度小于 30 cm 时，与原一期混凝土相邻的二期混凝土最小结构应设置连接钢筋并以之固定二期混凝土预埋件。

(5)二期混凝土浇筑前所有预埋件应按设计和有关规定埋设完毕，其浇筑仓面已按规范做有效处理。

第四节　调压井施工的质量控制

一、调压井施工的一般规定

调压井的施工方法应根据围岩的稳定性、开挖断面的尺寸、竖井上下通道的情况、顶部的结构型式、下部扩大开挖后对上部结构施工的影响及施工设备等因素确定。其施工方法：流水作业适用于Ⅰ、Ⅱ类围岩或Ⅲ类围岩，采用喷锚支护，可保持围岩稳定的中、小断面竖井或稳定性好的大断面竖井。分段流水作业适用于Ⅲ、Ⅳ类围岩的大中断面竖井或局部条件差需要及时衬砌的竖井或Ⅱ、Ⅲ、Ⅳ类围岩，开挖大断面竖井。

二、调压井的开挖

应根据其断面尺寸、深度、围岩特性及施工设备等条件选定，小断面、竖井及导井自上而下开挖适用于深度小于 30 m 的小断面的竖井或井的下部通道未形成的深井。自下而上开挖适用于下列情况：

(1)深孔分段爆破法适用于井深 30 ~ 80 m，下部有输运通道的竖井。

(2)爬罐法适用于上部没有通道的盲井或深度大于 80 m 的竖井。

(3)大、中断面竖井扩大开挖：①自上而下分段扩挖方法，适用于各类岩体的大断面竖井。②自下而上辐射孔扩挖方法，适用于Ⅰ、Ⅱ类围岩的中、大断面竖井。③竖井通过不良地质地段或因施工需要可采用在导井开挖后，根据地质条件分段开挖，上部扩挖一段先行衬砌，待围岩稳定后，再自上而下爆破开挖的施工程序。④竖井开挖可以采用全断面扩挖或分台阶扩挖等方式，视竖井断面尺寸、围岩状况及机械设备等综合确定。

三、井口加固的施工要点

(一)露天井口的施工加固

井口边坡应按照围岩稳定边坡的要求进行加固。井台开挖尺寸根据施工条件及上部建筑需要确定。一般每边应留 3 ~ 5 m 台地。边坡坡脚处应设排水沟，防止地表水排入井内。

大断面竖井井口上部开挖到一定深度后，应根据围岩稳定条件加固或按永久建筑物要求，预先衬砌，以保证下挖时上部围岩稳定。

(二)埋藏式井口施工加固的要求

竖井上部采用混凝土结构时，为便于支立模板及下部施工安全，宜在下部开挖前，进行顶部混凝土施工，有利于围岩稳定。

竖井与高压管道斜井连接段处的围岩，一般受力条件较差，应在井身施工前加固。

四、临时支护的施工加固

(一)竖井开挖的临时支护

需要支护的地段，除特殊地段外，应优先采用锚喷支护，其质量标准可按 SDJ97—85《水利水电地下工程锚喷支护施工技术规范》的规定执行。

构架支撑，包括木支撑、钢支撑、混凝土支撑及混合支撑均应满足下列规定：

(1)构架支撑应符合设计规定，架设时应有足够的整体性，接头要牢固、可靠，各排之间应用剪力撑、水平撑及拉条连接。

(2)每排支撑应保持在同一平面上，在平洞中应与洞轴线相垂直。

(3)支撑柱基应放在平整的岩面上，在斜井中架设支撑时，应挖出柱脚平台或架设垫梁。

(4)支撑和围岩之间应用板、楔等背材塞紧。

(5)支撑应有专人定期检查，发现杆件破裂、倾斜、扭曲、变形及其他异常征状时，应立即加固。

(6)支撑拆除时，应采取可靠的安全措施。

(7)预计难以拆除的支撑，宜采用钢支撑，其位置应在衬砌断面以外，需侵占衬砌断面时，应与设计单位商定。

(8)采用棚架漏斗出渣时，下导洞支撑应按棚架需要的高度和间距一次架好，且横梁端部应与岩壁顶紧。

(二)斜井支撑的施工要求

(1)应加设纵梁或斜撑防止其下滑。在倾角大于 30°的斜井中，支撑杆件连接宜用夹板；倾角大于45°时，支撑应采用框架结构。

(2)当斜井倾角大于底板岩层的稳定坡角时，底板应加设底梁。柱腿与基岩应结合稳固。

(三)其他要求

(1)小断面竖井岩石破碎时，可采用现浇混凝土井筒护壁方法。

(2)Ⅳ、Ⅴ类围岩地段应及时支护，可边挖边衬或预灌浆加固岩体。

(3)井壁有不利的节理组合时，应及时进行锚固。

五、钢筋施工的技术要求

(一)钢筋分段

(1)采用普通模板施工时，环向钢筋按实际分块大小分段，竖筋按每次模板支立高度分段。

(2)用滑模施工时，竖筋(或轴筋)不宜超过6 m，环向筋不宜超过7 m。

(二)钢筋的安装

(1)用普通模板施工时，竖向钢筋在模板支立前安装，环向钢筋在模板支立后安装。

(2)用滑模施工时，竖井井身钢筋分段安装，环向筋边浇筑边安装。

六、混凝土衬砌的施工技术要求

(1)竖井混凝土衬砌分段高度，应根据围岩稳定条件、衬砌结构型式及浇筑方法而确定。①围岩稳定性差的竖井宜分段开挖、分段衬砌。②衬砌结构型式有变化时，变动处宜分段浇筑。③大断面的竖井采用普通模板浇筑时，可根据模板结构、拌和及运输能力，分成对称的偶数块浇筑。

(2)竖井混凝土衬砌宜采用滑动模板。模板可按照竖井直径及断面形状做成整体或装配结构，并用围圈固定在一起。模板高度取决于混凝土凝结时间和模板滑升速度，滑升速度一般宜为1.0～1.4 m/d。模板应做成上大、下略小的锥体，锥度一般采用1%，滑模的脱模混凝土强度宜为0.1～0.3 MPa。

(3)混凝土入仓方式应按施工条件确定，当井深在15 m以内时，可采用直接利用缓降筒输送混凝土入仓；井深为15 m以上时，应采用振动溜管输送，混凝土至下部架设的浇筑平台，再经缓降筒入仓；井深过深时或混凝土拌和站布置于井下时，可采用吊罐输送混凝土。

(4)混凝土衬砌的环向及纵向工作缝，除按一般施工缝的规定作凿毛处理外，并应设键槽。如有防水要求，应设置止水片。

七、施工安全作业要求

(1)竖井、导井和井身或井口同时作业时，必须采取可靠的封闭措施，防止物体落入导井，影响作业安全。

(2)竖井内应设置有护栏的人行爬梯，每隔8 m设一个休息平台。

(3)竖井的提升设施应设置井深指示器，防止过卷、过速并应设过流和失电压等保护装置及制动系统。

第五节　进水口及明渠的施工质量控制

一、进水口的施工要点

对于在水库取水的水工隧洞首部修建的深式进水口，应根据其地形、地质和建筑物的特点，处理好防洪度汛，高边坡开挖和混凝土浇筑。

(一)深式进水口的防洪度汛要求

(1)水下混凝土应在一个枯水季内汛前完成；

(2)闸门应具备在汛期运行条件；

(3)施工时的围堰应在汛前拆除。

(二)深式进水口高边坡开挖的注意事项

(1)必须采取保护措施，使其稳定与安全；

(2)应根据工程特点按照高边坡开挖与处理的有关规定进行开挖与加固。

(三)深式进水口混凝土浇筑的要求

(1)应充分利用地形条件优先选用自上而下溜槽简易方式输送混凝土；

(2)结合上部预制构件吊装也可采用塔式、履带式等其他运输工具。

另外，进水闸在松软地基上浇筑混凝土，宜先浇筑基面较深的，后浇筑较浅的；先浇筑重大结构，后浇轻薄结构。

二、明渠的施工要点

(一)挖方渠道的施工质量要求

(1)挖方渠道应根据地形、地质、施工条件分区、分段开挖，并应正确选择开挖程序。

(2)土方渠道开挖必须预防边坡失稳，在坡顶不得堆渣，坡顶排水必须通畅，不得有水流入坡内，破坏边坡结构，应采用边挖边砌的快速施工。

(3)一般土渠适宜全断面开挖一次成型，大型渠道机械化开挖宜采用先挖中间槽，后挖左、右边坡，最后人工检底削坡成渠。

(4)软基、渠道开挖时应加强排水，使地下水位保持低于开挖面 0.5 ~ 1.0 m。机械化施工时，应采用垫钢板或石渣换基方法，使大型机械置于其上，采用后退法开挖，边开挖边削坡，一次成型。

(5)石方渠道应遵循边坡预裂，由上而下开挖，每隔一定高度设置马道的原则进行开挖施工。渠槽中部宜采用水平分层、松动爆破。水平分层厚度按满足挖装机械发挥效率等因素确定。中槽到渠底时，预留 20 ~ 30 cm，人工检底，以免造成超挖。

傍山渠道先开挖渠道平台以上边坡，做好边坡处理，保证边坡稳定。

(二)填方渠道的施工要点

(1)半挖半填渠道。在清基后，填方区地基先用平碾碾压密实，将开挖区内的土弃于填方上，进行分层振动压实。

(2)全填方渠道清基后，可采用全断面回填至渠底以上一定高度，中槽石渣可不振动压实，再开挖中间槽，将弃渣于左、右岸渠堤上，分层碾压密实，最后正向削内外坡，全断面填回的高度，以中槽弃渣满足左、右渠堤需渣为宜，但各项指标均应符合质量标准。

(三)渠道防渗工程施工的一般要求

渠道防渗工程主要包括土料、砌石、土工隔模、混凝土等，材料技术要求应符合相关规定。

渠道基槽断面的高程、尺寸和平整度，其偏差应满足表 6-4 中的规定。

表 6-4 渠道基槽断面的允许偏差 (单位：mm)

项目	允许偏差	
	土渠	石渠
渠底高程	±(2～3)	±(3～5)
渠道中心线	2～3	3～5
渠道底宽	3～5	5～10
堤顶高程	2～3	5～10
渠槽上口宽度	4～8	5～10
渠底及内坡平整度	±(2～3)	凸不大于 3，凹不大于 10

防渗渠道断面尺寸和防渗层尺寸的允许偏差见表 6-5。

表 6-5 防渗渠道断面尺寸和防渗层尺寸的允许偏差 (单位：mm)

项目	允许偏差	项目	允许偏差
渠底高程	±(1～3)	断面上口宽度	4～6
渠道中心线	±(1～3)	平整度	±(1～2)
渠道底宽	3～5		

注：大中型渠道取大值，小型渠道取小值。

(四)砌石防渗的技术要求

1. *砌筑的顺序*

梯形明渠宜先砌渠底后砌渠坡。砌渠坡时，应从坡脚开始，由下而上分层砌筑。U型和弧型明渠、拱形暗渠应从渠底中线开始向两边对称砌筑。矩形明渠可先砌两边侧墙后砌渠底，拱形和箱型暗渠可先砌侧墙和渠底后砌顶拱或加盖板。

各种明渠底和渠坡砌完后，应及时砌好封顶面。

2. *石料安放的要求*

浆砌块石应选择较大、较规则的砌在渠底和渠坡下部。浆砌料石和石板，在渠坡应纵砌(料石或石板长边平行水流方向)，在渠底应横砌，必须错缝砌筑，料石错缝的距离宜为料石长度的 1/2。浆砌卵石相邻两排应错开茬口，并避免有通缝，要选择较大的卵石砌于渠底和渠道坡脚，大头朝下，挤紧靠实。

(五)混凝土防渗施工技术要点

模板、钢筋、混凝土等施工要求可按有关规范标准执行。

现浇混凝土，应采用滑动式或移动式模板，并按分块跳仓法施工。混凝土浇筑完毕，应及时抹面，细砂及特细砂混凝土还应进行二次抹面。抹面后，混凝土表面应密实、平整、光洁且无石子外露。

(六)喷射混凝土防渗施工要点

1. 喷射混凝土的强度及材料要求

喷射混凝土的强度、厚度按设计要求施工。喷射混凝土的施工强度及材料、性能应符合下列要求：

(1)混凝土强度等级不低于 C20，并宜选用不低于 32.5 MPa 等级的普通硅酸盐水泥，其骨料应选用中、粗砂，小石子径粒为 5 ~ 15 mm，其他要求符合规范标准。速凝剂初凝时间不大于 5 min，终凝时间不大于 10 min。

(2)配合比可按下列经验数值确定：①水泥和砂石之重量比宜为 1 : 4 ~ 1 : 4.5；②砂率为 45% ~ 55%，水灰比为 0.4 ~ 0.5；③速凝剂掺量为水泥用量的 2% ~ 4%。

2. 喷射混凝土的工艺要求

(1)喷射前，应将岩石冲洗干净，软弱破碎岩石应将表面清扫干净。

(2)喷射作业时，应分区段进行，长度一般不超过 6 m，喷射顺序应自下而上。

(3)后一次喷射应在前一次混凝土终凝后进行，若终凝后 1 h 以上再次喷射，应用风、水清洗混凝土表面。

(4)一次喷射厚度：边墙 4 ~ 6 cm，拱部 2 ~ 4 cm。

(5)喷射 2 ~ 4 h 后，应洒水养护，一般养护 7 ~ 14 d。

(6)混凝土喷射后至下一循环的放炮时间，应通过试验确定，一般不小于 4 h。放炮后应对混凝土进行检查，如出现裂纹，应调整放炮间隔时间或爆破参数。

(7)正常情况下的回弹量，拱部为 20% ~ 30%，边墙为 10% ~ 20%。

3. 喷射混凝土的质量标准

(1)喷混凝土表面应平整，不应出现干斑、疏松、脱空、裂隙、露筋等现象，如已出现上述情况，应采取补救措施。

(2)强度：每喷 50 m^3 混凝土，应取一组试件。当材料或配合比改变时，应增取一组，每组三个试块，取样要均匀。

(3)平均强度不低于设计的抗压强度标准值，任意一组试件的平均值不得低于设计的强度标准值的 85%。

(4)喷射厚度应满足设计要求，检查方法用射钉法及切割法取样。

(七)混凝土预制板防渗的技术要求

(1)混凝土预制板应用水泥砂浆或水泥混合砂浆砌筑、水泥砂浆勾缝，安砌应平整、稳固，砌筑缝砂浆应填满、捣实、压平和抹光。

(2)混凝土预制板砌筑应预防砌缝开裂，对填方渠堤宜在填方体沉陷基本终止后开始砌筑，砌缝砂浆强度不宜低于 M10；分块尺寸不宜过大，长宽比宜为 1 : 1 ~ 1 : 1.5。

(3)安砌预制板前应先挖基槽并安基石后，才能安砌。对土坡渠道，安砌时预制板与土坡之间宜用山砂或壤土筑实。顶上的一块预制板应用砂浆填平，再安封顶石。

(八)土石隔膜防渗的施工要求

1. 一般规定

(1)根据设计文件的要求，进行合成材料的选择。

(2)运输至工地的合成材料对重要工程应复测其物理力学性能指标。

(3)土工隔膜为热塑性材料时，应进行黏结试验，可用热熔黏结，也可用脉冲热合焊接器进行热熔接。反滤层的土工织物采用接缝法连接。施工现场应按不同温度条件下进行室内外的试验。冬季施工为了加快黏固时间，还应进行黏结剂中加入固化剂的黏结试验，黏结的固化时间应满足施工强度的要求。当变换黏结剂时，应重新进行试验。

(4)认真进行原材料的表面检查、观察。发现有破损，必须进行修补或更换，破损严重不得使用，在施工中应避免人为的损坏。

(5)妥善安排运输保管，严禁露天堆放，防止土工膜日晒老化，并做好防潮工作。土工合成材料，富余量一般为铺设面积的 25%~100%。

2. 土工隔膜和复合土工膜铺设的技术要求

平整膜基，应按设计要求将铺膜基底整修成一定形状或坡度，并要求碾压密实平整。地基上应无积水、无杂草、无碎石，没有棱角的硬物。若基底需保护层时，应先铺筑，防止刺穿土工隔膜。

施工前应做好准备工作。对土工隔膜、土工织物进行清理丈量、裁剪、卷叠、搭设黏合平台，按现场的实际需要进行加工制作，黏合时保证接头的宽度和接头平整。

正确定位，宜自下而上进行铺设，留出必须的放松量和接缝重叠量。现场拼接接缝，黏结宽度应按设计要求进行，但不能少于 8 cm。黏结时将黏结剂拌匀刮平，粘缝中严禁混入砂石、土粒等物。接缝黏结后立即加压静置自然晾干，如因天气寒冷影响施工进度要求，黏结剂可适当加温，但不得超过 60℃。

1)土工隔膜的周边连接施工的要求

(1)土工隔膜必须铺设在周边不透水层上。

(2)土工隔膜与下部防渗墙的连接，当设计有要求时，应将土工隔膜直接埋入，其埋入深度不小于 10~30 cm，并将土工隔膜呈“弓”字形状折皱。埋设土工隔膜部位的混凝土，也可按二期混凝土施工。当土工隔膜直接与基础连接时，必须消除基岩上的风化层并深入到完整的不透水层内 30~50 cm，浇混凝土将土工隔膜埋设在内。当基础为黏土，应挖黏土齿槽时，土工隔膜呈“弓”字形折曲状埋设，进行人工分层夯实。

2)土工隔膜的施工质量检验

(1)建立质量检验制度，应有专职人员对原材料进行检查与试验，黏结剂的配制与使用，接缝、铺设面的平整度，周边连接等应做经常性的检查和控制。

(2)土工隔膜两侧填料每升一层，均应进行外观检查。如果发现异常情况，应及时认真处理。

(3)做好施工记录，包括质量检查施工资料、气温、各种原材料试验及质量事故报告等。

(4)施工期间应对土工膜铺设、周边连接等分部工程进行中间验收。

(九)伸缩缝的施工处理要求

当无设计规定时，可按下列规定施工，现浇钢筋混凝土及预制板横向伸缩间距宜采用 8 ~ 10 m，现浇混凝土横向间距宜用 5 ~ 8 m。

伸缩缝宜用黏结力强、变形性能大、耐老化的材料，对有特殊要求的伸缩缝，宜采用塑料止水带等材料进行处理。

第六节　砌石工程的施工质量控制

一、对原材料的质量要求

(1)砌体所用石料必须质地坚硬、新鲜、完整。砌体石料按其形状可分为毛石、块石、粗料石和卵石四种。

毛石：无一定的规则形状，块重应大于 25 kg，中部厚不小于 15 cm，规格更小的也称片石，可用于塞缝，但其用量不得超过该砌体重量的 10%。

块石：上下两面大致平整，无尖角，块厚宜大于 20 cm。

粗料石：包括条石及异形石，要求棱角分明，六面大致平整，同一面最大高差宜为石料长度的 1% ~ 3%。石料长度宜大于 50 cm，块高宜大于 25 cm，长厚比不宜大于 3。

卵石：要求外形以椭圆形为宜，其长轴不小于 20 cm。

(2)砌筑石料的物理力学性质标准应符合表 6-6 的规定。

表 6-6　砌筑石料物理力学性质标准

项目	质量标准
天然密度	不小于 2 ~ 4 t/m^3
饱和极限抗压强度	设计规定限值
最大吸水率	不大于 10%
软化系数	一般岩石不小于 0.7 或符合设计要求
抗冻标号	达到设计标号

(3)石料使用前必须鉴定其标号，同时宜进行有关物理力学指标的测定。无试验资料时，可参照表 6-7 规定执行。

表 6-7　几种石料的物理力学试验成果

石料类别	干密度 (t/m^3)	膨胀系数 (10^{-6}/℃)	极限强度(MPa)				弹性模量 (10^9Pa)	备注
			干抗压	湿抗压	抗拉	抗弯		
砂岩	2.1 ~ 2.4	9.02 ~ 11.2	45 ~ 100	40 ~ 60	1 ~ 3	4 ~ 8	4 ~ 12	主要参照四川红色砂岩资料
石灰岩	2.6 ~ 2.8	6.75 ~ 6.77	110 ~ 150	80 ~ 140	4 ~ 6	13 ~ 28	50 ~ 70	主要参照河南、湖南、试验资料
花岗岩	2.5 ~ 2.7	5.6 ~ 7.34	90 ~ 160	70 ~ 150	4 ~ 8	10 ~ 22	30 ~ 60	主要参考湖南、广西、山东试验资料
石英、大理岩	2.7 ~ 2.8	6.5 ~ 10.12	100 ~ 120	80 ~ 100	4.5 ~ 6	6 ~ 16	20 ~ 30	主要参考陕西试验资料

二、胶结材料的质量控制

浆砌石的胶结材料主要有水泥砂浆和混凝土，此外用于不重要的砌石工程还有水泥混合砂浆和石灰砂浆。

水泥砂浆强度等级采用符号 M 与立方体抗压强度标准值(以 MPa 计)表示。浆砌石体常用的水泥砂浆强度等级有 M5、M7.5、M10、M12.5 四种。

砌石体常用的混凝土强度等级有 C10、C15 两种。

水泥混合砂浆有水泥石灰砂浆和水泥黏土砂浆两种，常用的强度等级有 M5、M7.5、M10 三种。石灰砂浆强度为 0.1 ~ 1.0 MPa。

胶结材料使用的水泥、砂、石和水应按规范规定。水泥混合砂浆和石灰砂浆中使用的石灰、生石灰必须加水熟化成灰，再用孔径 6 ~ 8 mm 的筛子过筛。

(一)胶结材料的配合比

(1)应采用重量比。当采用水泥混合砂浆和石灰砂浆时可由重量折算为体积。

(2)对配制原则、配制强度和水灰比应经试验确定。

(3)混凝土配合比中的含砂率应略高于试验的含砂率。

(4)胶结材料的和易性用沉入度(或坍落度)、泌水性、离析性及可砌性综合评定。水泥砂浆的坍落度宜为 4 ~ 6 cm，混凝土坍落度宜为 5 ~ 8 cm。

(5)砌石用混凝土配合比可参考表 6-8 中的数值，水泥砂浆的配合比可参考表 6-9 中数值，水泥混合砂浆及石灰砂浆配合比可参考表 6-10 和表 6-11 中的数值，但均应根据试拌试验进行调整。

表 6-8　砌石用混凝土配合比

水泥品种与标号	混凝土强度等级	砂子粒度	水灰比	坍落度(cm)	砂率(%)	每立方米材料用量(kg)				
						水	水泥	砂	卵石(mm)	
									5 ~ 20	20 ~ 40
普通硅酸盐水泥或矿渣水泥32.5MPa	C10	粗	0.83	6 ~ 8	44	182	219	858	1 092	
		中			41	186	224	793	1 142	
		细			38	192	231	727	1 186	
	C10	粗	0.83	6 ~ 8	39	162	195	789	555	679
		中			36	165	199	724	580	708
		细			33	170	205	658	610	735
	C15	粗	0.69	6 ~ 8	42	182	264	802	1 108	
		中			39	186	270	739	1 156	
		细			36	192	278	674	1 198	
	C15	粗	0.69	6 ~ 8	37	162	235	736	564	689
		中			34	165	239	672	587	718
		细			31	170	246	607	608	743

注：(1)坍落度在本表范围外增减 1 cm，1 m^3 混凝土用水量需增减 1%；

(2)卵石改用碎石时，表中水灰比应乘以 1.03 ~ 1.05，砂率增加 3% ~ 5%，1 m^3 混凝土用水量增加 10 ~ 15 kg；

(3)若用火山灰质硅酸盐水泥时，1 m^3 混凝土用水量需增加 10 ~ 20 kg。

表 6-9　水泥砂浆的配合比

水泥品种与标号	砂浆强度等级	砂子粒度	水灰比	稠度(cm)	水泥：砂(重量比)	每立方米材料用量(kg)		
						水	水泥	砂
普通硅酸盐水泥或矿渣水泥32.5MPa	M5	粗	1.13	4～6	1：6.9	276	244	1 684
		中			1：6.4	289	256	1 638
		细			1：5.6	313	277	1 551
	M7.5	粗	0.99	4～6	1：6.0	273	276	1 656
		中			1：5.5	289	292	1 606
		细			1：4.8	314	317	1 522
	M10	粗	0.89	4～6	1：5.3	274	308	1 632
		中			1：4.8	291	327	1 570
		细			1：4.3	311	349	1 501
	M12.5	粗	0.80	4～6	1：4.7	274	342	1 600
		中			1：4.3	290	362	1 638
		细			1：3.8	310	387	1 467

注：稠度在本表范围外增减 1 cm，1 m^3 砂浆用水量需增减 8 kg 左右。

表 6-10　水泥石灰(或黏土)砂浆配合比

砂浆种类	水泥标号	砂浆强度等级		
		M10	M7.5	M5
		砂浆配合比：水泥：石灰(或黏土)：砂(体积比)		
水泥石灰砂浆或水泥黏土砂浆	42.5MPa	1：0.4：4.5	1：0.7：6	1：0.7：8
	32.5MPa	1：0.3：4.0	1：0.5：5	1：0.7：7

注：水泥容重按 1 100 kg/m^3 计算。

表 6-11　石灰砂浆配合比

强度(MPa)	石灰：砂
0.5～1.0	1：(2～3)

(二)拌和及运输要求

(1)配料单必须严格遵守实验室签发的混凝土配料单进行配料，严禁擅自更改。水泥、砂、石称量的偏差，骨料不超过 3%，水泥、混合料、水及外加剂溶液不得超过 2%，土为 5%，石灰为 3%。

(2)胶结材料的拌和时间：机械拌和不得少于 2 min；人工拌和至少应干拌 3 遍，再湿拌至色泽均匀方可使用。工程集中且量大的工程，应采用机械拌和，以保证胶结材料的均匀性。

(3)胶结材料应随用随拌，其允许间歇时间(由出料时算起至砌筑完时为止)。浇筑仓面气温在 20～30℃时，硅酸盐水泥为 90 min，矿渣硫酸盐水泥为 120 min。

浇筑仓面的气温为 10～19℃时，硅酸盐水泥为 150 min，矿渣硅酸盐水泥为 180 min。当浇筑仓面温度为 5～9℃时，硅酸盐类水泥为 180 min，矿渣硅酸盐水泥为 210 min。对砂的坍落度每班至少抽查 2 次。

(4)胶结材料试件留置为同一级强度等级的 28 d 龄期，每 100～200 m^3 砌体成型试件 1 组，每一分部工程至少成型试件 1 组。试件的强度应满足设计要求。

三、砌体与基岩的连接及层面处理要求

(1)砌体层表面的浮渣必须冲洗干净，且无积水，对光滑的胶结材料表面应凿毛处理。

(2)砌体基础按设计要求开挖后，应进行清理，敲除尖角，清除松动石块和杂物，并用水冲洗干净，排干积水。

(3)浇筑基础垫层混凝土前，应先湿润基岩表面，铺设一层厚 3～5 cm，大于 M10 的水泥砂浆，铺设面积应与设计混凝土浇筑强度相适应，然后再按设计规定浇筑垫层混凝土。垫层混凝土层面应大致平整，厚度宜大于 0.3 m，强度等级不宜低于 C15 号。

(4)已浇好的垫层混凝土，或层面上的胶结材料在抗压强度未达到 2.5 MPa 前不得进行上层砌石的准备工作。水泥砂浆、混凝土抗压强度达到 2.5 MPa 的参考时间见表 6-12。

表 6-12　水泥砂浆、混凝土抗压强度达到 2.5 MPa 的参考时间

水泥品种	砂浆或混凝土强度标准值(MPa)	砂浆或混凝土硬化时平均气温(℃)							
		1	5	10	15	20	25	30	35
硅酸盐水泥	20	4.0	3.0	2.5	1.5	1.0	1.0	1.0	1.0
	15	4.5	3.5	3.0	2.0	1.5	1.0	1.0	1.0
	10	8.0	6.0	4.0	3.0	2.5	2.0	1.5	1.0
	7.5	10.0	8.0	5.0	3.5	3.0	2.5	2.0	1.5
	5	20.0	13.0	8.0	6.0	5.0	4.0	3.5	2.5
矿渣或火山灰水泥	20	6.5	4.5	3.5	2.0	1.5	1.5	1.0	1.0
	15	8.0	6.0	4.5	3.6	2.5	2.0	1.5	1.0
	10	12.0	7.5	6.0	4.5	3.5	2.5	2.0	1.5
	7.5	15.0	12.0	9.0	6.0	4.5	3.5	3.0	2.0
	5	26.0	20.0	15.0	10.0	8.0	6.5	5.0	3.5

四、浆砌石一般规定

砌石结构物放样测量的精度，应遵守土建工程施工测量的相关规定。

浆砌石应采用铺浆法。基本要求是平整、稳定、密实和错缝。

(1)平整：应分层砌筑，同一层面要大致砌平，相邻砌石块高差宜小于 2～3 cm。

(2)稳定：块石安置必须自身稳定，要求大面朝下，适当摇动或敲击，使其平衡。

(3)密实：严禁石块直接接触。座浆及竖缝砂浆或混凝土填塞应饱满密实。混凝土砌石座浆(平缝)要防止缝间被大骨料架空，铺浆应均匀，竖缝填塞砂浆后应插捣，混凝土用机械振捣，相邻两振点间距不宜大于振捣器作用半径的 1.5 倍。当竖缝宽度在 5cm 以上时，可填浆后塞片石。

(4)错缝：同一砌筑层内，相邻石块应错缝砌筑，不得存在顺流向通缝；上下相邻砌

筑的石块也应错缝搭接，避免竖向通缝，可每隔一定距离，立置丁石。

一般墩、墙、坝及拱圈砌体的砌缝宽度应符合表 6-13 的规定。

表 6-13　砌缝宽度　（单位：cm）

类别			墩、墙、坝			拱圈
			粗料石	坝石	毛石	粗料石
砂浆砌石体	平缝		1.5 ~ 2.0	2.0 ~ 2.5	—	1.5 ~ 2
	竖缝		2 ~ 3	2 ~ 4	—	1 ~ 2
混凝土砌石体	平缝	一级配	4 ~ 6	4 ~ 6	4 ~ 6	4
		二级配	8 ~ 10	8 ~ 10	8 ~ 10	8
	竖缝	一级配	6 ~ 8	6 ~ 9	6 ~ 10	5
		二级配	8 ~ 10	8 ~ 10	8 ~ 10	7

注：当砌石体平缝采用砂浆，竖缝用混凝土砌筑时，缝宽各见砂浆、混凝土砌石体平缝、竖缝栏。

浆砌石体结构尺寸和位置的砌筑允许偏差，应符合表 6-14 的规定。

表 6-14　砌体的尺寸和位置允许偏差　（单位：mm）

项目	毛石、块石			粗料石			拱圈砌体	砌石坝	
	基础	墙、墩	挡土墙	基础	墙、墩	挡土墙		溢流坝	非溢流坝
轴线位移	20	15	50	15	10	30	跨度 L 允许偏差：± L/1 000 矢高允许偏差：± L/3 000	10	10
基础和顶面标高	± 25	± 15	± 20	± 15	± 15	± 15	+0，−5	堰顶面标高 ± 10	顶面标高 ± 30
砌体厚度	+30	+2 −10	不小于设计	+15	+10 −5	不小于设计	不小于设计值，超厚不大于设计值 3%	平面轮廓线 ± 20	分层平面轮廓线 ± 40
墙面垂直度或坡度	—	30	0.5%H	—	25	0.5%H	拱圈和拱上砌体侧面位置与设计位置偏差+30，−10	—	—
表面平整度(2 m 长度上)	—	20	30	—	15	30	侧面镶面两邻接砌块表面彼此错位不大于 5	20	30

砌体外露面宜在砌筑后 12 ~ 18 h 之内及时养护，经常保持外露面湿润。养护时间，水泥砂浆砌体一般为 14 d，混凝土砌体一般为 21 d。

五、浆砌石礅、墙的砌筑技术要求

(1)浆砌石墩、墙的临时间断处高低差不应大于 1.0 m，并留有平缓阶台。

(2)浆砌石墩、墙的砌筑顺序应先砌角后，再砌镶面石，最后砌筑填腹石，镶面石的厚度应不小于 30 cm。

(3)浆砌石墩、墙的组砌型式应内外搭砌，上下错缝，丁砌石分布均匀，面积不少于墩墙砌体全部面积的 1/5，且长度大于 60 cm。毛块石分层卧砌，不得采用外面侧立石块中间填心的砌法；每砌筑 70 ~ 120 cm 高度应找平一次，砌缝一致，宽度符合表 6-13 中规定，毛石挡土墙错缝间距应大于 8 cm。

六、浆砌石拱的技术要求

当设计无规定时，可按下列规定执行：

(1)拱圈石料均需用样板加工，按排按位编号。拱石厚度不应小于 20 cm，宽度不应小于 30 cm，长度不应小于 50 cm。

(2)拱石砌筑，必须两端对称进行，各排拱石互相交错，错缝距离不小于 10 cm。当拱跨在 5 m 以下，一般可采用块石砌拱，用砌缝宽度调整拱度，要求下拱缝宽不超过 1 cm，水泥砂浆强度不低于 M7.5 号。拱跨在 10 m 以下，可按拱的全宽和全厚，自拱脚同时对称连续地向拱顶砌筑。拱跨在 10 m 以上时，应作施工设计，明确拱圈加荷次序，并按此次序施工。

(3)拱架须经过计算，按设计规定架立，经检查合格后，才可开始砌筑。

(4)拱架的拆除需待砂浆达到静荷强度，并在拱顶回填完毕后始能进行，拱架拆除时间应使其强度达到本章第二节模板拆除的规定要求时才可。

七、浆砌卵石的技术要求

浆砌卵石应用干靠挤浆法，即先铺 3 ~ 5 cm 厚砂浆，再将卵石挤浆嵌砌，互相靠紧。卵石长轴应与砌筑坡面垂直，勾缝时应使水泥砂浆低于卵石 2 ~ 3 cm。

八、干砌石的施工技术要求

(1)对具有框格的干砌石工程，宜先修筑框格，然后砌筑。

(2)对没有框格的干砌石工程的砌筑应符合下列要求：①不得使用一边厚一边薄和石块边口很薄而未修整掉的石料。②宜采用立砌法，不得叠砌和浮塞，石料最小边厚度不宜小于 15 cm。③砌体缝口应砌紧，底部应垫稳、填实，严禁架空。

(3)铺设大面积坡面的砂石垫层时，应自下而上分层铺设，并随砌石面的增高分段上升。

九、浆砌料石水泥砂浆勾缝的施工要点

(1)砂浆材料：水泥宜用 32.5 MPa 以上普通硅酸盐水泥；砂料宜用细砂；灰砂比可选用 1∶1.0 ~ 1∶2.0。

(2)防渗用的勾缝砂浆必须单独拌制，不得与砌筑砂浆混用，超过初凝时间的砂浆严禁使用。

(3)将拌好的砂浆向缝内分几次填充压实，直至与外表齐平，然后抹光。勾缝面应保持 21 d 湿润。

(4)清缝宜在料石砌筑 24 h 以后进行，缝宽不小于砌缝宽度，缝深不小于缝宽的两倍(水平缝深度不小于 4 cm，竖缝深度不小于 5 cm)。勾缝前必须将槽缝冲洗干净，不得留灰渣和积水，并保持缝面湿润。

十、浆砌石工程的冬夏季和雨季施工要求

(一)冬、夏季施工要求

当最低气温在 0 ~ 5℃时，砌筑作业应注意表面保护：最低气温在 0℃以下时，应停止砌筑。在养护期内砌石体的外露表面应采取保湿措施。

1. *砌体采用保温法砌筑时的规定*

(1)砌块的温度应在 5℃以上。

(2)砂子和水加温后拌制的砂浆，其温度不得低于 15℃。

(3)室内地面处的温度不得低于 5℃。

(4)砂浆的保温时间应以达到抗冻的时间为准。

2. *降温时应采取的措施*

冬季施工前后气温突然降低时，正在施工的砌体工程应采取下列措施：

(1)拌和砂浆的材料加热，水温不得超过 80℃，砂子不超过 40℃，使拌成的砂浆温度不低于 20℃。

(2)拌制砂浆的速度与砌筑进度密切配合，随拌随用。

(3)砌完部分用保温材料覆盖，气温低于 5℃时，不能洒水养护。

(4)为加速砂浆硬化，缩短保温时间，可在水泥砂浆中加氯化钙等早强剂，其掺量应通过试验确定。

3. *抗冻砂浆砌筑的注意事项*

氯化钠或氯化钙掺量超过早强用量的水泥砂浆或水泥混合砂浆称为抗冻砂浆。

(1)抗冻砂浆在严寒地区宜采用硅酸盐水泥或普通硅酸盐水泥，其他地区可采用矿渣水泥、火山灰水泥或粉煤灰水泥。抗冻砂浆应尽量用细度模数较大的砂。

(2)抗冻砂浆在严寒地区宜采用时的温度不得低于 5℃。当一天中最低气温低于 –15℃时，承重砌体的砂浆强度宜按常温时提高一级。

(3)用抗冻砂浆砌筑砌体，应在砌筑后加以覆盖，但不得浇水。

(4)抗冻砂浆抗冻剂挤量可通过试验确定。

(5)支座垫石不宜采用抗冻砂浆。

另外，大体积的重要砌体最高气温超过 30℃时，应停止砌筑作业。夏季施工应加强砌体的养护，外露面在养护期必须保持湿润，宜加草袋等物遮盖，以防日晒。

(二)雨季施工的要求

(1)无防雨棚的仓面，遇小雨砌石时，应适当减少水灰比，及时排除仓内积水，做好表面保护。遇大雨、暴雨时，应立即停止施工，妥善保护表面，雨后应先排除积水，并及时处理受雨水冲刷的部位，如表面层砂浆或混凝土尚未初凝，应加铺水泥砂浆继续砌筑，否则应按工作缝的要求处理。

(2)抗冲、抗磨或需要抹面等部位的砌体和混凝土，不得在雨天施工。

十一、浆砌、干砌砌体施工的质量检验

(1)胶结材料的质量检验应符合相关的条文规定。

(2)砌体尺寸及位置的允许偏差应符合表 6-14 的规定。

(3)砌缝砂浆应密实，砌缝宽度应符合表 6-13 的规定。

(4)砌体冬季施工时，应注意进行下列检查并记入施工记录：①室外气温、暖棚气温及砂浆温度，每昼夜定时检查不少于 3 次。②抗冻剂的掺量，每一工作班检查不少于 1 次。③砌体冬季施工时，砂浆强度应以在标准条件下养护 28 d 的试件试验结果为准。试件制取组数不应少于常温下施工的试件组数。每一单元砌体(如墩台、拱圈等)应同时制取与砌体同条件养护的试件，以检查砂浆强度实际增长情况。砂浆强度的评定方法与常温施工的砂浆相同。

第七章　金属结构的制作和安装的质量控制

水工金属结构安装的一般规定如下：

(1)金属结构在安装前，应具备下列资料：金属结构制造、安装的有关图样和技术文件，产品出厂合格证及有关水工建筑布置物和测点图。

(2)金属结构安装必须按设计图样和有关技术文件进行。如有修改应有设计部门修改通知书或经设计部门书面同意。

(3)金属结构安装制作使用的材料必须符合图样规定，其性能应符合现行有关标准的规定，并应具有出厂质量证明书。如无出厂质量证明书或标号不清应予复验，合格后方可使用。焊接材料必须具有出厂质量证明书，其化学成分、机械性能和扩散氢含量等各项指标应符合 GB5117《碳钢焊条》、GB5118《低合金钢焊条》、GB983《不锈钢焊条》的规定。

(4)基准点和测量工具。用于测量高程和安装轴线的基准点及安装用的控制点，均应明显、牢固和便于使用，应由测量部门在现场向安装单位和质量检查部门交清，并提供简图。测量工具精度必须经过下述仪器的检验：①精度为万分之一的钢尺；②J_2 型经纬仪；③J_3 型水准仪。并且在使用前应送法定计量部门予以检定。

(5)金属结构的重要连接焊缝，如分段闸门的工地拼装接焊缝、压力钢管的工地纵缝和环缝等，其焊接要求与制造的同类焊缝相同，必须符合相应的规范。如采用永久性螺栓连接，其螺孔与螺栓制备及紧固应符合 DL/T5018—94《水利水电工程钢闸门制造安装及验收规范》的相关规定。

(6)金属结构的表面预处理。涂料涂装及金属热喷涂必须按照设计图样要求由制造单位完成安装。安装焊缝两侧 100 ~ 200 mm 范围内的涂装工作应在焊缝质量检查后进行。被涂装工件表面温度应低于露点以上 3℃或相对湿度大于 85%时不得进行涂装。如涂料说明书另有规定时，则应按其要求施工。

第一节　钢管的制作和安装的质量控制

凡属水利水电工程建设所用的钢管，其制作与安装需经各工序的检验和试压，从原材料、中间产品、铜管制作、运输和安装均应达到项目设计和钢管制作及安装的规范要求。单体或连体进行试压，全部应达到设计标准符合质量要求。安装前应具备的技术资料、材质证明、焊接和探伤人员的资格，焊接工艺试验安装时采用的工艺措施、量具、仪器以及竣工后交接验收应提供的资料等均应符合相关规范和设计规定。施工单位和监理单位应按相关规范进行全面检查，并做好记录。

一、钢管制作质量的一般规定和要求

(一)直管、弯管和渐变管制造

制作钢管的材料(含焊接材料)必须符合设计图纸规定，其性能应符合现行有关规范规定并有出厂合格证，如无出厂合格证或标号不清者应予复验，复验合格后，方可使用。

钢管出厂前，应按相关规范要求进行检查，填写出厂检查记录，并评定质量等级。

直管、弯管、渐变管、岔管的防腐工作，除焊缝两侧外，均应在制造厂完成，如设计另有规定，则应按设计要求执行。

1. 钢板划线的技术要求

(1)各项技术指标的检验均满足设计要求；

(2)钢板划线的允许偏差应符合表 7-1 的规定。

表 7-1　钢板划线的允许偏差

序号	项目	允许偏差(mm)
1	宽度和长度	±1
2	对角线相对差	2
3	对应边相对差	1
4	矢高(曲线部分)	±0.5

(3)钢板划线后应用钢印、油漆分别标出钢管分段、分节、分块的编号，水流方向，水平和垂直的中心线，灌浆孔位以及切割线等符号。

(4)明管的纵缝位置与明管的垂直轴或水平轴所夹的圆心角范围应符合图纸规定。

(5)在同一管节上，相邻纵缝间距不应小于 500 mm。

2. 钢板卷板的技术要求

(1)钢板卷板方向应和钢板的压延方向一致。

(2)钢板卷板后将瓦片以自由状立于平台上，用样板检查弧度，其偏差应符合表 7-2 规定。

表 7-2　瓦片弧度偏差

序号	钢管内径 D(cm)	样板弦长(m)	样板与瓦片的间隙最大值(mm)
1	≤2	0.5 D(且不小于 500 mm)	1.5
2	2～6	1.0	2.0
3	＞6	1.5	2.5

(3)钢管内径和壁厚关系应符合表 7-3 的规定，此时瓦片允许冷卷；否则应热卷或冷卷后进行热处理。

表 7-3　钢管允许冷卷的管径和壁厚关系

序号	钢号	钢管内径 D 和壁厚 δ 的关系
1	碳素钢(含碳量≤0.22%)	$D \geq 33\delta$
2	低合金钢	$D \geq 40\delta$

(4)钢管对圆后，其实际周长与设计周长差不应超过±3 D/1 000，且不应超过±24 mm。相邻管节周长差，当板厚小于 10 mm 时，不应大于 6 mm；板厚大于或等于 10 mm 时，不应大于 10 mm。

(5)钢管对圆应在平台上进行，其管口不平度应符合表 7-4 的规定。

表 7-4　钢管管口不平度

序号	钢管内径 D (m)	允许偏差(mm)
1	≤5	2
2	>5	3

3. 其他注意事项

钢管纵缝对口错位不应大于板厚的 10%，且不大于 2 mm；环缝对口错位不应大于板厚的 15%，且不大于 3 mm。

纵焊缝焊接后，用样板检查纵缝处弧度，其间隙值应符合表 7-5 的规定。

表 7-5　钢管纵缝焊接后弧度间隙值

钢管内径 D (m)	样板弧长(mm)	样板与纵缝的最大允许间隙(mm)
≤5	500	4
5 ~ 8	D/10	4
≥8	1 200	6

钢管椭圆度不应大于 3 D/1 000，最大不应大于 30 mm。椭圆度为相互垂直的两直径差的最大值，至少应测两对直径；椭圆度在钢管两端管口测量。

加劲环、支承环和止水环的内圆弧度应用样板检查，其间隙应符合表 7-6 的规定。另外，加劲环、支承环和止水环的对接焊缝应与钢管纵缝错开 100 mm 以上。加劲环、支承环和止水环与钢管的组装间隙不应大于 3 mm。直管段的加劲环和支承环组装允许偏差应符合表 7-7 的规定。

表 7-6　加劲环、支承环和止水环内圆弧度间隙

序号	钢管内径 D(m)	样板弦长(m)	样板与瓦片的间隙最大值(mm)
1	≤2	0.5 D(且不小于 500 mm)	1.5
2	2 ~ 6	1.0	2.0
3	>6	1.5	2.5

(二)岔管和伸缩节制造的质量控制

(1)岔管制造应符合有关规范的规定。

(2)岔管应在厂内进行整体组装。组装后其主、支管口中心的偏差不应超过±5 mm。如运输条件允许，宜焊成整体出厂。

表 7-7　加劲环和支承环组装的允许偏差

序号	项目	支承环的允许偏差(mm)	加劲环的允许偏差(mm)	简图
1	支承环或加劲环与管壁的不垂直度	$a<0.01\ H$	$a<0.02\ H$	
2	支承环或加劲环所组成的平面与管轴线的不垂直度	$b<2\ D/1\ 000$ 且不超过 6	$b<4\ D/1\ 000$ 且不超过 12	
3	相邻两环的间距偏差	±10	±30	

(3)伸缩节的内、外套管和止水压环焊接后的弧度，应用样板检查。其间隙在纵缝处不应大于 2 mm；其他部位不应大于 1 mm。应在套管的全长范围内，检查上、中、下 3 个断面。

(4)内、外套管和止水环的实际直径与设计直径的偏差不应超过±D/1 000，且不超过 ± 2.5 mm，测量的直径不应少于 4 对。

(5)伸缩节的内、外套间的最大和最小间隙与平均间隙的偏差不应大于平均间隙的 10 %。伸缩行程与设计行程的偏差不得超过±4 mm。

(6)伸缩节的橡皮盘根应制成整圈填入，每圈接头应斜接，相邻两圈接头应错开 500 mm 以上。

(三)钢管制造的质量检测

(1)测量项目、检验工具、检验位置见表 7-8。

(2)对于焊缝错位，沿焊缝全长用钢板尺或焊接检验规测量。

(3)表面清除用肉眼检查，防腐蚀标准应符合 DL5017—93《压力钢管制造、安装及验收规范》。

(4)局部凹坑焊用钢尺及肉眼检查。

(四)单元工程划分标准

(1)钢管以一节钢管或一个管段为一个单元工程；

(2)伸缩节以一个伸缩节为一个单元工程；

(3)岔管以一个岔管为一个单元工程。

(五)钢管制作的质量评定

合格：主要项目全部符合标准，一般项目检查的实测点数有 90%及其以上符合标准。

优良：在合格的基础上，优良项目占全部项目的 50%及其以上。

二、钢管安装的质量控制

(一)一般规定

(1)安装前应对钢管、伸缩节、弯管和岔管等的各种尺寸进行复测，并应符合相关规范和设计图纸的规定。

表 7-8 钢管制造检测项目、工具及位置

项次	项目	检验工具	检验位置	备注
1	瓦片与样板间隙	钢管内径小于或等于 2 m，用弦长为 0.5 D(且小于 500 mm)样板；钢管内径大于 2 m 小于 6 m，用弦长为 1.0 m 样板；钢管内径大于 6 m，用弦长为 1.5 m 样板	卷板后，瓦片以自由状态立于平台上，在瓦片上、中、下 3 个断面测量	
2	实际周长与设计周长差	钢尺	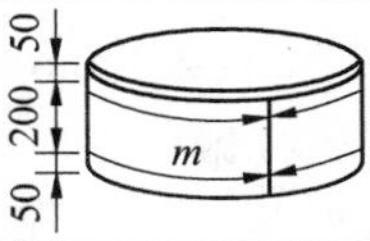 50 200 50 m	
3	相邻管节周长差	钢尺	通过两节管口实测值计算而得	
4	钢管管口平面度	线绳和塞尺或钢板尺		
5	纵缝焊后变形	样板弦长为 D/10，且不小于 500 mm，不大于 800 mm	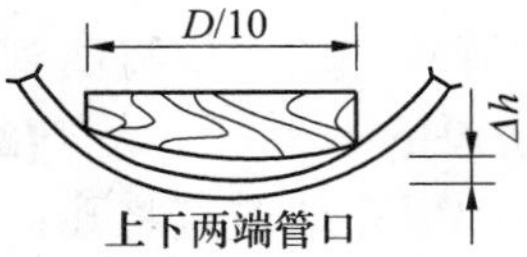 D/10 Δh 上下两端管口	D 钢管内径
6	钢管圆度	钢尺	在两端管口至少测 2 对直径；圆度为相互垂直的两直径差	
7	支承环或加劲环与管壁的铅垂度	钢尺、钢板尺	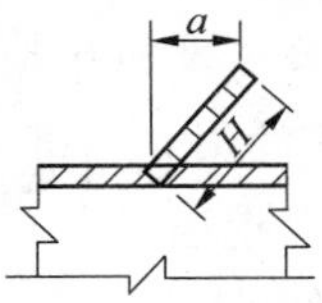 a H	每圆周测 8 点
8	支承环或加劲环所组成的平面与管轴线的铅垂度	钢尺、钢板尺	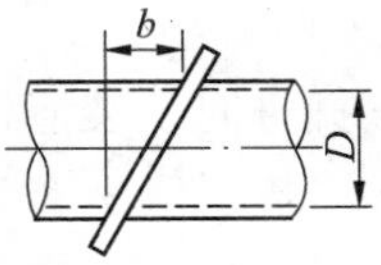 b D	每圆周测 8 点
9	相邻两环的间距 c	钢尺、钢板尺	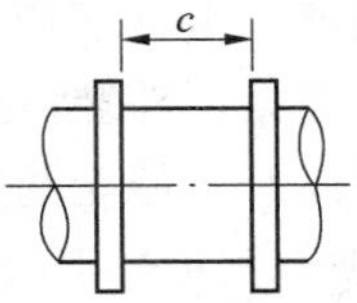 c	每圆周测 8 点

(2)钢管、岔管、弯管、伸缩节的防腐工作，除焊缝两侧外，均应在安装前全部完成。如设计另有规定，则按设计要求执行。

(3)钢管墩应有足够的强度和稳定性，以保证钢管在安装过程中不发生位移和变形。

(4)鞍式支座的顶面弧度，用样板检查其间隙不应大于 2 mm。

(5)滚轮式和摇摆式支座的支墩垫板的高程和纵、横向中心的偏差，不应超过±5 mm；

与钢管设计轴线的不平行度不应大于 2/1 000。

(6)滚轮式和摇摆式支座安装后，应能灵活动作，不应有任何卡阻现象，各接触面应接触良好，局部间隙不应大于 0.5 mm。

(7)安装完成后，钢管应与支墩和锚栓焊牢，以防止混凝土浇筑时发生位移。

(8)钢管安装后管口中心的允许偏差应符合下列规定：

当钢管内径 D 分别为<2 m、2 ~ 5 m、>5 m 时，始装节管口中心的允许偏差分别为 5 mm、5 mm、5 mm，与蜗壳、伸缩节、蝴蝶阀、球阀、岔管连接的管节及弯管起点的管口中心的允许偏差分别为 6 mm、10 mm、12 mm，其他部位管节的管口中心的允许偏差分别为 15 mm、20 mm、25 mm。

始装节的里程偏差不应超过 ± 50 mm，弯管起点的里程偏差不应超过 ± 10 mm。

(9)钢管安装后，管口圆度不应大于 $5D/1\ 000$，最大不应大于 40 mm，至少测量两对直径。

(10)环缝焊接除按图纸有关规定外，应按安装顺序逐条进行，不得跳越，不得在混凝土浇筑后再焊接环缝。

(11)钢管竣工前，应将明管内、外壁和埋管内壁的焊疤等清除干净，局部凹坑深度不应超过板厚的 10%且不大于 2 mm，否则应予以补填。

(12)堵焊灌浆孔前应将孔口周围的积水、水泥浆、铁锈等清除干净，焊后不应有渗水现象。

(二)地下埋管的开挖要求

1. 斜井的开挖

斜井的开挖方法可根据其断面尺寸、深度、倾角、围岩特性及施工设备等条件选用。倾角为 6° ~ 25°的斜井，可采用自上而下的全断面开挖方法。对倾角为 25° ~ 45°的斜井，可采用自下而上挖通导井自上而下扩大开挖的方法，并应有扒渣或溜渣措施。当洞的倾角小于 6°时，可按平洞开挖的规定执行；倾角大于 45°时，可按竖井开挖规定进行。

2. 斜井出渣的要点

自上而下掘进时，装渣机械宜采用耙斗式装岩机，斜井倾角小于 12°时，宜用带式输送机提升；斜井倾角小于 25°时，应采用斗车提升出渣；倾角大于 25°的斜井宜采用箕斗提升出渣。当采用自下而上掘进时，重力自动溜渣的最小倾角为 45°，倾角小于 45°时应采用钢溜槽、振动溜槽、水力冲渣等辅助设施。斜井的井底出渣可采用平洞装渣运输方式或竖井棚架漏斗装渣运输方式。斜井的临时支护可采用喷锚支护和钢架支护。斜井通过稳定性差和不稳定的Ⅲ ~ Ⅳ类围岩时，应保证围岩稳定。斜井井口加固要确保施工安全作业，在有钢板衬砌的斜井应安排好开挖、钢管安装、混凝土回填和灌浆的施工程序。

3. 无钢板衬砌的地下埋管混凝土的施工要求

(1)无钢板衬砌的斜井混凝土衬砌宜用滑模浇筑，钢模板应做成前端大、尾端略小的锥形。圆锥度为 3‰ ~ 8‰，面板应平整，凹凸度允许偏差为 2 ~ 3 mm。滑模启衬方式分为套模启衬与对口启衬，宜优先采用套模启衬。

(2)斜井坡度为 30° ~ 45°时，利用溜槽浇筑混凝土应加盖，每隔 5 ~ 8 m 加一金属挡板。溜槽尾部也应加设挡板，防止混凝土离析。斜井长度较大时应采用斗车或箕斗输送混凝土至浇筑仓顶部，再利用溜槽入仓。

(3)混凝土的埋设除满足设计要求外，初凝时间应不小于 1.5 h，终凝时间不大于 4 h，坍落度为 4 ~ 6 cm。

4. 采用滑模浇筑混凝土的注意事项

(1)宜先浇筑顶拱，左、右两边应对称浇筑；

(2)滑模间隔时间应通过试验确定，一般应保持在 0.5 h 左右，最大不得超过 1 h。每次拉模板位置不宜超过 10 cm，日进尺以 2 m 为宜。滑模应随时调整模板位置，每次不宜超过 10 cm。模板表面必须保持光滑，防止滑模时刮掉混凝土。

(三)地下埋管钢管安装的条件与程序要求

(1)洞内岩石开挖完毕，水平管顶部及两侧宜留 40 cm 净空，底部宜留 50 cm 净空。斜井钢管四周应留有 40 cm 净空。管径小的净空应适当加大。

(2)钢管四周埋设的锚筋直径不小于 20 mm。埋设孔内的砂浆应达到设计强度的 70%以上。支持钢管的混凝土支墩或墙应达到设计强度的 70%以上。

(3)测量控制点要设置牢固，标志要明显，控制点设置数量与位置应满足安装要求。

(4)要搭设脚手架、设置安全防护装置、设立明确的联络讯号。斜井较长时，应采取有效的通风排烟措施。

1. 埋管的安装原则

(1)钢管的安装应根据钢管运入和混凝土进料方向、作业面个数、施工期及地质条件等因素。

(2)在吊装、运输条件允许时，宜尽量采用大节安装，钢管安装和混凝土浇筑宜分段交替进行，每段长度应以保证混凝土浇筑质量为前提，宜采用泵送混凝土入仓。

2. 明管的安装原则

(1)钢管管线开挖应符合设计要求，管槽周边应采用预裂爆破，并清除危石，做好排水和边坡处理措施。

(2)墩、支墩施工应按设计要求施工。

3. 钢筋混凝土压力管道的安装原则

(1)管床与管座施工：土管床应分层夯压密实，刚性管床垫应坐落在良好的基础上。混凝土或浆砌块石施工应遵照设计和相关规范规定。埋式管管顶填土质量应符合设计要求。

(2)管道与管座间涂抹的沥青或敷设的沥青油毡应符合设计要求。

(3)管道的分段及接头：现浇钢筋混凝土伸缩缝缝距，对土基宜为 15 ~ 20 cm；对岩石基础宜为 10 ~ 15 cm。管道接头分平口式与套管式两种，宜优先采用套管式接头。伸缩缝宽度宜为 1.5 ~ 2 cm，管道接头及伸缩缝质量应符合设计要求，做到密封止水。

4. 预制钢筋混凝土管安装原则

预制钢筋混凝土管管节长度根据制作、运输和安装条件具体确定，一般不宜超过 5 m。管节型式应选用承插式管。管节吊装时，混凝土强度应符合设计要求。设计无规定时，不得低于设计强度的 70%。沉陷缝、伸缩缝的位置、形式和止水材料以及管节接头均应符合设计要求。止水材料应粘接牢固，封堵应严密，确保无渗漏现象。

5. 压力钢管的安装质量控制

(1)钢管支墩应有足够的强度和稳定性，以保证钢管在安放过程中不发生位移和变形。

(2)钢管安装后管口圆度偏差(指相互垂直两直径之差的最大值)不应大于 5 D/1 000，至少测量 2 对直径。

(3)钢管环缝对口错边量的允许偏差应符合表 7-9 的规定。

表 7-9　钢管环缝对口错边量的允许偏差　（单位：mm）

板厚δ	允许偏差
$\delta \leq 30$	15%δ，且不大于 3
$60 > \delta > 30$	10%δ
$\delta \geq 60$	≤6

(4)环缝焊接除图样有规定者外，应逐条焊接，不得跳越，不得强行组装，管壁上不得随意焊接临时支撑或脚踏板等构件，不得在混凝土浇筑后再焊接环缝。

(5)钢管安装后必须与支墩和锚栓焊牢，防止浇筑混凝土时位移。

(6)钢管内、外壁的局部凹坑深度不超过板厚 10%且不大于 2 mm 的可用砂轮打磨，平滑过渡；凹坑深度超过 2 mm 的应用碳弧气刨或砂轮将凹坑刨成或修磨成便于焊接的凹槽，然后再进行补焊。

(7)拆除钢管上的工卡具、吊耳、内支撑和其他临时构件时，严禁使用锤击，应用碳弧气刨或氧—乙块火焰在其离管壁 3 mm 以上处切除，并严禁损伤母材，切除后钢管内壁上残留的痕迹和焊疤应再用砂轮磨平，并认真检查有无微裂纹。

(8)灌浆孔应在制作过程中完成，堵焊灌浆孔前应将孔口周围的积水、水泥浆、铁锈等清除干净，焊后不得有渗水现象。

(9)土建施工和机电安装时，未经允许不得在管壁上焊接任何构件。

6. 明管安装的技术要点

(1)鞍式支座的顶面弧度用规定的样板检查，其间隙不应大于 2 mm。

(2)滚轮式和摇摆式支座、支墩垫板的高程和纵、横向中心的偏差不应超过±5 mm，与钢管设计轴线的平行度不应大于 2/1 000。如图样对垫板高程偏差另有规定，则应按图样规定执行。

(3)滚轮式和摇摆式支座安装完后应能灵活动作，无任何卡阻现象，各接触面应接触良好，局部间隙不应大于 0.5 mm。

(4)明管相邻管节的纵缝距离应大于板厚的 5 倍且不小于 100 mm。明管安装后环缝对口错边量允许偏差应符合规定。

(5)环缝的焊缝和内支撑、工卡具、吊耳等的清除检查，以及钢管内、外壁表面凹坑的处理、补焊均应符合规范要求。

7. 钢衬的接触灌浆要点

钢衬接触灌浆包括两种：一种是为填充由于混凝土干缩等形成的混凝土与钢衬间的微细缝隙面进行的灌浆；另一种是为填充由于施工不便或失误等原因造成的较大脱空部位而进行的灌浆。

(1)钢衬接触灌浆孔的位置宜在现场经锤击检查。每一个独立的脱空应布孔不少于 2

个，最深处和最高处都应布孔。

(2)钢衬接触灌浆也可在钢衬上预留灌浆孔。孔内宜有丝扣，在该孔处钢衬外侧应衬焊加强钢板。

(3)在钢衬上钻孔应采用磁座电钻。孔径不应小于 12 mm。每孔宜测记钢衬与混凝土之间的间隙尺寸。

(4)灌浆前应用风检查缝隙串通情况。吹除空隙内的活物和积水，风压必须小于灌浆压力。

(5)在钢衬的加劲环上应设置连通孔，以便于浆液串通。孔径不宜小于 16 mm。

(6)灌浆压力必须保证钢衬不变形，以不超过设计规定值为准。其大小可根据钢衬的壁厚、脱空面积的大小以及脱空的程度等实际情况确定，一般不宜大于 0.1 MPa。

(7)灌浆应自低孔开始，并在灌浆过程中敲击振动钢衬，待各高处孔分别排出浓浆后，依次将其孔口阀门关闭，同时记录各孔排出的浆量和浓度。

(8)钢衬灌浆的浆液水灰比可采用 1∶1、0.8∶1、0.6(0.5):1 三个比级，必要时可加入减水剂，应尽量多灌注较浓级浆液。

(9)灌浆短管与钢衬间可采用丝扣连接，也可焊接，灌浆结束后用焊补法封孔，焊后用砂轮磨平。

(10)在规定压力下，灌浆孔停止吸浆，延续灌注 5 min 即可结束。

(11)灌浆结束 7 ~ 14 d 采用锤击法进行灌浆质量检查，脱空范围和程度应满足设计要求。

三、钢管安装工程质量检查项目和质量标准

(一)埋管的安装质量

(1)埋钢管安装后，管口中心的允许偏差应符合表 7-10 的要求。其中其他部位管口中心应控制在合格范围内，但不宜用切割坡口的办法来调整中心，以免影响焊接质量。故允许个别管节的中心略有超差，可在以后安装管节时，再设法调整至合格范围内。

表 7-10　钢管管口中心的允许偏差

<table>
<tr><th rowspan="4">项次</th><th rowspan="4">项目</th><th colspan="6">允许偏差(mm)</th><th rowspan="4">检验工具</th><th rowspan="4">检验位置</th></tr>
<tr><th colspan="3">合格</th><th colspan="3">优良</th></tr>
<tr><th colspan="3">钢管内径 D(m)</th><th colspan="3">钢管内径 D(m)</th></tr>
<tr><th>D≤3</th><th>3<D≤6</th><th>D>6</th><th>D≤3</th><th>3<D≤6</th><th>D>6</th></tr>
<tr><td>1</td><td>△始节管口里程</td><td>±5</td><td>±5</td><td>±5</td><td>±4</td><td>±4</td><td>±4</td><td rowspan="4">钢尺、钢板尺、垂球或激光指向仪</td><td rowspan="4">始节在上下游管口测量，其余管节管口中心只测一端管口</td></tr>
<tr><td>2</td><td>△始节管口中心</td><td>5</td><td>5</td><td>5</td><td>4</td><td>4</td><td>4</td></tr>
<tr><td>3</td><td>与蜗壳、蝴蝶阀、球阀、岔管连接的管节及弯起点的管口中心</td><td>6</td><td>10</td><td>12</td><td>6</td><td>10</td><td>12</td></tr>
<tr><td>4</td><td>其他部位管节的管口中心</td><td>15</td><td>25</td><td>30</td><td>10</td><td>20</td><td>25</td></tr>
</table>

注：凡带有△符号为主要项目，下同。

(2)钢管圆度应符合表 7-11 的要求。

表 7-11 钢管圆度允许偏差

项目	允许偏差(mm)		检验工具	检验位置
	合格	优良		
钢管圆度	5 *D*/1 000	4 *D*/1 000	钢尺	在上端或下端管口，至少测 2 对直径，圆度为相互垂直的两直径差

注：*D* 为钢管直径。

(3)环缝焊接除图纸有规定外，应按安装顺序逐条进行，不得跳越，不得在混凝土浇筑后再焊接环缝，纵缝、环缝对口错位允许偏差应符合表 7-12 规定。

表 7-12 纵缝、环缝对口错位允许偏差

项次	项目	允许偏差(mm)		检验工具	检验位置
		合格	优良		
△1	纵缝错位	小于或等于板厚 10%且不大于 2，当板厚小于或等于 10 时为 1	小于或等于板厚 5%且不大于 2，当板厚小于或等于 20 时为 1	钢板尺或焊接检验规	沿焊缝全长测量
△2	环缝错位	小于或等于板厚 15%且不大于 3，当板厚小于或等于 10 时为 1.5	小于或等于板厚 10%且不大于 3，当板厚小于或等于 15 时为 1.5	同上	

(4)钢管安装后必须与支墩和锚栓焊牢，防止浇筑混凝土时位移。

(5)埋管内外壁的表面清除和局部凹坑的质量标准如表 7-13 所示。

表 7-13 埋管内外壁表面清除和局部凹坑的质量标准

项次	项目	允许偏差(mm)		检验工具	检验位置
		合格	优良		
1	埋管外壁表面清除	内外壁上临时支撑割除和焊疤清除干净	内外壁上临时支撑割除、焊疤清除干净并磨光	目测	全部表面
2	埋管局部凹坑焊补	凡凹坑深度大于板厚 10%或大于 2 mm 时应焊补	凡凹坑深度大于板厚 10%或大于 2 mm 时应焊补并磨平		

(6)堵焊灌浆孔前，应将孔口周围的积水、水泥浆、铁锈等清除干净，并符合表 7-14 规定。

表 7-14 堵焊灌浆孔的质量标准

项目	质量标准	检验工具	位置
灌浆孔堵焊	堵焊后表面平整、无渗水现象	目测或 5 倍放大镜检查	全部灌浆孔

(二)明管的安装质量检查项目和质量标准

明管管口中心和里程应符合表 7-15 规定要求。其中其他部分管节的管口中心应控制在合格范围内，但不宜用切割坡口的办法来调整中心，以免影响焊接质量。故允许个别管节的中心略有超差，在以后安装管节时，再设法调整至合格范围。

明管圆度，纵缝、环缝对口错位，焊缝外观检查，表面清除，局部凹坑焊补和防腐处理均与埋管质量标准相同。

明管支座中心、高程、弧度和间隙安装质量标准与埋管相同。

埋管内壁表面清除后的防腐蚀表面处理方法如下：用压缩空气喷砂等除锈，使管内外表面铁锈、氧化物、焊渣、油污、灰尘、水分等清除干净，使之露出灰白色金属光泽、表面清洁度达到美国《SSPC 表面预处理规范》(SSPC—ViSi 标准规定的 SSPC—SP10 标准)或瑞典标准 SISO55900—1976 规定的 SaZ1/2 标准(即表面粗糙度为 60 ~ 70 mm)。

表 7-15　明管管口中心和里程安装允许偏差

<table>
<tr><th rowspan="4">项次</th><th rowspan="4">项目</th><th colspan="6">允许偏差(mm)</th><th rowspan="4">检验工具</th><th rowspan="4">检验位置</th></tr>
<tr><th colspan="3">合格</th><th colspan="3">优良</th></tr>
<tr><th colspan="3">钢管内径 D(m)</th><th colspan="3">钢管内径 D(m)</th></tr>
<tr><th>$D\leqslant3$</th><th>$3<D\leqslant6$</th><th>$D>6$</th><th>$D\leqslant3$</th><th>$3<D\leqslant6$</th><th>$D>6$</th></tr>
<tr><td>△1</td><td>始装节管口里程</td><td>±5</td><td>±5</td><td>±5</td><td>±4</td><td>±4</td><td>±4</td><td rowspan="4">钢板尺、钢尺、垂球或激光指向仪</td><td rowspan="4">始装节在上下管口测量，其余管节管口中心只测一端管口</td></tr>
<tr><td>△2</td><td>始装节管口中心</td><td>5</td><td>5</td><td>5</td><td>4</td><td>4</td><td>4</td></tr>
<tr><td>3</td><td>与蜗壳、蝴蝶阀、球阀、锥阀、岔管连接的管节及弯管起点的管口中心</td><td>6</td><td>10</td><td>12</td><td>6</td><td>10</td><td>12</td></tr>
<tr><td>4</td><td>其他部位管节的管口中心</td><td>15</td><td>20</td><td>20</td><td>10</td><td>15</td><td>20</td></tr>
</table>

埋管和明管防腐蚀涂料涂装质量标准是：内壁涂料涂装的层数、每层厚度、间隔时间和注意事项均按设计要求和厂家说明书规定进行；经外观检查涂层均匀、表面光滑、颜色一致以及无皱皮、脱皮、气泡、挂流、漏刷等缺陷；涂层厚度符合设计要求，无针孔，用刀检查黏附力时不易刮离。

钢管焊接外观检查质量标准如下：

(1)不允许有裂纹、夹渣；

(2)咬边的规定：当厚度 $\delta<100$ mm，咬边深度不大于 0.5 mm；当 $\delta>10$ mm，咬边深度不大于 1.0 mm，且连续咬边长度不应大于 100 mm，两侧咬边长度的累计长度不应大于焊缝全长的 10%。

(3)对接焊缝超高Δh：当管壁厚 $\delta\leqslant10$ mm，Δh=1.0 ~ 2.0 mm；当 $\delta>10$ mm，Δh=2.0 ~ 3.0 mm。

(4)焊缝宽度：盖过每边坡口 2～3，并平缓过渡。

(5)角焊缝尺寸和超高：当焊脚高 K=6～12 mm 时，超高$\Delta K=_{-1.0}^{+1.5}$，焊角厚Δh<1 mm；当 K>12，$\Delta K<_{-1.0}^{+2.0}$，Δh<1.5 mm。

(6)气孔：一类焊缝，不允许有气孔；二类焊缝，1.0 mm 直径气孔每米不多于 3 个，其间距不小于 20 mm；三类焊缝：1.5 mm 直径气孔每米不多于 3 个，其间距不小于 20 mm。

(三)一、二类焊缝内部焊接质量检测标准

(1)一、二类焊缝 X 射线透照：按规范或设计规定的数量和质量标准进行透照评定，一次合格率 85%为合格，一次合格率 95%为优良。一次合格率百分比按下式计算：

$$一次合格率百分比=\frac{透照一次合格的片子个数}{透照片子总个数}\times 100\%$$

(2)一、二类焊缝超声波探视：按规范或设计规定的数量和质量标准进行探伤评定，一次合格率 85%为合格，一次合格率 95%为优良。一次合格率百分比按下式计算：

$$一次合格率百分比=\frac{探伤一次合格的长度}{探伤总长度}\times 100\%$$

(四)压力钢管埋管安装单元工程划分

以一个混凝土浇筑段的钢管安装或一个部位钢管安装为一个单元工程。

(五)压力钢管埋管安装的单元工程质量标准

合格：主要项目全部符合质量标准，一般项目检查的实测点有 90%及其以上符合标准，其余基本符合标准。

优良：在合格的基础上，优良项目占全部项目 50%及其以上，且主要项目全部优良。优良项目占全部项目的百分数可按下式计算：

$$优良项目占全部项目的百分数=\frac{主要项目优良个数+一般项目优良数}{主要项目合格数+一般项目合格数}\times 100\%$$

四、压力钢管的水压试验

(一)水压试验的基本规定

(1)明管或岔管试验时，应缓缓升压至工作压力，保持 10 min，对钢管进行检查，情况正常则继续升至试验压力，保持 5 min，再下降至工作压力，保持 30 min，并用 0.5～1 kg 小锤在焊缝两侧各 15～20 mm 处轻轻敲击，整个试验过程中应无水渗和其他异常情况。

(2)试验压力值按图样或设计文件规定执行。试压时的水温应在 5℃以上。

(二)明管水压试验的要求

(1)明管应做水压试验，可做整体或分段水压试验。分段试验时，分段长度和试验压力由设计单位提供。

(2)明管安装后，做整体或分段有困难时，当采用钢板性能优良、低温韧性高、施工时能严格按评定的焊接工艺施焊，则焊缝无损探伤的检查长度，纵缝为 100%，环缝不少于 50%。需焊后热处理的焊缝进行了热处理，并经上级主管部门批准，可以不做水压试验。

(三)岔管水压试验的要求

新型结构的岔管、高水头岔管和用高强钢或首次使用新钢种制造的岔管应做水压试验，一般岔管是否需做水压试验应按设计规定执行。

对于新钢种或新型结构的岔管，水压试验的试验压力为工作压力(包括水锤压力)的1.25倍。

(四)涂料层和金属深层的质量检查

涂料层和金属深层的质量应符合 DL5017《压力钢管制造安装及验收规范》的要求。

第二节　闸门和埋件制造与安装的质量控制

大、中、小型水利水电工程的闸门和埋件制作与安装的质量控制依据主要是 DL/T5018—94《水利水电工程闸门制造安装及验收规范》和 DL/T5019—94《水利水电工程启闭机安装及验收规范》。

直接用于制造闸门的各项结构的钢板或型钢应预先进行整平和矫正。闸门及埋件各构件的加工、拼装和焊接应严格按照事先编制的工艺流程和经焊接工艺评定合格的焊接工艺规程进行，制作过程中应及时进行检测，严格控制焊接变形和焊接质量，对焊接变形超差部位应全部进行校正，直至达到规定的标准为止。埋件中的水封座板等不锈钢件的焊接，其焊条应为相应的不锈钢焊条，其他材质的焊条选用都必须和被焊接工作的材质相适用。闸门和埋件制造所用的金属材料均应符合设计图纸规定，其物理机械性能和化学成分必须符合现行国家标准或行业标准，并应具有出厂合格证。紧固材料应符合设计图样规定，施工承包单位应向监理单位提交产品质量证明书。止水橡皮的各项指标应符合 DL/T5018—94《水利水电工程闸门制造安装及验收规范》的规定，防腐材料应与设计图纸规定一致，并遵守相关的规定。单个构件应进行检查，其偏差应符合 DL/T5018—94《水利水电工程闸门制造安装及验收规范》的规定。

一、闸门和埋件制造的质量控制要点

(一)埋件制造的质量控制要点

(1)埋件(包括底槛、主轨、副轨、反轨、止水座板、门楣、侧轨、侧轮导板、铰座钢梁等)制造的允许偏差应符合表 7-16 的规定。

表 7-16　埋件制造的允许偏差　(单位：mm)

序号	项目	允许偏差	
		构件表面未经过加工	构件表面经过加工
1	工作面弯曲度	构件长度的 1/1 500，且不超过 3.0	构件长度的 1/2 000，且不超过 1.0
2	侧面弯曲度	构件长度的 1/1 500，且不超过 4.0	构件长度的 1/1 000，且不超过 2.0
3	工作面局部凹凸不平度	每米范围内不大于 1.0，且不超过 2 处	每米范围内不大于 0.5，且不超过 2 处
4	扭曲	长度不大于 3 m 的构件不应大于 1.0，每增加 1 m 递增 0.5，且最大不超过 2.0	0.5

注：扭曲指构件两对角线中间交叉点处不吻合值。

(2)底槛和门楣的长度允许偏差为−1.0 ~ 0.0 mm。如底槛不是嵌于其他构件之间，则允许偏差为 ± 4.0 mm。

(3)兼作止水的胸墙的允许偏差应符合表 7-16 的规定。不兼作止水的胸墙的允许偏差应符合表 7-17 中的规定。所有胸墙的宽度允许偏差均为−4 ~ 0 mm。对角线相对差均不应大于 4 mm。

表 7-17 不兼作止水的胸墙的允许偏差 (单位：mm)

序号	项目	允许偏差
1	工作面弯曲度	构件宽度的 1/1 500，且不超过 4
2	侧面弯曲度	构件高度的 1/1 000，且不超过 5
3	工作面局部凹凸不平度	每米范围内不超过 4
4	扭曲	高度不大于 3 m 胸墙，不应大于 2，每增加 1 m 递增 0.5，且最大不超过 3

注：(1)工作面弯曲度通过各横梁中心线测量。
(2)侧面弯曲度通过两侧隔板中心线测量。

(4)当止水座板在主轨上时，任一横断面的止水座板至主轨轨面的距离 c 的偏差不应超过 ± 0.5 mm。止水座板中心至轨面中心的距离 a 的偏差不应超过 ± 2 mm。止水座板与主轨轨面的相互关系见图 7-1。

(5)当止水座板在反轨工作面上时，任一横断面的止水座板与反轨工作面的距离 c 的偏差不应超过±2 mm。止水座板与反轨工作面的相互关系见图 7-2。

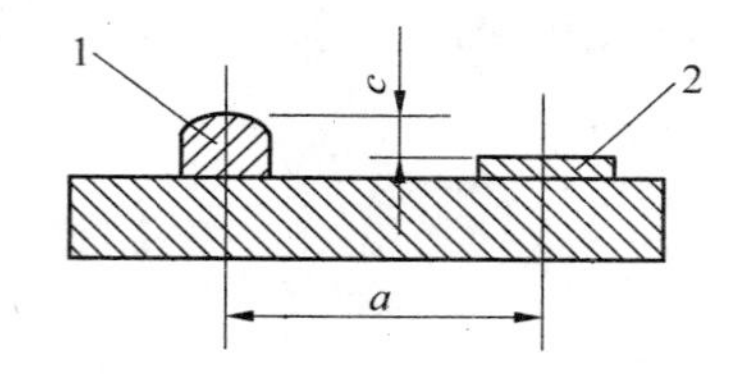

图 7-1 止水座板与主轨轨面的相互关系

1—主轨轨面(承压加工面)；2—止水座板(加工面)

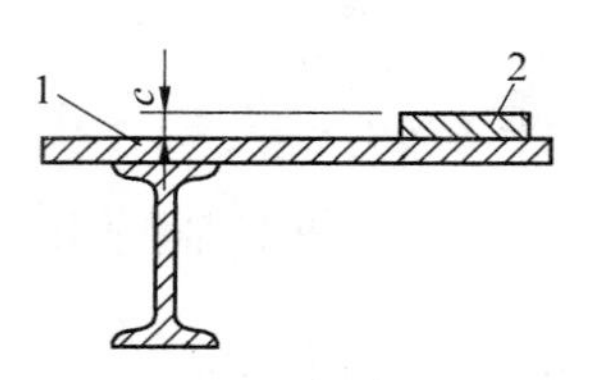

图 7-2 止水座板与反轨工作面的相互关系

1—反轨工作面（指与反轮接触部位，系非加工面）；2—止水座板(加工面)

(6)护角如兼作侧轨，其与主轨轨面(或反轨工作面)中心的距离 a 的偏差(见图 7-3)不应超过±3 mm。

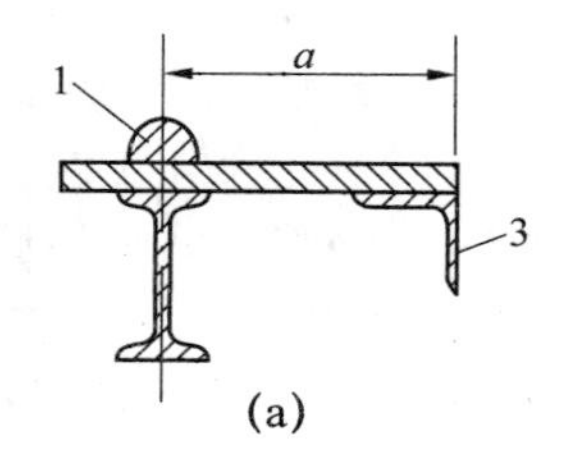

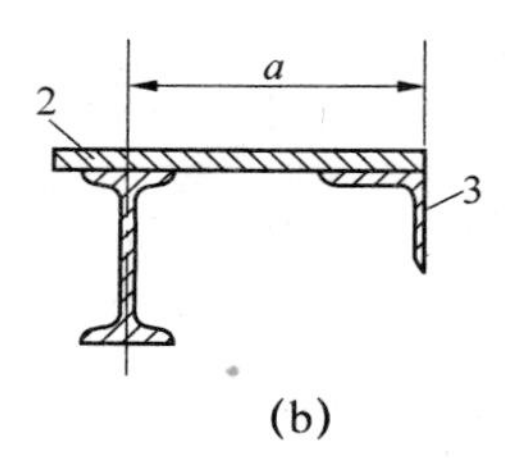

图 7-3 护角与主轨的偏差

(a)护角兼作侧轨与主轨的相互关系；(b)护角兼作侧轨与反轨的相互关系

1—主轨轨面；2—反轨；3—护角

(7)锥形支铰基础环与支承环的组合面应平整，其平面度公差经过加工的不得大于 0.5 mm，未经加工的不得大于 2 mm，锥形支铰见图 7-4。

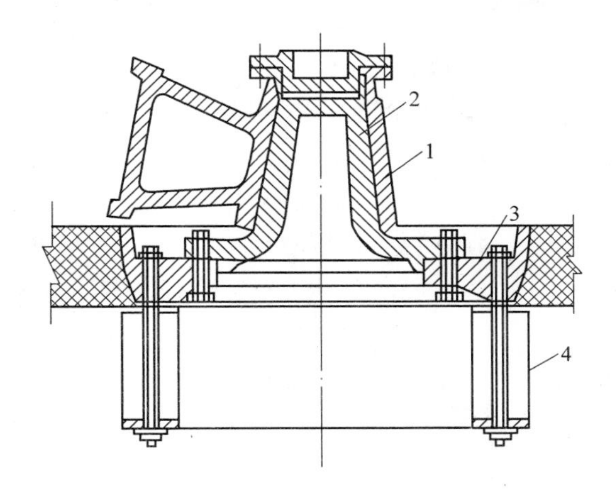

图 7-4　锥形支铰

1—轴套；2—轴；3—支承环；4—基础环

(8)焊接主轨的不锈方钢，止水座板与底板组装时应压合，局部间隙不应大于 0.2 mm，且每段长度不超过 100 mm，累计长度不超过全长的 15%。

(9)弧门侧止水座板和侧轮导板的中心线曲率半径偏差不应超过±3 mm。

(10)分节制造的埋件应在制造厂进行预组装，但装时相邻构件组合处的错位，经过加工的不应大于 0.5 mm，未经加工的不应大于 2 mm，且应平缓过渡，其偏差应符合相关规定。检查合格后应在组合处打上明显的标记及编号。

(二)锻件和铸钢件的质量控制要点

(1)铸件尺寸和壁厚等的允许偏差及表面质量要求应符合 GB11352—89《一般工程用铸造碳钢件》及 GB6414—6《铸件尺寸公差》中的有关规定。

(2)铸件应经退火或正火处理。

(3)铸钢滚轮的踏面和轮毂均不得有裂纹。当有下列缺陷时，经补焊后不影响使用性能者，允许焊补处理：①滚轮非承压加工面有孔眼等缺陷，其单个面积不超过 5 cm^2，深度不超过该处壁厚度的 1/5，且在同一横向表面上或每 100 cm^2 面积上不超过 1 处，总面积不大于所在表面面积的 2%。但滚轮如需经调质、淬火等热处理的，其踏面不得焊补。②辐板两侧距离板孔边缘 20 mm 以外处有孔眼等缺陷，其直径不超过 10 mm，深度不超过辐板厚度的 1/2。③轴孔有孔眼等缺陷，其单个面积不超过 2 cm^2，深度不超过该处壁厚的 1/10，且每 100 cm^2 的面积上不超过 1 处。④轮毂两端有少量发裂或有孔眼等缺陷，缺陷深度不超过轮毂宽度的 1/5，长度不超过轮毂周长的 1/8，宽度不超过轮毂壁厚的 1/3。

(4)铸钢夹道、夹槽底面与侧面的转角处不得有裂纹和缩松等缺陷。其他部位如有孔眼等缺陷，其单个面积不得超过 3 cm^2，深度不得超过该处壁厚的 1/5，总面积不大于所在表面面积的 3%，且经焊补后不影响使用性能者，允许补焊处理。

(5)铸钢滑道不得有裂纹，当有下列缺陷，但经补焊后不影响使用性能者，允许补焊处理：①轨道上的少量发裂。②承压加工面上有孔眼等缺陷，其单个面积不超过 5 cm^2，深度不超过该处壁厚的 1/10，且在同一横向表面上或每 100 cm^2 的面积上不超过 1 处，总面积不大于所在表面面积的 3%。但如果轨道需经调质、淬火等热处理的，则凡缺陷位置在和滚轮接触的范围内均不得补焊。③非加工面上有孔眼等缺陷，其单个面积不超过 5 cm^2，深度不超过该处壁厚的 1/5，总面积不大于所在表面面积的 5%。④非承压加工面上有孔眼等缺陷，其单个面积不超过 8 cm^2，深度不超过该处壁厚的 1/5，且在每 100 cm^2 的面积上不超过 1 处。

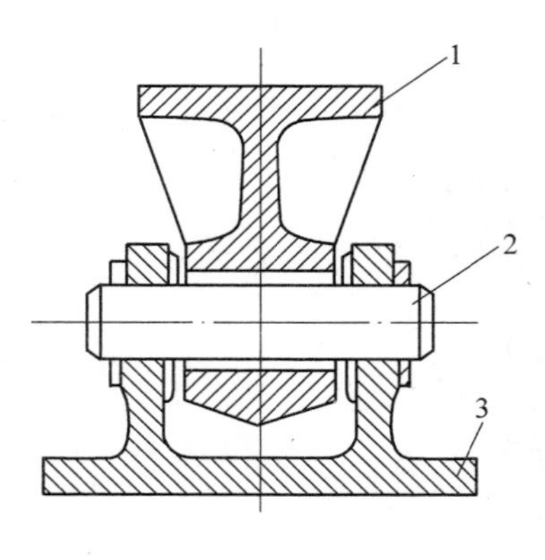

图 7-5　铰

1—铰链；2—铰轴；3—铰座

(6)人字闸门铸钢支、枕座允许焊补的缺陷尺寸应符合规范要求。铸钢底柜顶盖和底枢轴座的允许偏差及焊补缺陷尺寸也应符合相关规定。

(7)铸钢支铰（见图 7-5）的辐板根部和锥形铰根部转角处，以及承压加工面均不得有裂纹和缩松，当有下列缺陷时，经补焊后不影响使用性能者，允许焊补处理：①承压加工面有孔眼等缺陷，其单个面积不超过 5 cm^2，深度不超过该处壁厚的 1/10，且总面积不大于所在表面面积的 3%。②非承压加工面上有孔眼等缺陷，其单个面积不超过 5 cm^2，深度不超过该处壁厚的 1/5，且总面积不大于所在表面面积的 5%。③轴孔有孔眼缺陷，其单个面积不超过 2 cm^2，深度不超过该处壁厚的 1/10，且总面积不大于所在表面面积的 3%。④非加工面上有孔眼缺陷，其单个面积不超过 8 cm^2，深度不超过该处壁厚的 1/5，且总面积不大于所在表面面积的 5%。⑤支铰的次要部位出现裂纹，其深度不超过该处壁厚的 1/10，长度不超过所在部位长度的 1/4，且不超过 2 条。

(8)铸铁件缺陷焊补前，应将缺陷处清除干净，铸件焊补应选用接近该铸件性能的优质焊条。

(9)铸件焊补后应进行热处理，以消除内应力。

(10)当铸铁件缺陷范围超过上述规定时，应经技术、质量检查等有关部门研究同意后方可焊补。并应有焊补措施，焊补后的质量应符合设计要求。

(11)有硬质要求的铸件，焊补后其硬度差不应超过 HB15 ~ 20 范围。

(12)焊补 ZG35 和 ZG35 以下的铸件时，原则上冷焊，但焊补大件或较严重的缺陷时，宜将铸件预热至 100 ~ 150℃，焊补 ZG45 和 ZG45 以上的铸件或合金件时，应将铸件预热至 200℃以上。

(13)重要锻件的质量检查应按图纸规定进行。

(14)锻件的锻造应符合 Q/ZB71—73《锻件通用技术条件》的规定。

(15)起重机设备和闸门的吊具、轮轴、支铰轴的缺陷不得焊补。

二、平面闸门制造的质量控制要点

(1)平面闸门门叶的制造、组装的允许偏差应符合表 7-18 的规定。

(2)门叶上单个构件制造的允许偏差应符合表 7-19 中的规定。

(3)闸门的滚轮或胶木滑道组装时，应以止水座面为基础面进行调整，所有滚轮或滑道应在同一平面内。其工作面的最高点和最低点的差值，当滚轮或滑道的跨度小于或等于 10 m 时，不应超过 2 mm，跨度大于 10 m 时，不应超过 3 mm。每段滑道至少应在两端各测一点，同时滚轮对任何平面的倾斜度不应超过轮径的 2/1 000。

(4)闸门不论整体或分节制造，出厂前均应进行整体组装检查(包括滚轮、胶木滑道等部件的组装)，检查结果应符合设计要求，其组合处的错位不应大于 2 mm。检查合格后，应在组合处打上明显标记、编号，并焊上定位板。

(5)闸门吊耳孔的纵、横向中心偏差均不应超过 ± 2 mm。吊耳、吊杆的轴孔应各自保持同心，其倾斜度不应大 1/1 000。

(6)胶木轴套内圆应先粗加工，压入后再精加工，其外径的压入过盈值一般可取其直径的 0.5% ~ 1.0%。

(7)压合胶木应顺木纹方向受压，胶水压入滑道夹槽的过盈值一般应为槽宽的 1.3% ~ 1.7%，同时要尽量缩短干燥后至压入前的间隔时间。

表 7-18　平面闸门门叶制造、组装的允许偏差　（单位：mm）

序号	项目及代号	简图	允许偏差
1	构件宽度 b	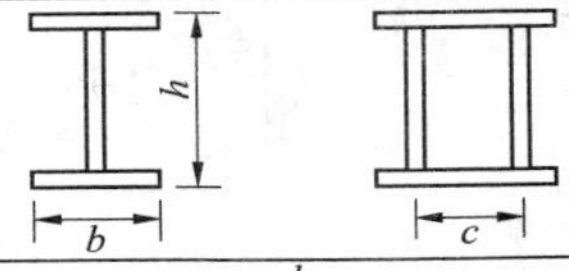 h; b; c	± 2.0
2	构件高度 h		
3	腹板间距 c		
4	翼缘板对腹板的倾斜度 a	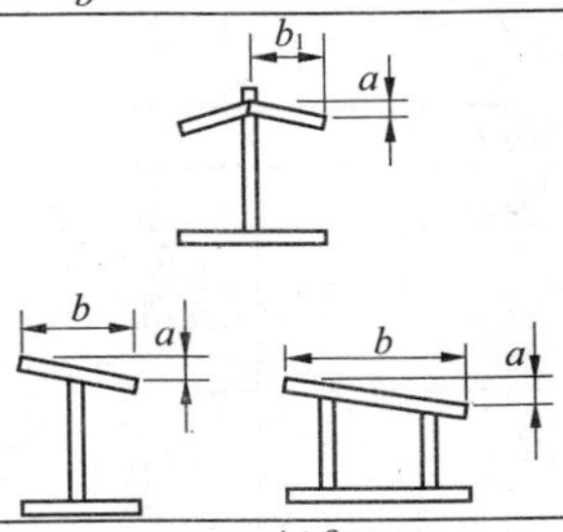 b_1; a	$a \leqslant b_1/150$，且不超过 2.0
		b; a; b; a	$a < 0.003b$，且不超过 2.0
5	腹板对翼缘板的中心位置的偏移 e	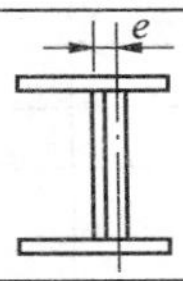 e	2.0
6	腹板的局部凹凸不平度 Δ	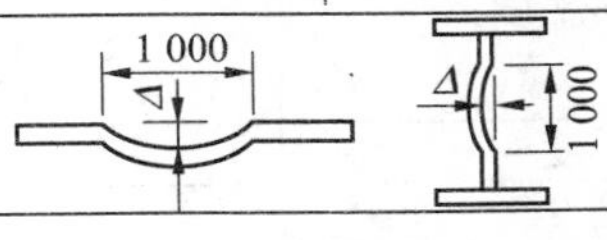 1 000; Δ; Δ; 1 000	每米范围内不超过 2.0
7	扭曲		长度不大于 3 m 的构件不应大于 1.0，每增加 1 m 递增 0.5，且最大不超过 2.0
8	正面(受力面)弯曲度		构件长度的 1/1 500，且不超过 4.0
9	侧面弯曲度		构件长度的 1/1 000，且不超过 6.0

注：本表也适用于其他形式的闸门。

表 7-19　单个构件制造的允许偏差　　(单位：mm)

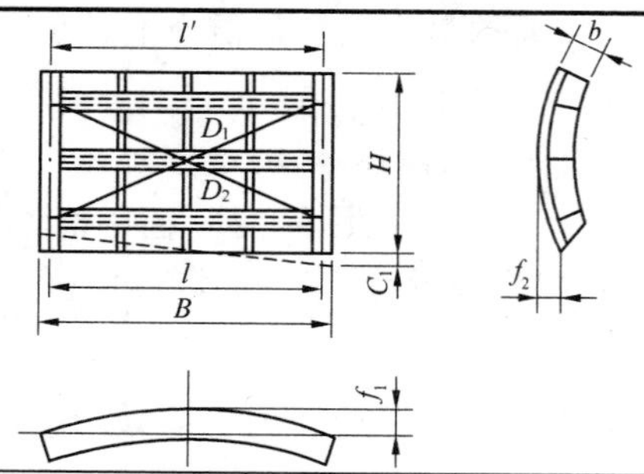

序号	项目及代号	门叶尺寸	允许偏差
简图			
1	门叶厚度 b	＜500 501～1 000 ＞1000	±3.0 ±4.0 ±5.0
2	门叶外形高度 H 门叶外形宽度 B	＜5 000 5 001～10 000 10 001～15 000 ＞15 000	±5.0 ±8.0 ±10.0 ±12.0
3	对角线相对差 $\vert D_1-D_2 \vert$	＜5 000 5 001～10 000 10 001～15 000 ＞15 000	3.0 4.0 5.0 6.0
4	扭曲	≤10 000 ＞10 000	3.0 4.0
5	门叶横向的弯曲度 f_1		B/1 500，且不超过 6.0
6	门叶竖向的弯曲度 f_2		H/1 500，且不超过 4.0
7	两边梁中心距	≤10 000 10 000～15 000 ＞15 000	±3.0 ±4.0 ±5.0
8	两边梁不平行度 $l'-l$	≤10 000 10 000～15 000 ＞15 000	±3.0 ±4.0 ±5.0
9	纵向隔板错位		2.0
10	面板与梁组合面的局部间隙		1.0
11	面板局部凹凸不平度	面板厚度 δ： ≤10 10＜δ≤16 ＞16	每米范围内不超过： 5.0 4.0 3.0
12	门叶底缘不平度		2.0
13	门叶底缘倾斜度 $2C_1$		3.0
14	两边梁底缘(或承压板)平面度		2.0
15	止水座面不平度		2.0
16	止水座板至支承面的距离		±1.0
17	侧止水螺孔中心至门叶中心距离		±1.5
18	顶止水螺孔中心至门叶底缘距离		±3.0
19	自动挂钩定位孔(或销)中心距		±2.0

注：(1)门叶横向弯曲度通过各横梁中心线测量，竖向弯曲度通过两边梁中心线测量。门叶整体弯曲应力求凸向迎水面；如出现凸向背水面时，其弯曲度不应大于 3 mm，但图纸有规定者，则应符合图纸规定。
(2)门叶宽度 B 和高度 H 的对应边的偏差值应力求正负一致(本规定也适用于其他形式的闸门)。

(8)压合胶木与滑道夹槽应接触紧密，在两端进行检查，如有局部间隙，其间隙应小于 0.2 mm，深度不超过 30 mm，宽度不超过 20 mm。

(9)压合胶木加工前应在 70 ~ 80 ℃的石蜡溶液中干燥，使其含水率(包括发挥物)降低到 5%以下，干燥后端部裂纹不应大于 0.2 mm。

(10)压合胶木单件粗加工光洁度为$\overset{6.3}{\nabla}$，压入后精加工光洁度为$\overset{3.2}{\nabla}$。加工后应立即涂上钙基润滑，盖上油纸，不得暴晒和碰伤。

(11)胶木滑道夹槽底面与门叶表面的间隙应符合表 7-20 的规定。

表 7-20　胶木滑道夹槽底面与门叶表面的间隙

序号	间隙性质	允许偏差(mm)	
		接触表面未经加工	接触表面经过加工
1	贯穿间隙 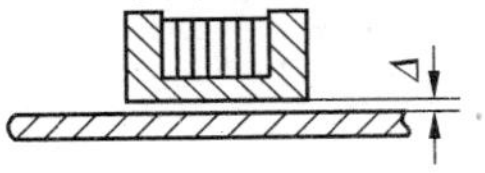	Δ不应大于 1.0，每段长度不超过 200，累计长度不大于滑道全长的 20%	Δ不应于大于 0.3，每段长度不超过 100，累计长度不大于滑道全长的 15%
2	局部间隙 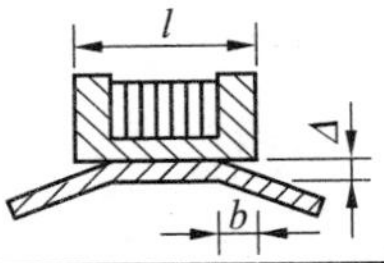	$\Delta \leq 0.5$，$b \leq l/10$，累计长度不大于滑道全长的 50%	$\Delta \leq 0.3$，$b \leq l/10$，累计长度不大于滑道全长的 25%

(12)单块滑道两端的高低差，当滑道长度小于或等于 500 mm 时，不超过 0.5 mm；当滑道长度大于 500 mm 时，不应超过 1 mm。相邻滑道衔接端的高低差不应大于 1 mm。

(13)同一侧滚轮或滑道的中心偏差不应超过 ± 1.5 mm，滚轮或胶木滑道跨度的允许偏差应符合表 7-21 的规定。

表 7-21　滚轮或胶木滑道跨度的允许偏差

序号	跨度(m)	允许偏差(mm)	
		滚轮	胶木滑道
1	≤5	±2.0	±2.0
2	5 ~ 10	±3.0	±2.0
3	>10	±4.0	±3.0

三、人字闸门制造的质量控制要点

(1)支、枕垫块出厂前应逐对配装研磨，使其接触紧密，局部间隙不应大于 0.05 mm，其累计长度不应超过支垫块长度的 10%。

(2)底枢蘑菇头与底枢顶盖轴套应在厂内组装研制，并满足下列要求：①在加工时定出蘑菇头的中心位置，应转动灵活，无卡阻现象。②蘑菇头与轴套接触面应集中在中间 120°范围内，接触面上的接触点数在每 25 mm×25 mm 面积内应有 1 ~ 2 个。

(3)人字闸门出厂前应进行整体组装检查，其偏差除应符合表 7-22 的规定外，并应符合下列要求：①底枢顶盖和门叶底横梁组装后，其中心偏差不应大于 2.0 mm，倾斜率不应大于 1/1 000。②如顶、底枢装置不是在工地进行镗孔或扩孔的，则顶、底枢中心的同轴度，当门高小于或等于 15.0 m 时，不应大于 1.0 mm；门高大于 15.0 m 时，不应大于 2.0 mm。

(4)人字闸门门叶制造、组装的允许偏差应符合表 7-22 的规定。

表 7-22　人字闸门门叶制造、组装的允许偏差　　(单位：mm)

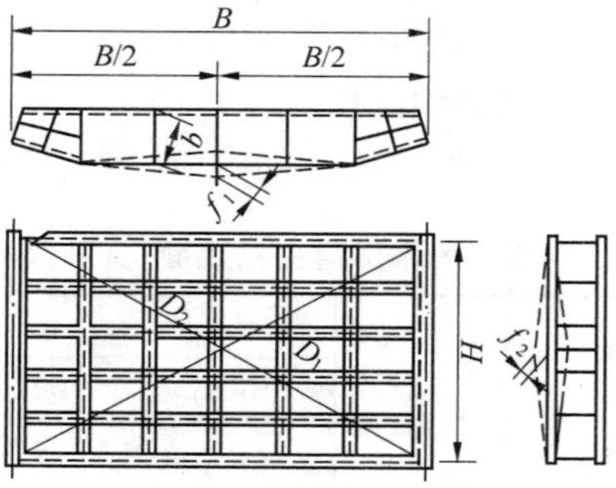

序号	项目及代号	门叶尺寸	允许偏差
简图			
1	门叶厚度 b	门厚＜500 501～1 000 ＞1 000	±3.0 ±4.0 ±5.0
2	门叶外形高度 H	门高≤5 000 5 001～10 000 10 001～15 000 15 001～20 000 ＞20 000	±5.0 ±8.0 ±12.0 ±16.0 ±20.0
3	门叶外形半宽 $B/2$	门宽＜5 000 5 001～10 000 ＞10 000	±2.5 ±4.0 ±5.0
4	对角线相对差 $\|D_1-D_2\|$	取门高或门宽中尺寸较大者 ＜5 000 5 001～10 000 10 001～15 000 15 001～20 000 ＞20 000	3.0 4.0 5.0 6.0 7.0
5	门轴柱、斜接柱的 正面弯曲度	＜5 000 5 001～10 000 ＞10 000	±2.5 ±4.0 ±5.0
6	门轴柱、斜接柱的侧面弯曲度		±5.0
7	门叶横向直线度 f_1		B/1 500，且不超过 6
8	门叶竖向直线度 f_2		H/1 500，且不超过 4
9	顶底主梁的长度相对差	门宽：＜5 000 5 001～10 000 ＞10 000	2.5 4.0 5.0
10	面板与梁组合面的局部间隙		1.0
11	面板局部凹凸不平度	面板厚度 δ： ＜10 $10<\delta<16$ ＞16	每米范围内： 6.0 5.0 4.0

注：(1)门叶横向弯曲度通过各横梁中心线测量，竖立弯曲通过左、右两侧两根纵向隔板中心线测量。

(2)纵向隔板错位、门叶底横梁倾斜度、止水座面不平度的偏差应符合表 7-19 中序号 9、13、15 项的规定。

四、弧形闸门制造的质量控制要点

弧形闸门的门叶制造、组装的允许偏差应符合表 7-23 的规定。

表 7-23　弧形闸门的门叶制造、组装的允许偏差　　(单位：mm)

序号	项目及代号	门叶尺寸	允许偏差		备注
简图	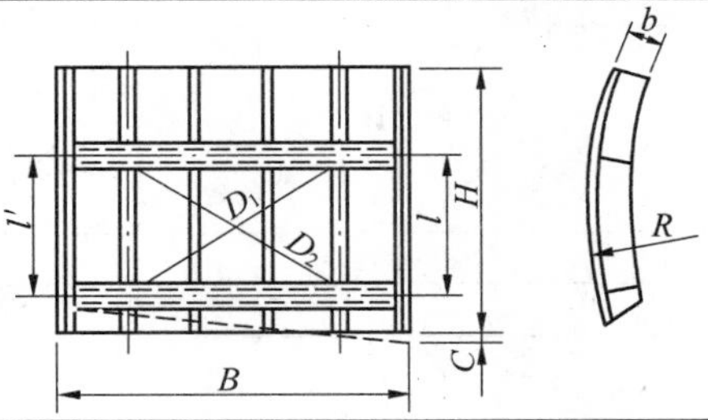				
			潜孔式	露顶式	
1	门叶厚度 b	门厚＜500 501～1 000 ＞1 000	±3.0 ±4.0 ±5.0		
2	门叶外形高度 H 门叶外形宽度 B	门宽或门高＜5 000 5 001～10 000 10 001～15 000 ＞15 000	±5.0 ±8.0 ±10 ±12		
3	对角线相对差 $\|D_1-D_2\|$	取门宽或门高中尺寸较大者 ＜5 000 5 001～10 000 ＞15 000	3.0 4.0 5.0		在主梁与支臂组合处测量
4	扭曲	门宽：＜5 000 5 001～10 000 ＞10 000	2.0 3.0 4.0		在主梁与支臂组合处测量
		门宽：＜5 000 5 001～10 000 ＞10 000	3.0 4.0 5.0		在门叶四角测量
5	门叶横直度	门宽：＜5 000 5 001～10 000 ＞10 000	3.0 4.0 5.0	6.0 7.0 8.0	通过各主、次横梁或横向隔板的中心线测量
6	门叶纵向弧度与样板的间隙		3.0	6.0	通过各主、次纵梁或纵向隔板的中心线，用弦长 3 m 的样板测量
7	两主梁中心距		±3.0		
8	两主梁平行度 $\|l'-l\|$		3.0		

续表 7-23

序号	项目及代号	门叶尺寸	允许偏差		备注
			潜孔式	露顶式	
9	纵向隔板错位		2.0		
10	面板与梁组合面的局部间隙		1.0	1.0	
11	面板局部平面度	面板厚度 δ:	每米范围内不超过		
		6 ~ 10	4.0	6.0	
		10 < δ < 16	4.0	5.0	
		> 16	3.0	4.0	
12	门叶底缘直线度		2.0		
13	门叶底缘倾斜 2C		3.0		适用于侧止水橡皮装于门叶两侧与面板垂直的止水座面上的结构
14	侧止水座面直线度		2.0		
15	顶止水座面直线度		2.0		
16	侧止水螺孔中心至门叶底缘距离		±1.5		
17	顶止水螺孔中心至门叶底缘距离		±3.0		

注：当门叶宽度、两边梁中心距及其不平度与侧止水有关时，其偏差值应符合图纸规定。

支腿(见图 7-6)制造、组装的偏差应符合下列规定：

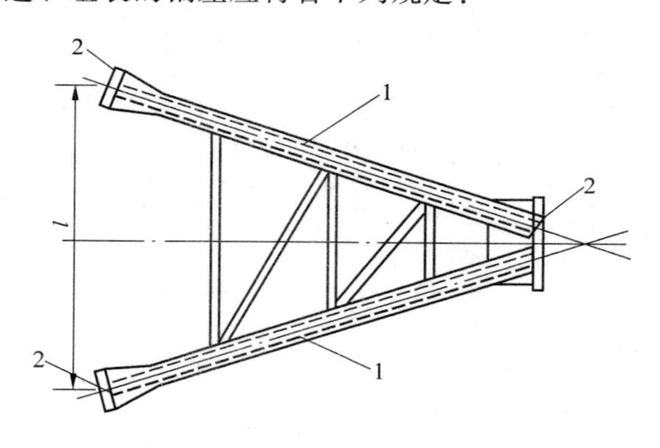

图 7-6 支腿

1—支臂；2—连接板

支臂下料时，应标出焊接收缩和调整的余量，在弧门整体组装时再修正，以使其长度最后能满足铰链轴孔中心至面板外缘曲率半径的要求。

支腿开口处弦长的允许偏差应符合表 7-24 的规定。

表 7-24 支腿开口处弦长的允许偏差

序号	支腿开口处弦长 l (m)	允许偏差(mm)
1	≤4	±2.0
2	4 ~ 6	±3.0
3	＞6	±4.0

支腿的侧面扭曲不应大于 2 mm。

支臂制造的允许偏差应符合表 7-18 的规定。

弧形门吊耳孔的纵、横向中心偏差不应超过±2 mm。

弧门出厂前应进行整体组装检查，其偏差除应符合相关规定外，并应符合下列要求：

(1)铰链中心至门叶中心距离 l_1 的偏差不应超过±1 mm。

(2)支臂中心至门叶中心距离 l_2(支腿开口处)的偏差不应超过±1.5 mm。

(3)在上、下两支臂夹角平分线的垂直剖面图上，上、下支臂侧面的位置度公差 $C=|l_3-l'_3|$，其值应不大于 5.0 mm。

(4)组合处错位不应大于 2 mm。

(5)支臂中心与铰链中心的不吻合值$\varDelta_1$ 不应大于 2 mm，支臂腹板中心与主梁腹板中心的不吻合值$\varDelta_2$ 不应大于 4 mm。

(6)支臂与主梁组合处的中心至支臂与铰链组合处的中心对角线相对差$|D_1-D_2|$不应大于 3 mm。铰链轴孔中心至面板外缘的曲率半径 R 的偏差，对露顶式弧门不应超过 ± 7 mm，两侧相对差不应大于 3 mm。

(7)两个铰链轴孔的同轴度公差 a 不应大于 1 mm，每个铰链轴孔的倾斜度不应大于 1/1 000。

(8)铰链中心至门叶中心距离 l_1 的偏差不应超过 ± 1 mm。

弧门整体组装检查的部位见图 7-7。

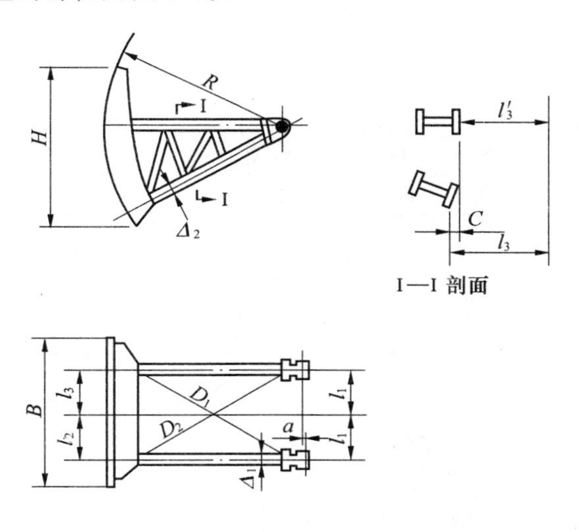

图 7-7　弧门整体组装检查的部位

五、闸门门体和埋件安装的质量控制要点

闸门门体及埋件的安装，由于其结构形式的不同，闸门与其埋件和安装的技术要求也不同。一般来讲，闸门门体及埋件应在制造厂进行整体组装或组拼，经检验合格后方可出厂，并有材质证明、出厂合格证。除安装焊接两侧外，门体埋件的防腐蚀工作均应在制造厂完成，如设计另有规定，则应按设计要求执行。门体及埋件运到现场后，应对门体和埋件做单件或整体复测，各项尺寸符合规范和设计图纸规定。门体和埋件如分节到货，节间

系焊接的，则焊接前应编制焊接工艺措施，焊接时应监视变形；焊接后，门体和埋件尺寸应符合规范和设计的要求。不同的是其各种类型的安装要求、质量标准不同，现分述如下。

(一)埋件安装的质量控制要点

(1)埋件安装前，门槽中的模板等杂物必须清除干净，一、二期混凝土的结合面应全部凿毛，二期混凝土的断面尺寸和预埋锚栓的位置应符合设计图纸的规定。

(2)平面闸门埋件安装的允许偏差应符合设计图样的规定。

(二)闸门门体安装的质量控制要点

(1)底槛安装的质量控制标准见表 7-25。

表 7-25　底槛安装的质量控制标准　　(单位：mm)

<table>
<tr><th>项次</th><th colspan="3">项目</th><th>允许偏差</th></tr>
<tr><td>1</td><td colspan="3">△对门槽中心线 a</td><td>±5</td></tr>
<tr><td>2</td><td colspan="3">△对孔口中心线 b</td><td>±5</td></tr>
<tr><td>3</td><td colspan="3">高程</td><td>±5</td></tr>
<tr><td rowspan="2">4</td><td rowspan="2">△工作表面一端对另一端的高差</td><td colspan="2">L≥10 000</td><td>3</td></tr>
<tr><td colspan="2">L<10 000</td><td>2</td></tr>
<tr><td>5</td><td colspan="3">工作表面平整度(工作范围内)</td><td>2</td></tr>
<tr><td>6</td><td colspan="3">△工作表面组合处的错位</td><td>1</td></tr>
<tr><td rowspan="3">7</td><td rowspan="3">△工作表面扭曲 f</td><td rowspan="3">工作范围内表面宽度 B</td><td>B<100</td><td>1</td></tr>
<tr><td>B=100～200</td><td>1.5</td></tr>
<tr><td>B>200</td><td>2</td></tr>
</table>

注：表中“△”为重要工序。

(2)门楣安装的质量控制标准见表 7-26。

表 7-26　门楣安装的质量控制标准　　(单位：mm)

<table>
<tr><th>项次</th><th colspan="3">项目</th><th>允许偏差(mm)</th></tr>
<tr><td>1</td><td colspan="3">△对门槽中心线 a(工作范围内)</td><td>−1～+2</td></tr>
<tr><td>2</td><td colspan="3">△门槽中心对底槛面的距离 h</td><td>±3</td></tr>
<tr><td>3</td><td colspan="3">工作表面平面度(工作范围内)</td><td>2</td></tr>
<tr><td>4</td><td colspan="3">△工作表面组合处的错位(工作范围内)</td><td>0.5</td></tr>
<tr><td rowspan="2">5</td><td rowspan="2">工作表面扭曲 f</td><td rowspan="2">△工作范围内表面宽度 B</td><td>B<100</td><td>1</td></tr>
<tr><td>B=100～200</td><td>1.5</td></tr>
</table>

(3)平面闸门底槛、门楣检测部位如图 7-8 所示。

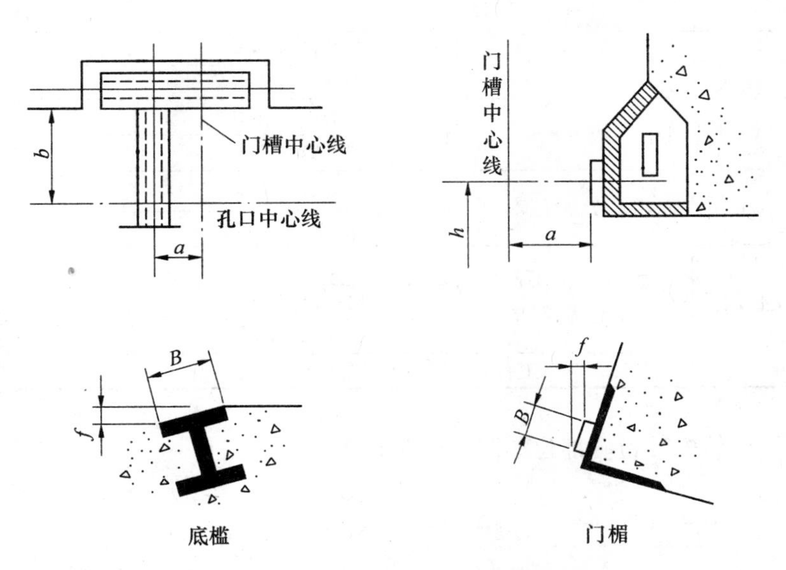

图 7-8　平面闸门底槛、门楣检测部位

(4)主轨安装的质量控制标准见表 7-27。

表 7-27　主轨安装的质量控制标准　（单位：mm）

<table>
<tr><th rowspan="2">项次</th><th rowspan="2" colspan="3">项目</th><th colspan="2">允许偏差值加</th></tr>
<tr><th>加工</th><th>不加工</th></tr>
<tr><td rowspan="2">1</td><td rowspan="2" colspan="2">对门槽中心线 a</td><td>△工作范围内</td><td>+2 ~ −1</td><td>+3 ~ −1</td></tr>
<tr><td>工作范围外</td><td>−1 ~ +3</td><td>−2 ~ +5</td></tr>
<tr><td rowspan="2">2</td><td rowspan="2" colspan="2">对孔口中心线 b</td><td>△工作范围内</td><td>±3</td><td>±3</td></tr>
<tr><td>工作范围外</td><td>±4</td><td>±4</td></tr>
<tr><td rowspan="2">3</td><td rowspan="2" colspan="2">△工作组合处错位</td><td>工作范围内</td><td>0.5</td><td>1</td></tr>
<tr><td>工作范围外</td><td>1</td><td>2</td></tr>
<tr><td rowspan="4">4</td><td rowspan="4">工作表面扭曲 f</td><td rowspan="3">△工作范围内表面宽度 B</td><td><100</td><td>0.5</td><td>1</td></tr>
<tr><td>100 ~ 200</td><td>1</td><td>2</td></tr>
<tr><td>>200</td><td>1</td><td>2</td></tr>
<tr><td colspan="2">工作范围内允许增加值</td><td>2</td><td>2</td></tr>
</table>

(5)侧轨安装的质量控制标准见表 7-28。

表 7-28　侧轨安装的质量控制标准　　(单位：mm)

<table>
<tr><th>项次</th><th colspan="3">项目</th><th>允许偏差</th></tr>
<tr><td rowspan="2">1</td><td colspan="2" rowspan="2">对门槽中心线 a</td><td>△工作范围内</td><td>± 5</td></tr>
<tr><td>工作范围外</td><td>± 5</td></tr>
<tr><td rowspan="2">2</td><td colspan="2" rowspan="2">对孔口中心线 b</td><td>△工作范围内</td><td>± 5</td></tr>
<tr><td>工作范围外</td><td>± 5</td></tr>
<tr><td rowspan="2">3</td><td colspan="2" rowspan="2">△工作表面组合处错位</td><td>工作范围内</td><td>1</td></tr>
<tr><td>工作范围外</td><td>2</td></tr>
<tr><td rowspan="4">4</td><td rowspan="4">工作表面扭曲 f</td><td rowspan="3">△工作范围内表面宽度 B</td><td>B<100</td><td>2</td></tr>
<tr><td>B=100 ~ 200</td><td>2.5</td></tr>
<tr><td>B>200</td><td>3</td></tr>
<tr><td colspan="2">工作范围内允许增加值</td><td>2</td></tr>
</table>

(6)主轨、侧轨安装检测部位如图 7-9 所示。

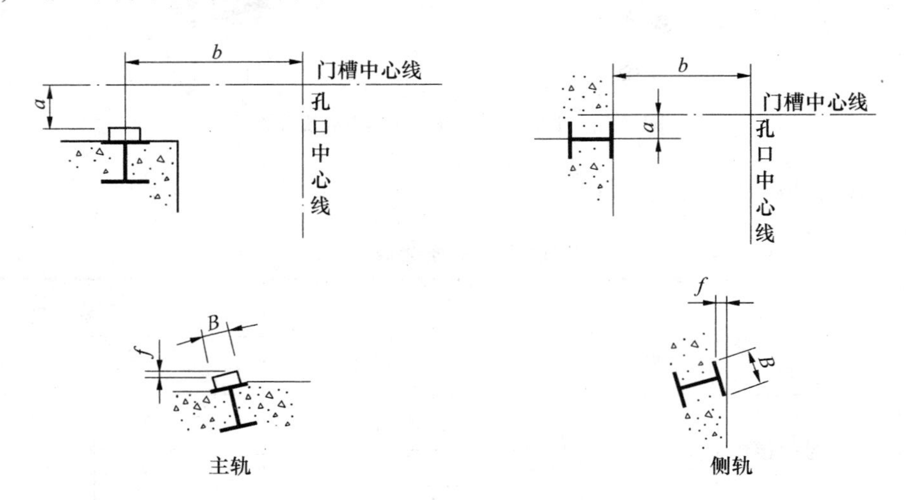

图 7-9　主轨、侧轨安装检测部位

(7)平面闸门侧止水座板安装的质量控制标准见表 7-29。

表 7-29　平面闸门侧止水座板安装的质量控制标准　　(单位：mm)

<table>
<tr><th>项次</th><th colspan="3">项目</th><th>允许偏差</th></tr>
<tr><td>1</td><td colspan="3">△对门槽中心线 a(工作范围内)</td><td>+2 ~ −1</td></tr>
<tr><td>2</td><td colspan="3">△对孔口中心线 b(工作范围内)</td><td>± 3</td></tr>
<tr><td>3</td><td colspan="3">△对工作表面平面度(工作范围内)</td><td>2</td></tr>
<tr><td>4</td><td colspan="3">△工作表面组合处的错位</td><td>0.5</td></tr>
<tr><td rowspan="2">5</td><td rowspan="2">△工作表面扭曲 f</td><td rowspan="2">工作范围内表面宽度 B</td><td>B<100</td><td>1</td></tr>
<tr><td>B=100 ~ 200</td><td>1.5</td></tr>
</table>

(8)平面闸门反轨安装的质量控制标准见表 7-30。

表 7-30　平面闸门反轨安装的质量控制标准　　(单位：mm)

项次	项目			允许偏差
1	对门槽中心线 a		△工作范围内	+3 ~ −1
			工作范围外	+5 ~ −2
2	对孔口中心线 b		△工作范围内	± 3
			工作范围外	± 5
3	△工作表面组合处的错位		△工作范围内	1
			工作范围外	2
4	工作表面扭曲 f	△工作范围内表面宽度 B	$B<100$	2
			B=100 ~ 200	2.5
			$B>200$	3
		工作范围外允许增加值		2

(9)平面闸门侧止水座板及反轨检测部位如图 7-10 所示。

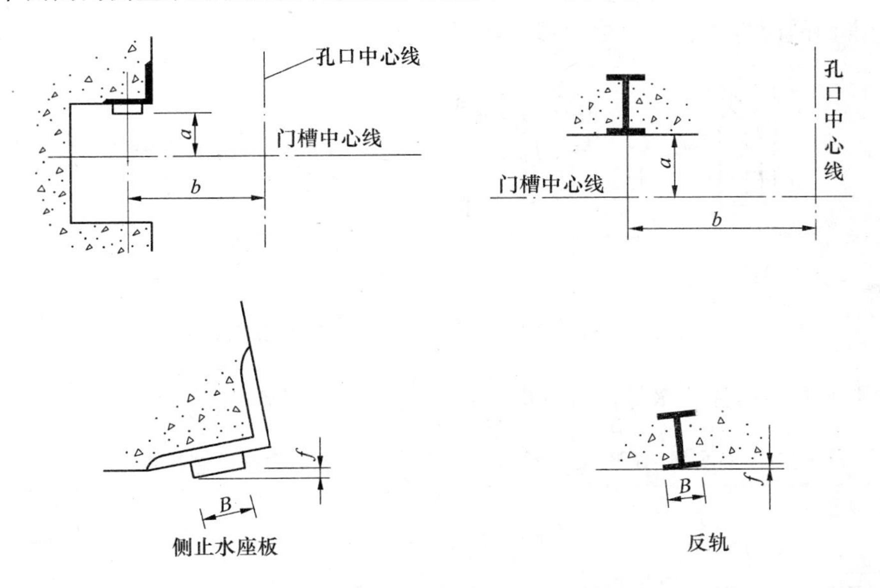

图 7-10　平面闸门侧止水座板及反轨检测部位

(10)平面闸门胸墙安装的质量控制标准见表 7-31。

表 7-31　平面闸门胸墙安装的质量控制标准

项次	项目	允许偏差(mm)			
		兼作止水		不兼作止水	
		上部	下部	上部	下部
1	△对门槽中心线 a(工作范围内)	+5 ~ 0	+2 ~ 1	+8 ~ 0	+2 ~ 1
2	△工作表面平整度(工作范围内)	2	2	4	4
3	△工作表面组合处的错位(工作范围内)	1	1	1	1

(11)平面闸门护角兼作侧轨的安装质量控制标准见表 7-32。

表 7-32　平面闸门护角兼作侧轨的安装质量控制标准　　(单位：mm)

项次	项目			允许偏差
1	对门槽中心线 a		△工作范围内	±5
			工作范围外	±5
2	对孔口中心线 b		△工作范围内	±5
			工作范围外	±5
3	△工作表面组合处的错位		工作范围内	1
			工作范围外	2
4	工作表面扭曲 f	△工作范围内表面宽度 B	$B<100$	2
			B=100～200	2.5
			$B>200$	3
5	工作表面扭曲工作范围外允许增加值			2

(12)平面闸门胸墙、护角检测部位如图 7-11 所示。

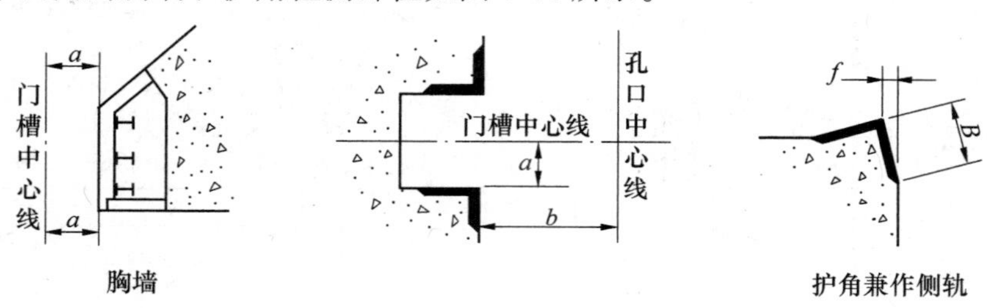

图 7-11　平面闸门胸墙、护角检测部位

(13)平面闸门门体止水橡皮、反向滑块安装的质量控制标准如表 7-33 所示。

表 7-33　平面闸门门体止水橡皮、反向滑块安装的质量控制标准　　(单位：mm)

项次	项　目	允许偏差	
		合格	优良
1	△止水橡皮顶面平度	2	2
2	△止水橡皮与滚轮或滑道的距离	+2～1	±1
3	△反向滑块至滑道或滚轮的距离(自由状态)	±2	+2～1
4	两侧止水中心距离和顶止水至底止水边缘距离	±3	±3
5	闸门处于工作状态时，止水橡皮预压缩量应符合图纸要求	+2～1	+2～1

检验方法如下：①项次 1 用钢丝线、钢板尺检验，通过止水橡皮顶面拉线测量，每 0.5 m 测 1 点。②项次 2 用钢丝线、钢板尺检验，通过滚轮顶面拉线测量，每段滑道至少在两端各测 1 点。③项次 3 用钢丝线、钢板尺检验，通过反向滑块面、滚轮面或滑道

面拉钢丝线测量。④项次 4 用钢尺测量每米测 1 点。

(14)所有埋件安装后，均应用加固钢筋将其与预埋螺栓或插筋焊牢，以免浇筑二期混凝土时发生位移。二期混凝土拆模后，应进行复测。同时清除遗留的钢筋头，以免影响闸门启闭。

(15)门体表面的清除和局部凹坑焊补，一、二类焊缝内部焊接，防腐涂料涂装及金属喷镀等均要符合设计及规范规定的标准。

(16)分段闸门在现场组装后需按 DL/T5018—94《水利水电工程闸门制造安装及验收规范》的规范或设计要求检查。

(17)单元工程划分：以一扇门体安装为 1 个单元工程。

(18)单元工程质量评定标准如下：

合格：主要项目全部符合质量标准，一般项目检验的实测点有 90%以上符合质量标准，其余基本符合。

优良：在合格的基础上，优良项目占全部项目 50%及其以上，且主要项目全部优良。

六、平面闸门安装的质量控制要点

(1)整体到货的闸门在安装前，应对其各项尺寸进行复查。

(2)分节到货的闸门组成整体后，其各项尺寸应满足下列要求：①节间如采用焊接，则焊接前应按已评定合格的焊接工艺编制焊接工艺规程，焊接时应监视变形。②节间如采用螺栓连接，则螺栓应均匀拧紧，节间橡皮的压缩量应符合图纸规定。

(3)止水橡皮表面应光滑平直，不得盘折存放，其厚度允许偏差为 ± 1 mm，其余外形尺寸的允许偏差为设计尺寸的 2%。

(4)止水橡皮的螺孔应按门叶或止水板上的螺孔位置定出，然后进行冲孔或钻孔，孔径应比螺栓直径小 1.0 mm，严禁烫孔。当螺栓均匀拧紧后，其端头应低于止水橡皮自由表面 8.0 mm 以上。

(5)止水橡皮接头可采用生胶热压等方法胶合，胶合接头处不得有错位、凹凸不平和疏松现象。

(6)止水橡皮安装后，两侧止水中心距离和顶止水中心至底止水底缘的距离偏差均不应超过 ± 3.0 mm，止水板表面平面度为 2.0 mm。闸门处于工作部位后，止水橡皮的压缩量应符合设计图纸的规定，其允许偏差为–1.0 ~ +2.0 mm。

(7)单吊点的平面闸门应做静平衡试验，试验的方法为：将闸门吊离地面 100 mm，通过滚轮或滑道中心测量上、下与左、右方向的倾斜，倾斜度不应超过门高的 1/1 000，且不大于 8.0 mm。

七、弧形闸门门体及埋件安装的质量控制要点

(一) 一般规定和要求

(1)埋件应在制造厂进行整体组装，经检查合格后方可出厂，其中铰座和铰座钢梁的螺孔应配钻。

(2)弧门铰座的基础螺栓中心和设计中心的位置偏差不应大于 1 mm。

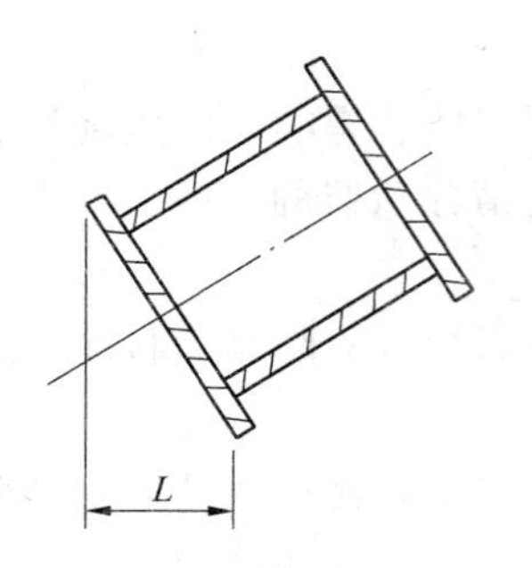

图 7-12 铰座钢梁的倾斜度

(3)弧门铰座钢梁中心的里程、高程和对孔口中心线距离的偏差不应超过 ± 1.5 mm。铰座钢梁的倾斜度(见图 7-12)按其水平投影尺寸 L 的偏差值来控制，一般偏差不应大于 L/1 000。

(4)锥形铰座基础环的中心偏差和表面垂直偏差均不应大于 1 mm(如表面为粗加工面，则垂直偏差为 2 mm)，其表面对孔口中心线距离的允许偏差为–1.0 ~ +2.0 mm。

(5)除焊缝两侧外，埋件防腐蚀工作应在制造厂完成。

(6)埋件运到现场后应对埋件单件或整体复测，各项尺寸应符合相关规范和设计图纸规定。

(7)作为安装铰座、侧止水座板、底槛等埋件用的控制点，设置时应由同一基准点引出其相互间尺寸，应仔细核对，免出差错。

(8)埋件安装完，应用加固钢筋将其与预埋螺栓或插筋焊牢，以免浇筑二期混凝土时发生位移。

(9)埋件安装完，经检查合格后，应在 5 ~ 7 d 内浇筑二期混凝土，如过期或有碰撞，应予复测，复测合格后方可浇筑混凝土。浇筑时应注意防止撞击。

(10)埋件的二期混凝土拆模后，应对埋件进行复测，并做好记录。同时，检查混凝土表面尺寸，清除遗留的钢筋头和杂物，以免影响闸门启闭。

(二)弧形闸门各部位安装的质量控制标准

(1)底槛安装的质量控制标准见表 7-34。

表 7-34 底槛安装的质量控制标准 (单位：mm)

项次	项目			允许偏差
1	△对孔口中心线 b(工作范围内)			± 5.0
2	△工作表面一端对另一端的高差		L≥10 000	3.0
			L<10 000	2.0
3	△工作表面流状不平度			2.0
4	△工作表面组合处的错位			1.0
5	△工作表面扭曲 f	工作范围内表面宽度 B	B<100	1.0
			B=100 ~ 200	1.5
			B>200	2.0
6	里程			± 5.0
7	高程			± 5.0

注：安装时门楣一般为最后固定，故其位置宜按门叶实际位置进行调整；工作范围指孔口高度；构件每米至少测 1 点，潜孔式侧止水座板如为不锈钢，其组合处错位为 0.5 mm，组合处错位应磨成缓坡。

(2)弧形闸门门楣安装的质量控制标准见表 7-35。

表 7-35　弧形闸门门楣安装的质量控制标准　　(单位：mm)

项次	项目			允许偏差
1	△工作表面流状不平度			2
2	门楣中心至底槛的距离			±3
3	△工作表面组合处的错位			0.5
4	△工作表面扭曲 f	工作范围内表面宽度 B	B<100	1
			B=100～200	1.5
5	里程			+2～1

(3)弧形闸门侧止水座板安装的质量控制标准见表 7-36。

表 7-36　弧形闸门侧止水座板安装的质量控制标准　　(单位：mm)

项次	项目			允许偏差	
				潜孔式	露顶式
1	对孔口中心线 b	△工作范围内		±2	+3～−2
		工作范围外		+4～−2	+6～−2
2	△工作表面流状不平度			2	2
3	△工作表面组合处的错位			1	2
4	△侧止水座板和侧轮导板中心线的曲率半径			±5	±5
5	工作表面扭曲 f	△工作范围内表面宽度 B	B<100	1	1
			B=100～200	1.5	1.5
			B>200	2	2
		工作范围外允许增加数值		2	2

(4)弧形闸门侧轮导板安装的质量控制标准见表 7-37。

表 7-37　弧形闸门侧轮导板安装的质量控制标准　　(单位：mm)

项次	项目			允许偏差
1	对孔口中心线 b	△工作范围内		+3～−2
		工作范围外		+6～−2
2	△工作表面流状不平度			2
3	△工作表面组合处的错位			2
4	侧止水座板和侧轮导板中心线的曲率半径			±5
5	工作表面扭曲 f	△工作范围内表面宽度 B	B<100	2
			B=100～200	2.5
			B>200	3
		工作范围外允许增加数值		2

(5)弧形闸门工作范围内各埋件距离的质量控制标准规定见表 7-38。

表 7-38　弧形闸门工作范围内各埋件距离的质量控制标准

项次	项目	允许偏差(mm)	
		潜孔式	露顶式
1	底槛中心与铰座中心水平距离	±4	±5
2	侧止水座板中心与铰座中心距离	±4	±6
3	铰座中心与底槛垂直距离	±4	±5
4	两侧止水座板间距离	+4 ~ −3	+5 ~ −3
5	两侧轮导板间距离	+5 ~ −3	+5 ~ −3

(6)弧形闸门铰座钢梁、铰座基础螺栓中心及锥形铰座基础环安装的质量控制标准见表 7-39。

表 7-39　弧形闸门铰座钢梁、铰座基础螺栓中心及锥形铰座基础环安装的质量控制标准

项次	项　目	允许偏差(mm)
1	△铰座钢梁里程	±1.5
2	△铰座钢梁高程	±1.5
3	△铰座钢梁中心和孔口中心	±1.5
4	△铰座钢梁倾斜度	L/1 000
5	铰座基础螺栓中心	1
6	锥形铰座基础环中心	1
7	锥形铰座基础环(加工)表面铅垂度	1

(7)弧形闸门门体铰座安装的质量控制标准见表 7-40。

表 7-40　弧形闸门门体铰座安装的质量控制标准

项次	项目	允许偏差(mm)
1	△铰座轴孔倾斜度	1/m
2	△两铰座轴线相对位置的偏移	1.5 ~ 2.0
3	铰座中心对孔口中心距离	±1.0 ~ ±1.5
4	铰座里程	±1.5 ~ ±2.0
5	铰座高程	±1.5 ~ ±2.0

(8)弧形闸门门体铰轴及支臂安装的质量控制标准见表 7-41。

表 7-41　弧形闸门门体铰轴及支臂安装的质量控制标准

项次	项目	允许偏差(mm)	
		潜孔式	露顶式
1	△铰轴中心至面板外缘曲率半径	±4	±(6 ~ 8)
2	△两侧曲率半径相对差	3	5 ~ 4
3	支臂中心线与铰座中心线吻合值	1.5 ~ 2	1.5 ~ 2
4	支臂中心与门叶中心的偏差	±1.5	±1.5

(9)弧形闸门门体支臂两端连接板和抗剪板及止水安装的质量控制标准见表 7-42。

表 7-42　弧形闸门门体支臂两端连接板和抗剪板及止水安装的质量控制标准

项次	项目	质量标准
1	支臂两端的连接板和铰链、主梁接触	良好
2	抗剪板和连接板接触	顶紧
3	止水橡皮实际压缩量和设计压缩量之差的允许偏差(mm)	+2 ~ −1

八、人字闸门安装的质量控制要点

(1)顶枢装置(见图 7-13)安装的偏差应符合下列规定：①顶枢埋件应根据门叶上顶枢轴座板的实际高程进行安装，拉杆两端的高差不应大于 1.0 mm。②两拉杆中心线的交点与顶枢中心偏差不应大于 2.0 mm。③顶枢轴两座板要求同心，其倾斜度不应大于 1/1 000，且顶轴线与底枢轴线应在同一轴线上，其偏差值不应大于 2.0 mm。

(2)底枢装置(见图 7-14)安装的偏差应符合下列规定：①蘑菇头中心的偏差不应大于 2.0 mm，高程偏差不超过 ± 3.0 mm。左右两蘑菇头标高相对差不应大于 2.0 mm。②底枢轴座水平偏差不应大于 1/1 000。

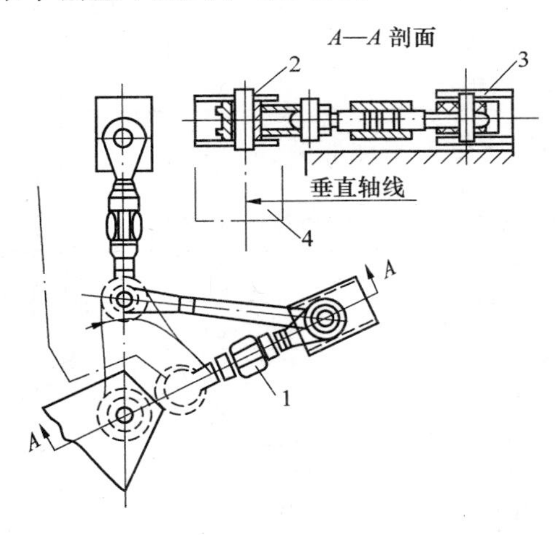

图 7-13　顶枢装置

1—底枢顶盖；2—轴套；3—蘑菇头；4—底枢轴座

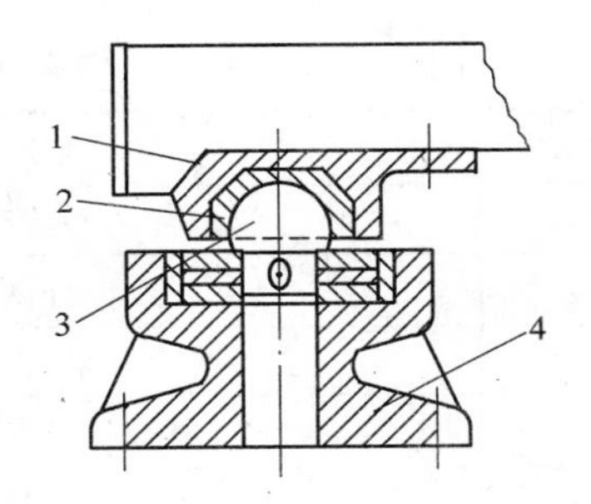

图 7-14　底枢装置

1—拉杆；2—轴；3—座板；4—门叶

(3)支、枕座垫块(见图 7-15)调整后，应符合下列规定：①每对组接触的支、枕座垫块中心线的相对偏移值 C 不应大于 5.0 mm。②不兼作止水的支、枕座垫块间不应有大于 0.2 mm 的连续间隙，局部间隙不大于 0.4 mm；兼作止水的支、枕座垫块间，不应有大于 0.15 mm 的连续间隙，局部间隙不大于 0.3 mm。间隙累计长度应不超过支、枕座垫块长度的 10%。

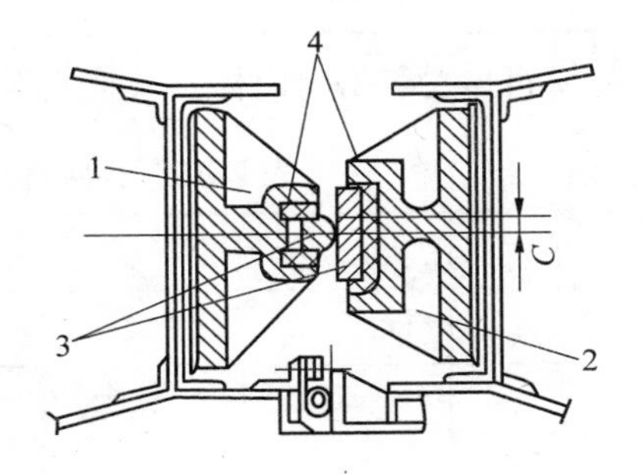

图 7-15　支、枕座垫块

1—支座；2—枕座；3—垫块；4—填层

(4)支、枕座安装时，以顶部和底部的支、枕座中心的连线检查中间支、枕座的中心线，要求其任何方向的偏移值不应大于 2.0 mm。

(5)旋转门叶从全开到全关过程中，斜接柱上任意一点的最大跳动量，当门宽小于或等于 12 m 时，为 1.0 mm；当门宽大于 12 m 时，为 2.0 mm。

(6)支、枕座垫块与支、枕座间浇筑填料时应符合下列规定：①如浇筑巴氏合金，则当支、枕座垫块间的间隙小于 7 mm 时，应将垫块和支、枕座均匀加热到 200℃后方可浇筑，禁用氧–乙炔焰加热。②如浇筑环氧垫料，则其成分、配料比例和允许最小间隙须经试验决定。

(7)当闸门全关，各项止水橡皮的压缩量为 2.0 ~ 4.0 mm 时，门底的限位橡皮块应与闸门底槛角钢的竖面均匀接触。

(8)人字闸门安装后，底模梁在斜接柱一端的下垂值不应大于 5.0 mm。

(9)人字闸门埋件底枢装置安装的质量控制标准见表 7-43。

表 7-43　人字闸门埋件底枢装置安装的质量控制标准

项次	项目	允许偏差(mm)
1	△蘑菇头中心	2 ~ 1.5
2	△两蘑菇头相对高程	2 ~ 1.5
3	△底枢轴座水平	1/m ~ 0.8/m
4	蘑菇头高程	± 3 ~ ± 2

(10)人字闸门埋件顶枢装置及枕座安装的质量控制标准见表 7-44。

表 7-44　人字闸门埋件顶枢装置及枕座安装的质量控制标准

项次	项目		允许偏差(mm)
1	△两拉杆中心线交点与顶枢中心		2 ~ 1.5
2	△拉杆两端高程		1 ~ 0.8
3	△顶枢轴两座板铅垂度		1/m ~ 0.8/m
4	枕座中心线(倾斜值)		2 ~ 1.5
5	每对相接触的支、枕座垫块中心线偏移		5 ~ 4
6	支、枕座垫块间隙	局部的	0.4，连续长度不超过 5% ~ 10%
		连续的	0.2 ~ 0.1

(11)人字闸门门体顶、底枢轴线安装的质量控制标准见表 7-45。

表 7-45　人字闸门门体顶、底枢轴线安装的质量控制标准

项次	项目	允许偏差(mm)
1	△顶、底枢轴线偏离值	2 ~ 1.5
2	△旋转门叶，从全开至全关过程中，斜接柱上任一点的跳动量 门宽小于 12 m 门宽大于 12 m	 1 ~ 0.5 2 ~ 1.5
3	△底模梁在斜接柱一端的下垂度	5 ~ 4

(12)人字闸门门体止水橡皮安装的质量控制标准见表 7-46。

表 7-46　人字闸门门体止水橡皮安装的质量控制标准

项次	项目	允许偏差(mm)
1	△止水橡皮顶面平度	2
2	止水橡皮实际压缩量和设计压缩量之差	+2 ~ −1

九、闸门试验时的质量控制要求

(1)闸门在安装好后，应在无水情况下做全程启闭试验，试验前应检查挂钩梁自动挂钩、脱钩是否灵活可靠，充水阀在行程范围内的升降是否自如，在最低位置时止水是否严密；同时还须清除门叶上和门槽内所有杂物并检查吊杆的连接情况。启闭时应在止水橡皮处浇水润滑。有条件时工作闸门应做动水启闭试验。

(2)闸门启闭过程中，应检查滚轮、支铰等转动部位的情况，闸门升降有无卡阻，止水橡皮有无损伤现象等。

(3)闸门全部处于工作部位后，闸门在承受设计水头的压力时，通过橡皮止水每米长度的漏水量不应超过 0.1L/s，并应用灯光或其他方法检查止水橡皮的压紧程度，不应有透亮或有间隙。如闸门为上游止水，则应在支承装置和轨道接触后检查。

(4)动水启闭试验：对于事故闸门、工作闸门，应按施工图纸要求进行动水条件下的启闭试验，试验水头应尽可能与设计水头一致。动水试验前，施工单位应根据施工图纸及现场条件，编制试验大纲报送监理批准后实施。

(5)通用性试验：对一门多槽使用的平面闸门，必须分别在每个门槽中进行无水情况下的全程启闭试验，并经检查合格。

第三节　栏污棚制造和安装的质量控制

拦污栅埋件制造的允许偏差应符合表 7-47 中的规定。拦污栅单个构件制造的允许偏差应符合相关规定。拦污栅栅体制造的偏差应符合下列规定：

表 7-47　栏污栅埋件制造的允许偏差

序号	项目	允许偏差(mm)
1	工作面弯曲度	构件长度的 1/1 000，且不超过 6.0
2	侧面弯曲度	构件长度的 1/750，且不超过 8.0
3	工作面局部凹凸不平度	每米范围内不超过 2.0
4	扭曲	3.0

(1)栅体对角线相对差不应超过 6.0 mm，扭曲不应超过 4.0 mm。

(2)栅体宽度和高度的偏差不应超过 ± 8.0 mm。厚度的偏差不应超过 ± 4.0 mm。

(3)栅体的吊耳孔中心距偏差不应超过 ± 4.0 mm，栅体的滑块或滚轮应在同一平面内，其工作面最高点和最低点的差值不应大于 4.0 mm。

(4)各栅条应互相平行，其间距偏差不应超过设计间距的 ± 5%。

(5)滑块或滚轮的跨度偏差不应超过 ± 6.0 mm，同侧滑块或滚轮的中心线偏差不应超过 ± 3.0 mm。

(6)两边梁下端的承压板应在同一平面内，若不在同一平面内，则其平面度公差应不大于 3.0 mm。

活动式拦污栅埋件安装的允许偏差应符合表 7-48 中的规定。

表 7-48　活动式拦污栅埋件安装的允许偏差

项次	项目	允许偏差(mm)
1	△主轨对栅槽中心线	+3 ~ −2
2	△反轨对栅槽中心线	+5 ~ −2
3	底槛里程	± 5 ~ ± 4
4	底槛高程	± 5 ~ ± 4
5	底槛对孔口中心线	± 5 ~ ± 4
6	主、反轨对孔口中心线	± 5 ~ ± 4
7	倾斜设置的拦污栅的倾斜角度(′)	−10′ ~ 10′
8	底槛工作面一端对另一端的高程	3 ~ 2

活动式拦污栅孔口部位各埋件间距的允许偏差见表 7-49。

表 7-49　活动式拦污栅孔口部位各埋件间距的允许偏差

项次	项目	允许偏差(mm)
1	主、反轨工作面间距	−3 ~ +7
2	主轨对孔口中心线	± 5
3	反轨对孔口中心线	± 5

固定式拦污栅埋件安装时，各模梁工作表面应在同一平面内，其工作表面最高点或最低点的差值不得超过 3.0 mm。

栅体吊入栅槽后，应做升降试验，检查其动作情况及各节的连接是否可靠，以及栅槽有无卡滞。

使用清污机的拦污栅应满足设计图样的规定。

对于倾斜设置的拦污栅埋件，其倾斜角的允许偏差为 ± 10′。

第四节　起重设备及启闭机安装的质量控制

一、一般技术要求

(1)施工单位应按制造厂提供的图纸和技术说明书要求进行安装、调试和试运转。安装好的启闭机、起重机，其机械性能和电器设备等的各项性能应符合施工图纸及制造厂技术说明书的要求。

(2)安装起重机或启闭机的基础建筑物必须稳固安全，机座和座基础构件的混凝土应按施工图纸的规定浇筑，在混凝土强度尚未达到设计强度时，不准拆除和改变启闭机的临时支撑，更不得进行调试和试运转。

(3)启闭机机械电器设备的安装应按 DL/T5019—94《水利水电工程启闭机安装及验收规范》的相关规定进行，并应符合施工图纸及制造厂技术说明书的规定。全部电气设备应可靠接地。

(4)每台启闭机安装完毕后，施工单位应对启闭机进行清理，修补已损坏的保护油漆，并根据制造厂的技术说明书要求，灌注润滑脂。

二、起重机设备安装的质量控制要点

(一)轨道的安装要求

(1)轨道的基础螺栓对轨道中心线距离的偏差不应超过 ± 2 mm，轨道安装后，螺纹应露出 2 ~ 5 扣。

(2)钢轨如有弯曲、歪扭等变形，应按下列规定矫形，合格后方可安装：①钢轨的两端应平直，其直线度不应大于 1 mm。②钢轨正面、侧面的弯曲度不应大于 1/1 500，全长不应大于 2 mm。

(3)轨道接头应符合下列规定：①接头左、右、上三面的错位均不应大于 1 mm。②两平行轨道接头的位置应错开，其错开距离不应等于起重机前后车轮的轮距。③接头间隙应为 1 ~ 3 mm，伸缩接头间隙应符合图纸规定，其偏差不应超过 ± 1 mm。

(4)轨道安装的允许偏差应符合表 7-50 中的规定。

表 7-50　轨道安装的允许偏差　(单位：mm)

序号	项目		允许偏差	备注
1	轨道实际中心线对轨道设计中心线的偏移	$L<10\ 000$ $L>10\ 000$	2 3	轨道设计中心线应根据启闭机起吊中心线、坝轴线或厂房中心线测定
2	轨距	$L<10\ 000$ $L>10\ 000$	± 3 ± 5	
3	轨道横向倾斜度		轨宽的 1/100	每根轨道两端和中间测量
4	轨道纵向直线度		构件长度的 1/1 500，且不超过 10	
5	同一断面上两轨道的标高相对差		$L/800$，且不超过 10	

注：L 为轨距。

(二)起重设备组装的一般要求

(1)所有零部件必须经检验合格，外购件、外协件应有合格证明文件方可进行组装。

(2)产品一般应在厂进行组装，如果设备较大，工厂组装有困难，也可到现场进行组装。

(3)各零部件准确就位后，应拧紧所有紧固螺钉，弹簧垫圈必须整圈与螺母及零件支承面相接触。松动的键应更换，以防止壳部产生裂纹，禁止在键槽内放置垫片。

(4)制动器的铰轴不应有锈住现象，制动轮和闸瓦之间的间隙应符合相关要求。制动器安装的质量控制标准应符合表 7-51 中的规定。

表 7-51　制动器安装的质量控制标准　（单位：mm）

项次	项目	允许偏差		
		＜200	200～300	＞300
1	制动轮径向跳动	0.1	0.12	0.18
2	制动轮端面圆跳动	0.15	0.20	0.23
3	制动轮与制动带的接触面积不小于总面积的	75%～80%		

(5)快速启闭机的离心式调速器制动锥面的间隙应四周均匀，其初始值为 0.75 mm。

(6)减速器加油前应进行清洗检查，减速器内润滑油的质量应符合厂家设计要求。油位应与油标尺的刻度相符，无油标尺时，其油位不得低于齿轮最低齿的齿高，但亦不应过高；减速器应转动灵活，运转时其油封和接合面处不得漏油。

(7)制动器和离心式调速器的摩擦面不应有油污，其接触面应均匀，并不得小于总面积的 75%。

(8)钢丝绳表面应涂防锈油脂，不应有腐蚀、硬弯、扭结和被夹或被砸成扁平状等缺陷，其型号、长度均应符合设计图纸规定。固定钢丝绳用的螺钉和卷筒上螺孔的螺纹均应完好无损，螺钉上应有防松装置。钢丝绳和其附件均应具有出厂合格证，如无合格证，应切下一段长 1 500 mm 左右的钢丝绳，做单丝的抗拉强度试验，再算出整绳的抗拉强度。其强度应符合图纸的要求，方可使用。

(9)卷筒上缠绕多层钢丝绳时，钢丝绳应有顺序地逐层缠绕在卷筒上，不得挤叠和乱槽。

(10)组装车轮时，车轮位置应与轴承箱的垫板对称，轴承箱两支承面必须放在互相平行于车轮中心的两垂直面上，其不平行差不应超过 0.09 mm，轴承处应注满黄油。

(11)过负荷装置或荷重指示器，其主要零部件在出厂前应进行调试。对于采用弹簧杠杆式的过负荷装置，其杠杆应动作灵活，弹簧应进行刚度试验，并将试验数据作为技术文件提供给用户，以便现场安装调整。对于采用荷重指示器——电子称，其杠杆压力中心线必须通过传感器的轴线，避免产生水平推力，为保护传感器不受损伤，应单独装箱出厂。

(12)电气设备的安装应符合现行的国家标准的有关规定。

(13)弹性圆柱销联轴器两轴的同轴度、联轴器间的端面间隙的安装质量应符合表 7-52 和表 7-53 中的规定(桥式起重机)。

(三)起重设备零部件组装调整的质量控制

(1)轴瓦与轴承座的结合应紧密，轴径与轴瓦间的顶间隙应符合表 7-54 的规定，其顶间隙可用压铅法测量，每侧的侧间隙一般应为顶间隙的 50%～75%。轴瓦与轴肩应留有 1.0～2.0 mm 的轴向间隙。

(2)联轴器组装时，联轴器两轴的不同轴度和端面间隙可按有关规范测定控制。

(3)渐开线齿轮啮合的最小侧间隙和顶间隙应符合表 7-55 和表 7-56 中的规定。

表 7-52　弹性圆柱销联轴器两轴的同轴度的安装质量

项次	项目	允许偏差(mm)			
		联轴器外型最大直径 D			
		105～170	190～260	290～350	410～500
1	径向位移不应大于	0.14	0.16	0.18	0.20
2	倾斜度不应大于	40′			

表 7-53　联轴器间的端面间隙的安装质量

检测项目	轴孔直径 d	标准型			轻型		
		型号	外型最大直径 D	允许值	型号	外型最大直径 D	允许值
端面间隙	25～28	B_1	120	1～5	Q_1	105	1～4
	30～38	B_2	140	1～5	Q_2	120	1～4
	35～45	B_3	170	2～6	Q_3	145	1～4
	40～55	B_4	190	2～6	Q_4	170	1～5
	45～65	B_5	220	2～6	Q_5	200	1～5
	50～75	B_6	260	2～8	Q_6	240	2～6
	70～95	B_7	330	2～10	Q_7	290	2～6
	80～120	B_8	410	2～12	Q_8	350	2～8
	100～150	B_9	500	2～15	Q_9	440	2～10

表 7-54　轴颈与轴瓦间的顶间隙　　(单位：mm)

轴颈直径 D	顶间隙
50～80	0.07～0.14
80～120	0.08～0.16
120～180	0.10～0.20
180～260	0.12～0.23
260～360	0.14～0.23

表 7-55　渐开线齿轮啮合的最小侧间隙　　(单位：mm)

结合形式	中心距										
	＜50	50～80	80～120	120～200	200～320	320～500	500～800	800～1 250	1 250～2 000	2 000～3 150	3 150～5 000
	最小侧间隙										
D_c	0.085	0.105	0.130	0.170	0.210	0.260	0.340	0.420	0.530	0.710	0.850
D_e	0.170	0.210	0.260	0.340	0.420	0.530	0.670	0.850	1.060	1.400	1.700

注：D_c 为标准保证侧隙；D_e 为较大保证侧隙。

表 7-56　渐开线齿轮啮合的顶间隙

齿轮压力角	标准间隙(C)	最大间隙
20°标准齿	0.25 m_n	1.1C

注：m_n 为齿轮的法向模数。

(4)渐开线齿轮啮合的接触斑点百分值，应符合表 7-57 的规定。

表 7-57　渐开线齿轮啮合的接触斑点百分值

齿轮类别	测量部位	精度等级		
		7	8	9
		接触斑点百分值最小值		
圆柱齿轮	齿高 齿长	45 60	40 50	30 40

(5)制动轮在制动状态下，制动带与制动轮的接触面积不应小于总面积的 75%，制动轮工作表面严禁沾有油腻。

(6)各种型号制动器的闸瓦退距和电磁铁行程，在安装时可参照起重机制动器有关规定进行初调，调整后两闸瓦的退距应均等。

(7)制动轮摆动值应符合表 7-58 中的规定。

表 7-58　制动轮摆动值　(单位：mm)

序号	摆动方向	制动轮直径 D		
		<200	200～300	300～600
		允许摆动值		
1	径向摆动	0.10	0.12	0.18
2	轴向摆动	0.15	0.20	0.25

(8)液压制动器工作油可按表 7-59 推荐的油液选用。

表 7-59　推荐选用的液压制动器工作油

序号	周围介质温度(℃)	推荐选用油液名称
1	+40～0	10 号变压器油(凝固点−10℃)
2	0～−15	25 号变压器油(凝固点−25℃)
3	−15～−30	仪表油(凝固点−60℃)

注：周围介质温度在 0℃以上时，也可选用 20 号机械油。

(9)减速器加油前，应进行清洗、检查。减速器内滑润油的油位应与油标尺的刻度相符。无油标尺时，其油位不应低于大齿轮最低齿的齿高，但亦不应过高，运转时其油封及结合面处不得漏油。

另外，起重设备出厂前，应进行装配和试运转，经检验合格方可出厂。

起重设备上的电气设备安装应符合 SDJ81《电力建设施工及验收技术规范》(电气装置篇)中的有关规定。

起重机械试运转前，所有限位开关、车挡、缓冲器、安全联轴器和联锁保护装置等必须安装调整好。

三、固定卷扬式启闭机安装的质量控制要点

(1)产品运到现场后应进行全面检查，其内容包括：①对因包装、运输等原因造成锈

蚀、变形、碰伤和动作不灵活的零部件等缺陷时，必须进行清洗和矫正，经检查合格后方可进行安装。②检查机器各部件的装配质量是否符合要求。③仔细清除机件上的积灰、油污、铁屑等杂物。④检查所有电气设备和电线是否完整无损，绝缘是否良好。

(2)检查基础螺栓埋设位置是否准确。启闭机平台高程的偏差不应超过 ± 5 mm，水平偏差不应大于 0.5/1 000。

(3)启闭机的安装应根据起吊中心线找正，其纵横向中心线偏差不应超过 ± 3 mm。

(4)根据设计图样穿绕钢丝绳，钢丝绳端部的固定必须符合设计要求，采用锥形套筒灌铅或锌，应经拉力试验；采用绳卡固定，其数量应符合设计要求。

(5)缠绕在卷筒上的钢丝绳长度，当吊点在下极限时，留在卷筒上的钢丝绳圈数一般不少于 4 圈(其中 2 圈作为固定用，另外 2 圈为备用圈数)；当吊点在上极限时，卷筒上的空槽不得少于 1 圈。钢丝绳的极限导角不得超过 ± 6°，多层缠绕时，出绳角应在 0.5° ~ 2.5°的范围内；每层返回角应在 0.5° ~ 2.5°范围内。

(6)双吊点启闭机吊距误差一般不超过 ± 3 mm，钢丝绳拉紧后，两吊轴中心线应在同一水平上，其高差不得超过 5 mm。

(7)快速启闭机过速限制器上离心飞摆弹簧的长度及摩擦片间隙，应按图样尺寸进行初调，试动转时再按实际关闭时间调整弹簧的松紧。

(8)固定卷扬式启闭机中心高程和水平安装的允许偏差应符合表 7-60 中的规定。

表 7-60　固定卷扬式启闭机中心高程和水平安装的允许偏差　　(单位：mm)

项次	项目	允许偏差
1	△纵横向中心线	2.5 ~ 3.0
2	高程	± 5 ~ ± 4
3	△水平	0.5/m ~ 0.4/m

四、液压启闭机安装的质量控制要点

(1)液压启闭机机架的纵横向中心线与从门槽实际位置测得的起吊中心线的距离的偏差不应超过 ± 2 mm，高程偏差不应超过 ± 5 mm，双吊点液压启闭机支承面的高差不应超过 ± 0.5 mm。

(2)机架钢梁与推力支座的组合面的间隙不超过 0.05 mm，其局部间隙不应大于 0.1 mm，深度不应超过组合面宽度的 1/3，累计长度不超过周长的 20%，推力支座顶面水平偏差不应大于 0.2/1 000。

(3)在活塞杆竖直状态下测定活塞杆的直线度，其值应符合图样规定。如无规定，则其直线度不应大于 0.5/1 000(每米测 1 点)，且全长不超过杆长的 1/4 000。

(4)缓冲环应灵活动作，其限位压环螺栓应有防松装置。活塞上的缓冲套筒与活塞杆之间的间隙以及缓冲套筒的节油孔均应清洗使其畅通。

(5)检查缸体、活塞杆、吊头连接器等部件上的螺纹，要求其表面光滑，不许有裂纹、凹陷和断裂，局部微小的崩扣不得超两圈，螺纹和螺母的支承面在安装前应涂防锈润滑油脂。存放运输和吊装活塞杆时，应根据活塞杆直径和长度决定支点和吊点参数，以防止变形。

(6)安装油封时，油封应压缩到设计尺寸，相邻两圈的油封接头应错开 90°以上。油缸组装后，应按照图样的规定压力和稳压时间试压，如无规定时，则按定额压力(启门力和持住力)试压 10 min，活塞沉降量不应大于 0.5 mm，上、下盖法兰不应漏油，缸壁不得有渗油现象。

(7)活塞杆与闸门吊耳连接时，在活塞与油缸下端盖之间应留有 50 mm 左右的间隙，以保证闸门能严密关闭。

(8)液压启闭机机架安装及活塞杆铅垂度安装的允许偏差应符合表 7-61 中的规定。

表 7-61　液压启闭机机架安装及活塞杆铅垂度安装的允许偏差

项次	项目	允许偏差(mm)
1	△机架纵、横向中心线	2 ~ 1.5
2	机架高程	± 5 ~ ± 4
3	△活塞杆每米铅垂度	0.5 ~ 4
4	△活塞杆全长铅垂度	L/4 000
5	双吊点液压启闭机支承面的高差	± 0.5

(9)径向柱塞油泵或径向叶片油泵等，根据情况需分解清洗时，柱塞或叶片严禁互换，装配后以手转动油泵，应灵活而无卡阻现象。

(10)油桶和贮油箱的渗漏试验以及管道弯制、清洗和安装均应符合 SDJ81《电力建设施工及验收技术规范》中的有关规定，管道设置应尽量减少阻力，管道布置应清晰合理，其安装质量标准应符合表 7-62 中的规定。

(11)电磁操作阀、差动配压阀、逆止阀、起动阀及手动阀等，根据情况需分解清洗时，分解、清洗所测出的各阀的行程应符合图样规定，阀门弹簧不得有断裂，阀体应能自由升降而无别动现象。装配后，各阀应按图样规定试压。如无规定时，可按 1.25 倍工作压力试压，其漏油量应符合图样要求。

(12)初调高度指示器和开关的上下断开接点及充水接点。

(13)试验油过滤精度：柱塞泵不低于 20 μm，叶片泵不低于 30 μm。

表 7-62　油压启闭机油桶、贮油箱、管道安装的允许偏差　　(单位：mm)

项次	项目		允许偏差
1	油桶、贮油箱安装，管道安装	水平度(卧式)L =1 500	不大于 L/100 且不大于 15 ~ 不大于 L/150 且不大于 10
2		垂直度	不大于 H/100 且不大于 10 ~ 不大于 H/100 且不大于 5
3		高程	± 10 ~ ± 5
4		中心线位置	10 ~ 5
5		平面位置	± 10 且全长大于 20 ~ ± 5 且全长不大于 15
6		高程	± 5 ~ ± 4
7		排管垂直度	2/m 且全长不大于 15 m ~ 1.5/m 且全长不大于 10
8		排管平面度	5 ~ 3
9		排管间距	0 ~ +5，0 ~ +3

注：表中 L 为容器长度，H 为容器高度。

五、移动式启闭机安装的质量控制要点

台车式启闭机、桥式起重机和门式启闭机安装的质量控制要点如下。

(一)桥架和门架的安装要点

(1)主梁跨中上拱度 $F=(0.9\sim1.4)L/1\,000$，且最大上拱度应控制在跨度中部的 $L/10$ 范围内(见图 7-16 和图 7-17)。悬臂端上的翘度 $F=(0.9\sim1.4)L/350$(或 L_2)。上拱度与上翘度应在无日照温度影响的情况下测量。

(2)主梁的水平弯曲 $f\leqslant\dfrac{L}{2\,000}$，但最大不得超过 20 mm(见图 7-16)，此值在离上盖板约 100 mm 的腹板处测量。

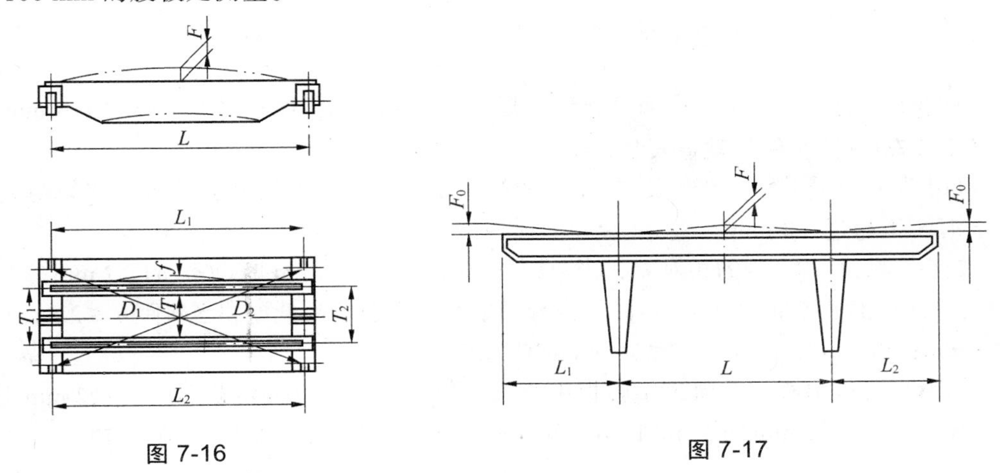

图 7-16

图 7-17

(3)主梁上的盖板水平偏斜 $b\leqslant\dfrac{1}{200}B$(见图 7-18)，此值允许未上轨道前于筋板处测量。

(4)主梁腹板的垂直偏斜 $b\leqslant\dfrac{1}{500}H$(见图 7-19)，此值在长筋板处测量。

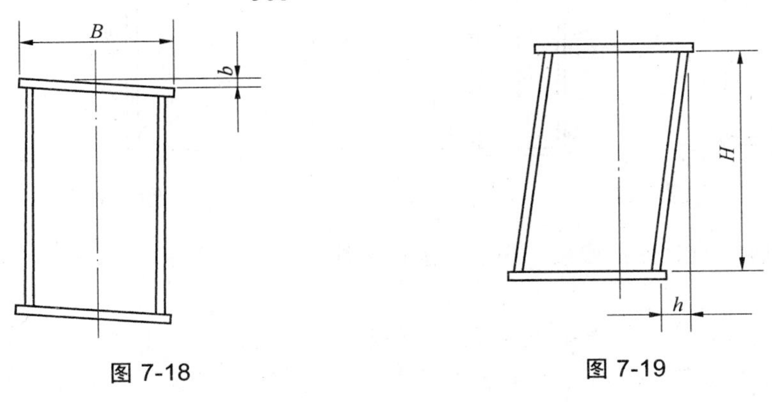

图 7-18

图 7-19

(5)桥架对角线差$|D_1-D_2|\leqslant5$ mm (见图 7-16)。

(6)支腿在跨度方向的垂直度 $h_1\leqslant\dfrac{1}{2\,000}H_1$(见图 7-20)，主梁主腹板的波浪度以 1 m

平尺检查，在离上盖板 $1/3H$ 以内的区域不大于 0.7δ，其余区域不大于 1.0δ(见图 7-21)。支腿的倾斜方向应互相对称。如用其他方法能保证启闭机跨度时，此项可不作为考查项目。

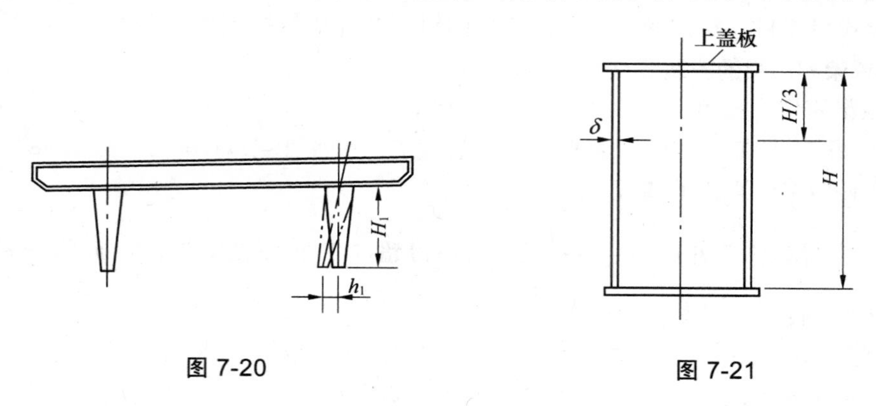

图 7-20　　图 7-21

(7)两个支腿，从车轮工作面算起到支腿上法兰平面的高度相对差不应大于 8 mm。

(二)小车(或移动台车)轨道安装的要求

(1)小车轨距公差值，当轨距 T 小于或等于 2.5 m 时，不超过 ± 2 mm；当轨距大于 2.5 m 时，不超过 ± 3 mm。

(2)小车跨度 T_1、T_2 的相对差，当轨距 T 小于或等于 2.5 m 时，不超过 2 mm；当轨距大于 2.5 m 时，不超过 3 mm。同一横截面上小车轨道的高低差，当轨距 $T \leqslant 2.5$ m 时，$C \leqslant 3$ mm；当 $T > 2.5$ m 时，$C \leqslant 5$ mm(见图 7-22)。

(3)小车轨道中心线与轨道梁腹板中心线的位置偏差，对偏轨箱形梁 $\delta < 12$ mm 时，$d \leqslant 6$ mm；当 $\delta \geqslant 12$ mm 时，$d \leqslant 1/2\delta$。对单腹板梁及桁架梁 $d \leqslant 1/2\delta$(见图 7-23)。

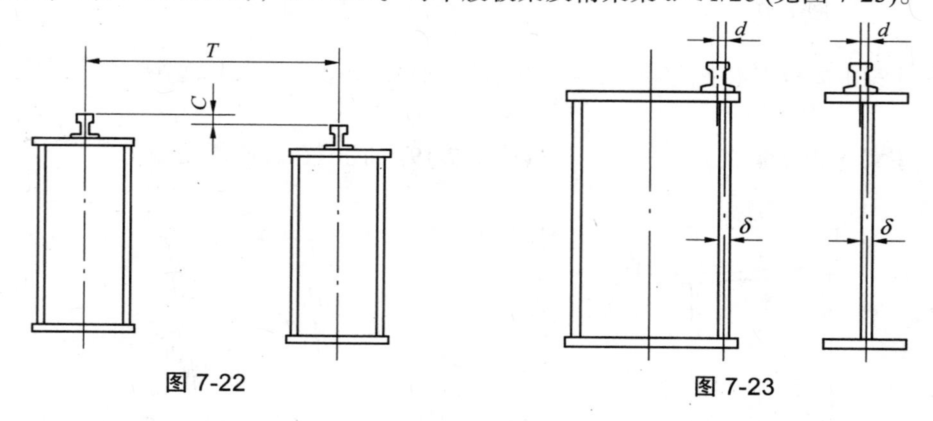

图 7-22　　图 7-23

(4)轨道居中的对称箱形梁，小车轨道中心线直线度不大于 3 m，带走台时只允许向走台侧凸曲。

(5)小轨道应与大车主梁上翼缘板紧密贴合，当局部间隙大于 0.5 mm、长度超过 200 mm 时，应加垫板垫实。小车轨道接头应满足相关的规定要求。小车轨道在侧向的局部弯曲，在任意 2 m 范围内不应大于 1 mm。

(三)大车轨道安装的要求

(1)轨道铺设前应检查，合格后方可铺设。轨道安装符合要求后，应全面复查各螺栓的紧固情况。

(2)大车车轮应与轨道面接触，不应有悬空现象。

(3)轨道上的车挡应在吊装桥机(门机)前装妥，同一跨度的两车挡与缓冲器均应接触，如有偏差应进行调整。

(四)走行机构安装的要求

(1)当门机跨度小于或等于 10 m，其跨度偏差不应超过 ± 5 mm，且两侧跨度(L_1、L_2)的相对差不应大于 5 mm；当跨度大于 10 m，其跨度偏差不应超过 ± 8 mm，且两侧跨度的相对差不大于 8 mm(见图 7-24)。

(2)当桥机跨度小于或等于 10 m，其跨度偏差不应超过 ± 3 mm，且两侧跨度(L_1、L_2)的相对差不大于 3 mm；当跨度大于 10 m，其跨度偏差不应超过 ± 5 mm，且两侧跨度的相对差不大于 5 mm。

(3)跨度的测量点见图 7-25，测量跨度采用的拉力值和修正值应参照有关规定执行。

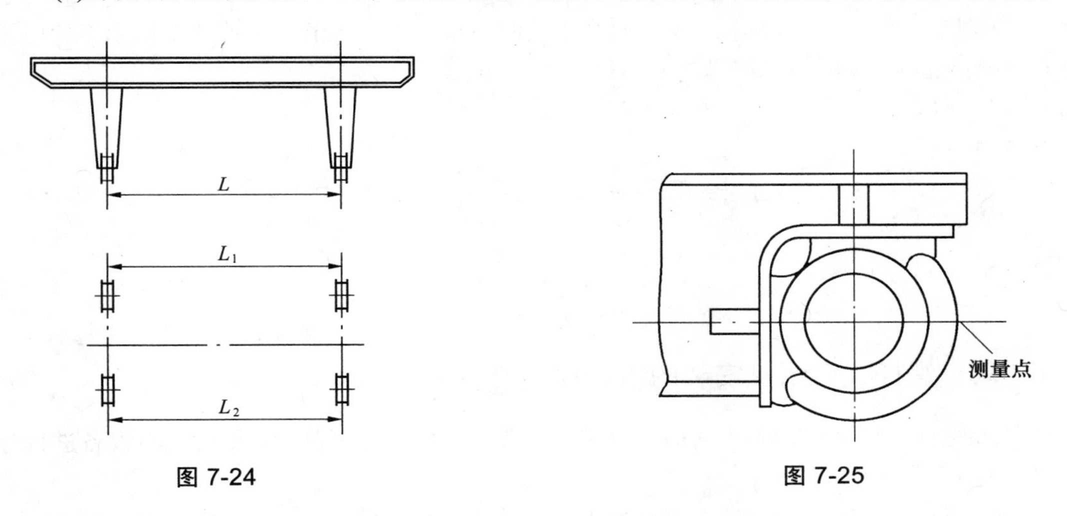

图 7-24　　图 7-25

(4)车轮的水平偏斜 $P \leqslant \frac{1}{1\,000}L$($L$ 为测量长度)，且同一轴线上一对车轮的偏斜方向应相反，见图 7-26。

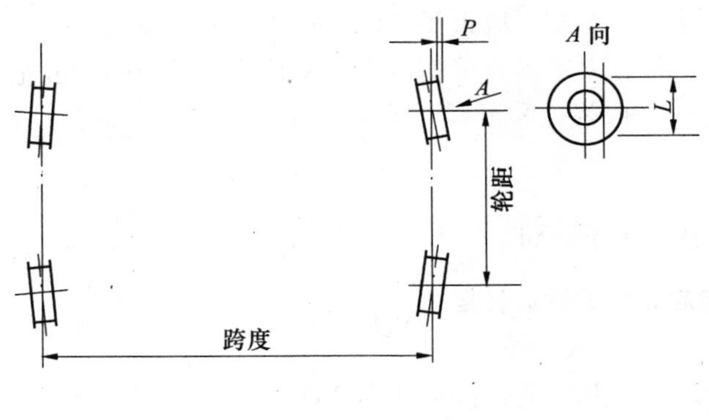

图 7-26

(5)车轮的垂直偏斜 $a \leqslant \frac{1}{400}L$，$L$ 为测量长度(见图 7-27)，在车轮架空的情况下测量。

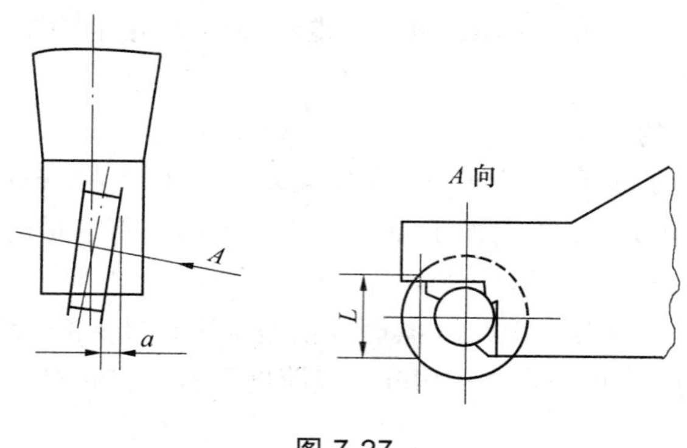

图 7-27

(6)同一端梁下车轮的同位差，两个车轮时不得大于 2 mm，3 个或 3 个以上车轮时不得大于 3 mm；在同一平衡梁上时不得大于 1 mm，见图 7-28。

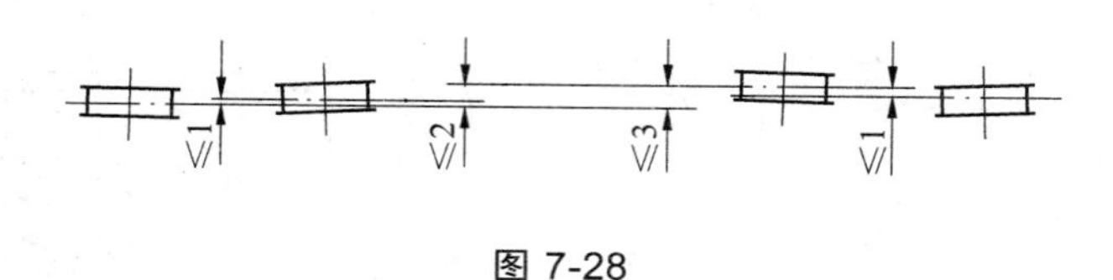

图 7-28

六、螺杆式启闭机安装的质量控制要点

(1)螺杆式启闭机运到现场后，应对其主要零部件进行复测，必要时应对设备进行分解、清洗、检查。

(2)螺杆式启闭机安装应根据起吊中心线找正，其纵横中心线偏差不应超过 ± 3 mm，高程偏差不应超过 ± 5 mm，水平偏差不应大于 0.5/1 000。

(3)螺杆式启闭机安装的偏差应符合下列规定：①螺杆与闸门连接前其垂直度偏差不应大于 0.2/1 000，螺杆下端和滑块装置连接时，其倾斜方向应与滑块槽倾斜方向一致。②滑块槽对起重螺母中心偏差不应大于 1.0 mm，其垂直度偏差不应大于 0.2/1 000，滑块在滑槽内上、下移动时应无别动现象，两侧间隙应在 0.2 ~ 0.4 mm 范围内。

(4)对于装有过载保护装置和行程开关的螺杆式启闭机，该装置的动作应灵敏、准确可靠。

七、各种启闭机的试运转要求

(一)卷扬式固定启闭机的试运转要求

1. 无负荷试验

启闭机无负荷试验共上、下全行程往返 3 次，检查并调整下列电气和机械部分：

(1)电动机运行应平衡，三相电流不平衡度不应超过 ± 10%，并测出电流值。

(2)检查和调试限位开关(包括充水平压开度节点)使其动作准确可靠。

(3)高度指示和荷重指示准确反映行程和重量，到达上下极限位置，主令开关能发出信号并自动切断电源，使启闭机停止运转。电气设备应无异常发热现象。

(4)制动闸瓦松开时应全部打开，间隙应符合相关要求，并测出松闸电流值。所有机械部件运转时均不应有冲击声和其他异常声音，钢丝绳在任何部位均不得与其他部件相互摩擦。

(5)对快速闸门启闭机，利用直流电源松闸时，应分别检查和记录松闸直流电流和松闸持续 2 min 时电磁线圈的温度。

2. 电气设备的试验要求

接电试验前应认真检查全部接线，并符合图样规定，整个线路的绝缘电阻必须大于 0.5MΩ 才可开始接电试验。试验中间电动机和电气元件温升不能超过各自的允许值。试验应采用该机自身的电气设备，试验中若有触头等元件烧灼者，应予更换。

3. 负荷试验

启闭机的负荷试验应在设计水头工况下进行，先将闸门在门槽内无水或静水中全行程上、下升降两次；对于动水启闭的工作闸门或动水闭、静水启的事故闸门，还应在设计水头动水工况下升降两次；对于快速闸门，应在设计水头动水工况、机组导叶开度 100% 甩负荷工况下，进行全行程的快速关闭试验。

负荷试验运转时，应检查下列电气和机械部分：

(1)所有保护装置和信号应准确可靠，电气设备无异常发热现象。

(2)电动机运行应平衡，三相电流不平衡度不超过 ±10%，并测出电流值。

(3)所有机械部件在运转中不应有冲击声，开放式齿轮啮合工况应符合要求。制动器应无打滑、无焦味和冒烟现象。

(4)荷重指示器与高度指示器的读数能准确反应闸门在不同开度下的启闭力值，误差不得超过 ±5%。

(5)对于快速闸门启闭机，快速闭门时间不得超过设计允许值 2 min，快速关闭的最大速度不得超过 5 m/min，电动机(或调速器)的最大转速一般不得超过电动机额定转速的两倍。离心式调速器的摩擦面，其最高温度不得超过 200℃。采用直流电源松闸时，电磁铁圈的最高温度应不得超过 100℃。

另外，在上述试验结束后，机械各部分不得有破裂、永久变形、连接松动或损坏。电气部分应无异常发热现象等影响性能和安全的质量问题出现。

(二)螺杆式启闭机的试运转要求

1. 空载试验

空载试验一般在工厂进行，若螺杆太长、厂内试运转有困难，经双方协议，也可到使用现场进行，但出厂前应将螺母绕螺杆全行程旋转，保证良好接触、无卡阻现象，空载试验应检查如下几点：

(1)零部件的组装是否符合图样及通用技术标准的要求。

(2)检查行程开关动作是否灵敏准确，机箱接触是否有漏油现象。

(3)电动机正反转运行时，是否有振动或其他不正常现象。

(4)手摇部分应转动灵活平稳、无卡阻现象，手电两用机械的电气闭锁装置应安全可靠。

(5)对双电机驱动的闭启机应分别通电，使其旋转方向与螺杆升降方向一致。

2. 负荷试验

负荷试验是指将闸门在全行程内启闭两次。制造厂一般不进行负荷试验，只有在新产品试制或用户有要求时，根据双方协议，可以在工厂内或在使用现场进行负荷试验，在负荷试验时应检查以下内容：

(1)手摇部分转动灵活，无卡阻现象。

(2)转动零件运转平稳，无异常声音、发热和漏油现象。

(3)对于装有超载保护装置、高度显示装置的螺杆启闭机，应对发送、接收等进行专门测试，保证动作灵敏、指示正确、安全可靠。应检查高度指示刻度是否准确，上下行程开关动作是否灵敏可靠。

(4)对双吊点启闭机，应进行两螺杆同步运行测试，应确保两螺杆升降行程一致。对于双电机驱动启闭机，应检查运行是否平稳，电流是否平衡。

(三)液压启闭机的试运转要求

1. 试运转前的检查事项

(1)门槽内的一切杂物应清除干净，保证闸门和拉杆不受卡阻。

(2)电气回路中的单个元件和设备均应进行调试，并应符合 GB 1497《低压电器基本标准》的有关规定。

(3)检查机架固定是否牢固，对采用焊接固定的，应检查焊缝是否达到要求；对采用地脚螺栓固定的，应检查螺母是否松动。

2. 其他要求

(1)油泵第一次启动时，应将油泵溢流阀全部打开，连续空转 30 ~ 40 min，油泵不应有异常现象。油泵空转正常后，在监视压力表的同时，将溢流阀逐渐旋紧使管路系统充油，充油时应排除空气，管路充满油后调整油泵溢流阀，使油泵在其工作压力的 25%、50%、75%和 100%的情况下分别连续运转 15 min，应无振动、杂音和温升过高等现象。

(2)上述试验完毕后，调整油泵溢流阀，使其在压力达到工作压力的 1.1 倍时动作排油，此时也应无剧烈振动和杂音。

(3)油泵阀组的起动阀应在油泵开始转动后 3 ~ 5 s 内动作，使油泵带上负荷，否则应调整弹簧压力或节油孔的孔位。

(4)调整主令控制器凸轮片，使主令控制器的电气接点接通、断开时，闸门所处的位置应符合图样要求，但门上充水阀的实际开度应调至小于设计开度 30 mm 以上。调整高度指示器，使其指针能正确指出闸门所处位置。

(5)无水时先手动操作升降闸门 1 次，以检验缓冲装置减速情况和闸门有无卡阻现象，并记录闸门全开时间和油压值。手动操作试验合格后，方可进行自动操作试验。提升和快速关闭闸门 1 次，试验时准确记录闸门提升、快速关闭、缓冲的时间和当时库水位油压值，其快速关闭时间应符合设计规定。

(6)将闸门提起，在 48 h 内闸门因活塞油封和管路系统的漏油而产生的沉降量不应大于 200 mm。

(四)移动式启闭机的试运转要求

1. 试运转前的检查

(1)检查所有机械部件、连接部件、各种保护装置及滑润系统的安装及注油情况，其结果应符合要求，并清除轨道两侧所有杂物。检查钢丝绳绳端的固定是否牢固，在卷筒、滑轮中缠绕方向是否正确。检查电缆卷筒、中心导电装置、滑线、变压器以及各电机的接线是否正确和是否有松动现象存在，并检查接地是否良好。

(2)对于双电机驱动的起重机构，应检查电动机的转向是否正确和转速是否同步；双吊点的起重机构应使两侧钢丝绳尽量调至等长。检查走行机构的电动转向是否正确和转速是否同步。

(3)用手转动各机构的制动轮，使最后一根轴(如车轮轴、卷筒轴)旋转一周，不应有卡阻现象。并检查走行机构的电动机转向是否正确和转速是否同步。

2. 空载试运转

起升机构和走行机构应分别在行程内上、下往返 3 次，并检查下列电气和机械部分，各电动机应运行平稳，三相电流应平衡。

(1)电气设备应无异常发热现象，控制器的触头应无烧灼现象。

(2)限位开关、保护装置及联锁装置等动作应正常可靠。

(3)当大、小行车行走时，车轮不允许有啃轨现象。当大、小车行走时导电装置应平稳，不应有卡阻、跳动及严重冒火花现象。

(4)所有机械部件动转时，均不应有冲击声和其他异常声音；在动转过程中，制动闸瓦应全部离开制动轮，不应有任何摩擦。

(5)所有轴承和齿轮应有良好的润滑，轴承温度不得超过 65℃，在无其他噪声干扰的情况下，各项机械产生的噪声，在司机座测量(不开窗)不得大于 85 dB(A)。

3. 静荷载试验

静荷载试验的目的是检验启闭机各部件和金属结构的承载能力。

起升额定荷载，在门架或桥架全长上往返运行，检查门机和桥机性能，应达到设计要求。卸去荷载使小车分别停在主梁跨中和悬臂端，定出测量基准点；再分别起升 1.25 倍额定荷载，离地面 100～200 mm，停留不少于 10 min；然后进行卸去荷载，检查门架和桥架是否有永久变形。如此重复 3 次，门架或桥架不应再产生永久变形。将小车开到支门机支腿处或桥机跨端，检查实际上拱值和上翘值，应不小于：$\frac{0.7}{1\,000}L$(跨中)；$\frac{0.7}{350}L_1$(或 L_2)(悬臂端)。最后使小车仍停在跨中和悬臂端，起升额定荷载检查主梁挠度值，应不大于：$\frac{1}{700}L$(跨中)；$\frac{1}{350}L$(或 L_2)(悬臂端)。

在上述静荷载试验结束后，起重机各部分不能有破裂、连接松动或损坏等影响性能和安全的质量问题出现。

4. 动荷载试验

动荷载试验的目的主要是检查启闭机构及其制动器的工作性能。

起升 1.1 倍额定荷载做动荷载试验，试验时按设计要求的机构组合方式应同时开动两个机构，做重复的起动、运转、停车、正转、反转等，动作延续至少应达 1 h，各机构均应动作灵敏、工作平稳可靠，各限位开关、安全保护联锁装置、防爬装置应动作正确可靠，各零部位应无裂纹等损坏现象，各连接处不得松动。荷载试验的试块，当额定荷载超过 2 000 kN，若采用试块有困难时，可用液压测力器只做静荷载试验。

5. 其他

凡未在制造厂进行试验的启闭机，出厂前应符合下列要求：

(1)总体预装：小车(除钢丝绳、吊钩外)、支腿与下横梁、支腿与主梁走行机构等，应分别进行预装，检查零部件的完整性和几何尺寸的正确性，并标有预装标记，支腿与主梁如不进行预装，则应采取可靠的工艺方法，保证其几何尺寸的正确性。

(2)空运转试验：对走行机构在引导车轮架空的情况下进行试验，对起升机构则是在不带钢丝绳及吊钩的情况下进行试验。

进行空运转试验时应分别开动各机构，做正、反向运转，试验累计时间各 30 min 以上，各机构应运转正常。

第八章　水轮发电机组制造与安装的质量控制

中小型水电站的水轮发电机组主要是指单机容量 3 000 kW 以下；其水轮机为混流式、冲击式时，转轮名义直径 1.0 m 以下；当水轮机为轴流式、斜流式、贯流式时，转轮名义直径 1.4 m 以下。在当水轮发电机组等于和大于上列三个条件之一者，按 GB8564—88《水轮发电机组安装技术规范》的规定执行。水轮发电机组和它的主要附属设备，设备制造厂由整装部件(如蜗壳、轴承、水轮发电机、调速设备、主阀等)运往工地的，其设备应按 SL172—96《小型水电站施工技术规范》要求安装及验收。

水轮发电机组及其主要附属设备在水电站组合安装时，应根据制造厂已审批的安装图样和有关技术文件的要求及 SL172—96《小型水电站施工技术规范》的规定进行。

水轮发电机组设备应符合国家现行的技术标准和订货合同规定，应有出厂检验记录和合格证件，设备到达接收地点后应在制造厂商定的期限内组织有关人员进行开箱、清点、检查，并按“水轮发电机组包装、运输、保管条件”执行。水轮发电机组安装所用的装置性材料均应符合设计要求，对主要部位的主要材料必须有检验或出厂合格证明书。并且用于设备或部件上的所有材料均应经过化学分析和机械性能的试验，试验遵守有关规程的规定，所有主要部件用的材料均要做冲击韧性试验。热轧钢板同时做纵向和横向冲击试验，主要铸件和锻件的样品上均做弯曲试验以及规定的试验，并将试验合格证标记在所用材料的部件上。材料的最大许用应力：正常额定运行工况下设备材料的工作能力，不超过材料屈服强度的 1/3 或极限强度的 1/5 的低值。在最严重运行工况下，不超过材料屈服强度的 1/2 或极限强度的 1/3 的低值(转轮除外)，铸铁的拉压力是极限强度的 1/10。具体的材料设计许用应力如表 8-1 规定。

表 8-1　材料设计许用应力

材料	拉压力	压应力
高强度钢板的高压力承受件	极限强度的 1/5 或屈服强度的 1/3 的较低值	极限强度的 1/5 或屈服强度的 1/3 的较低值
重要碳钢板的应力承受件	极限强度的 1/5 或屈服强度的 1/3 的较低值	极限强度的 1/5 或屈服强度的 1/3 的较低值
铸铁、锻钢	极限强度的 1/5 或屈服强度的 1/3 的较低值	极限强度的 1/5 或屈服强度的 1/3 的较低值
铸铁	极限强度的 1/10	极限强度的 3/10
其他钢板	极限强度的 1/3 或屈服强度的 1/2 的较低值	极限强度的 1/3 或屈服强度的 1/2 的较低值

对焊接的要求是：所提供设备的焊接工作一般采用手工电弧焊，对于需要消除内应

力的机械加工件，首先消除内应力后再进行精加工，在制造厂焊接的主要零件，不采用局部消除内应力后再进行精加工，在制造厂焊接的主要零件不采用局部消除内应力的方法。焊接件焊缝设计合理，符合有关规定要求。焊缝坡口平整，无缺陷、油污及其他杂物。工地焊接时，应按额定金属填充料的 200%供应焊条或焊丝，所供材料应与工厂加工图纸一致，能适应现场焊接条件，同时拟订一份完整的焊接工序计划，内容包括每个焊件的焊接工序及每个焊接点的工序图表，焊接工序中有关金属填充剂、预热、层间温度及应力释放、热处理等均符合有关规程的规定。

水轮机过流部件及焊缝表面加工应符合 GB/T10969—1996《水轮机通流部件技术条件》的规定，保证有平滑的流线型部件接头处表面齐平，转轮、导水叶、蜗壳、尾水管过流表面加工应符合 GB/T10969—1996《水轮机通流部件技术条件》的要求，不应造成脱流和局部空蚀，主要零部件表面允许粗糙度不超过表 8-2 的规定。

表 8-2　表面允许粗糙度

部　位		*Ra*(um)
滑动接触表面		0.8
固定接触表面	要求紧配合的	3.2
	不要求紧配合的	6.3
其他机械加工面		12.5
座　　环		6.3
导水叶	导水叶表面	3.2
	导水叶轴颈和密封面	1.6
	导水叶上、下端部表面、接触面	1.6
转轮	转轮外表面	3.2
	转轮过水部分	3.2
主轴	主轴不接触表面	3.2
	轴承轴颈处	1.6
	主轴水封轴套	0.8
	法兰面	1.6
	倒角	1.6
止水环间隙表面		1.6
顶盖、底环在邻近导叶端部处间隙表面		1.6
轴承和填料盒接触面		1.6
基础环、尾水管锥管、泄水锥、焊接蜗壳		25
接力器	接力器缸内孔	0.8
	接力器活塞和活塞杆	0.8
进水阀	过水通道	6.3
	活门	6.3
	进水阀轴颈	0.8
	密封圈	1.6
	支承面和基础板	6.3
推力轴承	镜面	0.2
	内外圆表面	1.6
	镜板与推力头把合面	0.8

第一节 水轮发电机组安装时的注意事项

(1)安装场地应能防风、防雨、防火，并保持清洁和有足够的照明。受温度影响的部件及设备，其安装场地的温度不宜低于 5℃。对湿度有要求的设备，其安装场地的空气相对湿度一般不高于 75%。

(2)设备基础垫板的埋设，其高程偏差一般不超过–5 ~ 0 mm，中心和分布位置偏差一般不大于 10 mm，水平偏差一般不大于 1 mm/m。

(3)设备安装前应进行全面清扫、检查。对重要部件的主要尺寸及配合公差应进行校核，具有制造厂保证的整装到货设备可不分解。

(4)设备安装应在基础混凝土强度达到设计值的 70%后进行。基础板二期混凝土应浇筑密实，一般宜使用微膨胀水泥。

(5)埋设部件安装后应加固牢靠。基础螺栓、千斤顶、拉紧器、楔子板、基础板等均应点焊固定。埋设部件与混凝土结合面应无油污和严重锈蚀。

(6)设备组合面应光洁无毛刺。合缝间隙用 0.05 mm 塞尺检查不能通过，允许有局部间隙，用 0.1 mm 塞尺检查，深度不应超过组合面宽度的 1/3，总长不应超过周长的 20%。组合螺栓及销钉周围不应有间隙，组合缝处的安装面错牙一般不超过 0.10 mm。

(7)调整用的楔子板应成对使用，搭接长度在 2/3 以上。

(8)部件的装配应注意配合证号，多台机组在安装时，每台机组应用标有同一系列号码的部件进行装配。同类部件或测点在安装记录里的顺序编号，对固定部件应从头开始顺时针编号；对转动部件应从对于转子磁极两引线中间的位置开始，除轴上盘车测点为逆时针顺序外，其余的为顺时针编号，与规定不一致的制造厂标号应注明。

(9)机组安装的 x、y 基线标准点及高程点，测量误差不应超过±1 mm。中心测量所使用的钢琴线直径一般为 0.3 ~ 0.4 mm，其拉应力应不小于 1 200 MPa。

(10)轴承安装后，在转动部件上进行电焊时，应把电焊机地线直接连到要焊的零件上，并采取安全保护措施，保证电焊飞溅物不掉入轴承。

(11)细牙连接螺栓安装时应涂润滑剂，连接螺栓应分次均匀紧固，有预紧力要求的螺栓应测量紧度，与设计值的偏差不应超过±10%。采用合理工艺紧固的螺栓，紧固后应在室温时抽查 20%左右，螺栓、螺母、销钉均应按设计要求锁定或紧固点焊，各部位安装定位后应按设计要求钻铰销钉孔。

(12)现场制造的承压设备及连接件进行强度耐压试验时，试验压力为 1.5 倍额定工作压力，但最低压力不小于 0.4 MPa，保持 10 min，应无渗漏及裂纹等异常现象。设备及连接件进行严密性耐压试验时，试验压力为 1.25 倍实用额定工作压力，保持 30 min，应无渗漏现象。冷却器应按设计要求的试验压水进行耐压试验。设计无规定时，试验压力一般为工作压力的两倍，保持 60 min。

(13)设备容器进行煤油渗漏试验时，至少保持 4 h 应无渗漏现象。阀门进行煤油渗漏试验时，至少保持 5 min，应无渗漏现象。

(14)单根键槽配合检查，其公差应符合设计要求，成对键配合后，平行度应符合设计要求。

(15)轴承安装后，在转动部件上进行电焊时，应把电焊机地线直接连到要焊的零件上，并采取安全保护措施，保证电焊飞溅物不掉入轴承。水轮发电机组各部件均应按要求涂漆保护。

第二节　水轮机组设备制造质量出厂检验依据与检查项目

一、检验依据

适用于额定容量为10~300 MW的混流式和轴流式水轮发电机组及其附属设备的制造质量出厂检验依据如下：

(1)经济合同及其所附的产品技术说明书和在合同中指定的专业标准。

(2)有关水轮机、水轮发电机及其附属设备的国家标准。

(3)DL445—91《水轮机基本技术规范》及《水轮机通流部件验收标准》。

(4)制造厂的设计文件、制造图纸。

(5)其他双方认可的有关标准。

二、检查项目

(一)尾水管里衬

(1)整体制作的尾水管里衬应测量上、下管口直径、圆度、周长和高度。

(2)大型尾水管里衬组装后，应测量各环节高度、直径以及内部加固情况。

(3)进人门装配后应检查各配合尺寸。

(二)转轮室

(1)铸焊件的缺陷及修补情况。

(2)抗空蚀层的铺焊质量及加工后的厚度、粗糙度。

(3)中环内径、高度、粗糙度、焊缝质量以及有关配合尺寸等加工情况。

(4)上、中、下三环预装时，各部错口、螺孔的对位以及x、y线标记。

(三)座环

(1)与顶盖、底环配合面的相对高度、直径和平行度。

(2)分瓣座环应进行预装，检查合缝面间隙、错口、螺孔、销子等配合情况。

(3)固定导叶内、外切圆直径以及进口节距、高度，在工地组装的导叶应检查导叶上、下平面和平行度，及过流表面的平滑性及粗糙度。

(四)蜗壳

(1)各电站第一台机组的焊接蜗壳，各节应在厂内预装，检查各节编号对装情况和焊缝检查记录，必要时可指定部位探伤抽查，以后各台可部分预装。

(2)各节开口、腰长、最高点与最低点的直径、最远点及进水管中心线与机组中心线的距离、接缝间隙及内壁错口，抽查各节中心偏差值。

(3)整体铸造蜗壳的水压试验和整个焊接蜗壳的水压试验。
(4)蜗壳进人门装配完整情况。

(五)机坑里衬

抽查上、下口圆度，垂直度焊缝及加固情况。

(六)导叶

(1)检查导叶高度及过流面粗糙度和型线。
(2)导叶立面密封压板及螺栓配合情况。

(七)顶盖

(1)检查与座环配合段的高度、直径，止漏环内径及圆度。
(2)法兰下面与过流面的高度尺寸及平行度。
(3)分瓣盖顶合缝面间隙。
(4)焊接顶盖的焊缝外观质量及抗磨板紧固情况。
(5)橡胶密封压板紧固情况。

(八)支持盖

(1)总高度及上平面至导轴承安装面高度。
(2)过流面光滑度及合缝面间隙。
(3)中锥底面与上平面距离，底端柱面直径及圆度。

(九)底环

(1)顶盖、底环导叶轴孔同轴度(或划线及镗孔的准确性)。
(2)与座环(或基础环)配合面到过流面的高度及平行度。
(3)抗磨板紧固情况及过流面粗糙度。
(4)橡胶密封压板紧固情况。

(十)导水机构厂内总装配及导叶端部总间隙

(1)导叶全关时的导叶立面间隙。
(2)导叶转动的灵活性。
(3)双连臂连杆长度偏差。
(4)导叶最大开口值及导叶上轴颈与轴套间隙。
(5)所有装配孔的对位及各部件编号情况。
(6)导叶关闭时立面接触位置。

(十一)导水机构装配部件

检查导水机构装配部件对基准件的标准偏差及钻铰安装用定位销钉孔的情况。

(十二)上、下固定漏环与转动止水漏环

上、下固定漏环与转动止水漏环如在厂内套装时，检查圆度及总间隙。

(十三)轴流式转轮

(1)与主轴配合止口直径，法兰平面端面跳动量及粗糙度。
(2)上、下止漏环直径及圆度。
(3)抗磨抗空蚀部位的补焊质量，波浪度及粗糙度。
(4)叶片叶型及叶片进口角和出口角。

(5)叶片出水边平均开口偏差。

(十四)轴流式转轮厂内装配试验

(1)活塞与接力器缸间隙及枢轴铜瓦间隙。

(2)叶片螺栓预装情况及叶片螺栓与转臂螺栓孔装配情况。

(3)叶片密封部位粗糙度及叶片外圆尺寸及圆度。

(4)叶片正面、背面的波浪度、粗糙度及叶片叶型和叶片动作试验。

(5)顶紧环与螺栓卡阻情况及内部刷漆前的检查和刷漆质量。

(6)叶片密封渗漏试验。

(十五)转轮非加工面的平滑性检查

主要做转轮静平衡试验。

(十六)主轴

(1)主轴长度、轴承段直径及粗糙度和主轴联结后同找摆度情况。

(2)上、下端面止口直径及端面跳动量。

(3)联轴螺栓与螺栓孔配合质量及互换情况。

(4)一字键选配尺寸或销钉选配情况。

(十七)导轴瓦

(1)瓦的内径和瓦面粗糙度及轴承合金与瓦坯浇合质量。

(2)筒式瓦的油沟方向。

(3)测温孔的加工深度。

(4)铬钢垫装配、压制情况。

(十八)接力器厂内总装

(1)与行程、缓冲行程有关的尺寸。

(2)接力器动作试验，并测定行程偏差。

(3)耐压试验检查密封与活塞环渗漏情况。

(十九)附属设备应抽查

(1)真空破坏阀，空气阀密封面的渗漏试验。

(2)真空破坏阀动作试验，并测定开口尺寸。

(3)蜗壳及尾水管排水阀接力器耐压试验。

(4)漏油箱渗漏试验。

(二十)其他

(1)分块瓦的顶瓦螺套压配，接触情况，螺栓与螺套配合情况。

(2)油盆、油箱、水箱等的渗漏试验。

(3)抽查冷却器的耐压试验。

(4)轴承密封应总装检查各零件的配合尺寸。

(5)橡胶制品进行外观检查。

(6)分油器耐压试验。

(7)锁定或锁定配压阀动作试验。

(8)活塞杆防锈深层质量。

(9)对重要部位的弹簧进行力特性试验。

第三节　各式水轮机组安装的质量控制

一、立式反击式水轮机安装的质量控制

(一)埋入部件安装标准

(1)吸出管里衬安装其允许偏差应符合表 8-3 的要求。

表 8-3　吸出管里衬安装允许偏差　(单位：mm)

序号	项目	允许偏差	说明
1	管口直径	±0.001 5D	D 为管口直径设计值，至少等分测 8 点
2	相邻管口内壁周长差	0.001L	L 为管口周长
3	上管口中心及方位	4	测量管口上 x、y 标记与机组 x、y 基准线间距离
4	上管口高程	+8 −0	
5	下管口中心	10	吊线锤测量

(2)蜗壳的安装与焊接应符合设计要求。设计无要求时按 GB8564—88《水轮发电机组安装技术规范》的要求执行。

(3)转轮室、基础环、座环安装的允许偏差应符合表 8-4 中的要求。

表 8-4　转轮室、基础环、座环安装的允许偏差　(单位：mm)

序号	项目	允许偏差	说明
1	中心及方位	2	测量埋件上 x、y 标记与机组 x、y 基准线间的距离
2	高程	±3	
3	水平	径向侧 0.07 mm/m	
4	转轮室圆度	各半径与平均半径之差，不应超过设计平均间隙的±10%	轴流式测量上、中、下三个断面，斜流式测量上止口和下口，至少测八点
5	基础环、座环圆度	1.0	测机组中心线至镗口半径；轴流式机组以转轮室定该机组中心线；至少测八点

(4)分瓣转轮室、基础环、座环组合面应涂油或密封胶，组合缝间隙应光洁无毛刷，合缝间隙用 0.05 mm 塞尺检查不能通过；允许有局部间隙，用 0.10 mm 塞尺检查，深度不应超过组合面宽度的 1/3，总长不应超过周长的 20%；组合螺栓及销钉周围不应有间隙。组合缝处的安装面错牙一般不超过 0.10 mm 的要求。为防止漏水，过水面组合缝可封焊。

(5)埋设件与混凝土过流表面应平滑过渡。吸出管里衬上部和转轮室的焊接缝应磨平，混凝土与埋件表面应平滑。

(6)机坑里衬、接力器基础安装允许偏差应符合表 8-5 中的规定。

表 8-5　机坑里衬、接力器基础安装允许偏差　(单位：mm)

序号	项目	允许偏差	说明
1	机坑里衬中心	5	测量里衬法兰与座环上部法兰镗口间距离
2	机坑里衬上口直径	±5	等分 8 点测
3	接力器里衬法兰垂直度	0.3 mm/m	
4	接力器里衬中心及高程	±1.0	根据座环上法兰面测量
5	接力器里衬与机组基准线平行度	1.0	
6	接力器里衬中心至机组基准线距离	±3	与设计值的偏差

(二)转轮装配

转轮应无裂缝。焊接及热处理后的转轮应符合下列要求：

(1)转轮下环的焊缝不允许有咬边现象，用超声波检查应符合 JB1152—81CC《钢制压力容器对接焊缝超声波探伤》中(1)级焊缝探伤要求。

(2)上冠法兰下凹值不应大于 0.07 mm/m，上凸值不应大于 0.04 mm/m。

(3)下环焊缝处错牙不应大于 0.5 mm。

(4)叶片填补块安装焊接后，叶型应符合设计要求。

(5)抗磨抗气蚀层的堆焊应按设计要求进行，打磨后厚度不应小于 4 mm，粗糙度应与已打磨部分一致。

1. 转轮静平衡试验

(1) 静平衡工具应与转轮同心，支座水平偏差不应大于 0.02 mm/m。

(2)调整静平衡工具的灵敏度，应符合表 8-6 的要求。

表 8-6　静平衡工具球面中心到转轮重心距离

转轮质量(kg)	最大距离(mm)	最小距离(mm)
＜5 000	40	20
5 000 ~ 10 000	50	30
10 000 ~ 50 000	60	40
50 000 ~ 100 000	80	50
100 000 ~ 200 000	100	70

(3)残留的不平衡力矩，应符合设计要求。

2. 主轴与转轮的连接

主轴与转轮连接后，应无间隙。转轮各部位的同转度和圆度，以主轴为中心进行检查，各半径与平均半径之差应符合表 8-7 的要求。

主轴与转轮连接应符合下列要求：

(1)法兰组合缝应无间隙，用 0.05 mm 塞尺检查，不能塞入。

(2)整体转轮止漏环圆度，应符合表 8-7 的要求。

表 8-7　转轮各部位的同轴度及圆度允许偏差　　（单位：mm）

工作水头	部　位	允许偏差	说　明
<200 m	止漏环、止漏环安装面	±10%设计间隙值	浆叶外缘只有认为有必要时并在外串量等于零时测
	浆叶外缘	±10%设计间隙值	
	引水板止漏圈	±20%设计间隙值	
	兼作检修密封的法兰保护罩	±20%设计间隙值	
≥200 m	上冠外缘、下冠外缘	±5%设计间隙值	对应固定部位为顶盖及底环
	下止漏环、上梳齿止漏环	±0.10 mm	

(3)法兰护罩的螺栓凹坑应填平，当它兼作检修密封的一部分时，应检查圆度。

(4)泄水锥螺栓应点焊牢固，护板焊接应采取防变形措施，焊缝应磨平。

(三)导水机构及接力器的安装要求

(1)导水机构预装前，复测座环上平面高程，水平镗口圆度应符合表 8-4 的要求。

(2)导叶机构安装允许偏差应符合表 8-8 的要求。

表 8-8　导水机构安装允许偏差　　（单位：mm）

<table>
<tr><th>序号</th><th colspan="2">项目</th><th colspan="2">允许偏差</th><th>说明</th></tr>
<tr><td>1</td><td colspan="2">各组合缝间隙</td><td colspan="2">符合规范第 19.2.9 要求</td><td></td></tr>
<tr><td>2</td><td colspan="2">各止漏环圆度及同轴度</td><td colspan="2">符合规范第 19.3.2 要求</td><td></td></tr>
<tr><td>3</td><td colspan="2">下锥体法兰止口与转轮室同轴度</td><td colspan="2">0.25</td><td></td></tr>
<tr><td>4</td><td colspan="2">导叶端面总间隙</td><td colspan="2">不超过设计间隙</td><td></td></tr>
<tr><td rowspan="3">5</td><td rowspan="3">导叶局部立面间隙</td><td>导叶高度</td><td>≤600</td><td>>600
≥1 200</td><td></td></tr>
<tr><td>无密封条导叶</td><td>0.05</td><td>0.10</td><td>间隙总长度，不应超过导叶高度的 25%</td></tr>
<tr><td>带密封条导叶(不装)</td><td colspan="2">0.15</td><td>密封条装入后，应无间隙</td></tr>
</table>

注：表中规范是指 SL172—96《小型水电站施工技术规范》，下同。

(3)导水机构装配后，动作应平衡灵活。

(4)调速轴垂直误差应不大于 1 mm/m，上、下轴颈与轴套和配合间隙符合设计要求。调速轴应转动灵活。

(四)转动部件就位安装

(1)主轴和转轮吊装的放置高程一般应较设计高程略低，其主轴顶面与吊装后的发电机轴法兰止口底面应有 2 ~ 6 mm 的间隙。对于推力头装在水轮机轴上的机组，则应比设计高程略高，使推力头套装后与镜板背面有 2 ~ 5 mm 的间隙。主轴垂直度偏差一般不大于 0.05 mm/m。

当水轮机或发电机按实物找正安装时，应调整转轮的中心和主轴垂直，使其止漏环间隙符合规定的要求。其主轴垂直度偏差不应大于 0.02 mm/m。

(2)转轮安装的最终高程，各止漏环间隙或浆叶与转轮室间隙的允许偏差，应符合表 8-9 的要求。

表 8-9 转轮安装高程及间隙允许偏差 (单位：mm)

<table>
<tr><th>序号</th><th colspan="3">项目</th><th>允许偏差</th><th>说明</th></tr>
<tr><td rowspan="3">1</td><td rowspan="3">高程</td><td colspan="2">混流式</td><td>±1.5</td><td>测固定与转动止漏环高低错牙</td></tr>
<tr><td colspan="2">轴流式</td><td>+2.0
0</td><td>测底环至转轮体顶面距离</td></tr>
<tr><td colspan="2">斜流式</td><td>+0.8
0</td><td>测叶片与转轮室间隙</td></tr>
<tr><td rowspan="3">2</td><td rowspan="3">间隙</td><td colspan="2">工作水头(<200)</td><td>各间隙与平均间隙之差不应超过设计间隙值的±20%</td><td>桨叶与转轮室间隙，在全关位置测进水、出水和中间三处</td></tr>
<tr><td rowspan="2">工作水头(≥200)</td><td>a_1
a_2</td><td>各间隙与设计间隙之差不应超过设计间隙值的±10%</td><td rowspan="2">b_1 a_1 a_2 b_2</td></tr>
<tr><td>b_1
b_2</td><td>各间隙与设计间隙之差不应超过 0.20</td></tr>
</table>

(3)机组联轴后，两法兰组合缝应无间隙，用 0.05 mm 塞尺检查应不能塞入。

(五)主轴等密封安装的技术要求

1. 轴瓦的要求

(1)橡胶瓦和筒式瓦应与轴试装，总间隙应符合设计要求。每端最大与最小总间隙之差及同一方位的上、下端总间隙之差，均不应大于实测平均总间隙的 10%。

(2)橡胶轴瓦表面应平整，无裂纹及脱壳等缺陷。巴氏合金轴瓦应无密集气孔、裂纹、硬点及脱壳等缺陷，瓦面粗糙度应优于$\overset{0.8}{\triangledown}$。

(3)轴瓦的抗重垫块与轴瓦背面垫块座，抗重螺母与螺母支座之间应接触严密。

(4)筒式瓦符合(1)、(2)两点要求时不再进行研刮、分块轴瓦除设计要求不研刮外，一般应研刮。

2. 轴瓦安装的要求

(1)轴瓦安装时，一般应根据主轴中心位置并考虑盘车的摆度方位和大小进行间隙调整,安装总间隙应符合设计要求，但对只有两部导轴承的机组，可不考虑摆度而调间隙。

(2)轴瓦安装应在机组轴线及推力瓦受力调整合格，水轮机止漏环间隙及发电机空气间隙符合要求的条件下进行。

(3)分块式导轴瓦间隙允许偏差不应超过±0.02 mm，筒式导轴瓦间隙允许偏差应在分配间隙值的±20%以内，瓦面应保持垂直。

3. 轴承安装的要求

(1)稀油轴承油箱，不允许漏油，一般要按 GB8564—88《水轮发电机组安装技术规范》规范中的要求做煤油渗透试验。

(2)轴承冷却器应按 GB8564—88《水轮发电机组安装技术规范》规范中要求做耐压试验。

(3)油质应合格，油位高度应符合设计要求，偏差一般不超过 ± 10 mm。

4. 主轴检修密封安装的要求

(1)空气围带在装配前应通过 0.05 MPa(0.5 kgf/cm^2)的压缩空气，在水中做漏气试验应无漏气现象。

(2)安装后，径向间隙应符合设计要求，偏差不应超过设计间隙值的 ±20%。

5. 主轴工作密封安装的要求

(1)平板橡胶密封安装的轴向，径向间隙应符合设计要求，允许偏差不应超过实际平均间隙值的 ±20%。

(2)轴向端面密封安装，其转环密封面应与大轴垂直；密封件应能上下自由移动，与转环密封面接触良好，供、排水管路应畅通。

(六)附件安装的质量控制要点

(1)真空破坏阀和气补阀应做动作试验和漏渗试验，其起始动作压力和最大开度值应符合设计要求。

(2)盘形阀的阀座安装，其水平偏差不应大于 0.20 mm/m；盘形阀安装后，检查密封面应无间隙阀，但动作应灵活。

(3)蜗壳及尾水管排水闸阀或盘形阀的接力器，均应按 GB8564—88《水轮发电机组安装技术规范》中有关要求做严密性耐压试验。

二、卧式水轮机安装的质量控制

安装前应检查一期混凝土基础预留孔位置、高程、尺寸均应符合设计要求。

轴瓦检查与研刮，其研刮工作一般分两次进行，初刮在转子穿入前进行，精刮在转子中心线找正后进行。

(一)轴瓦与轴承外壳的配合的要求

(1)圆柱面配合的，上轴瓦与轴承盖间无间隙，且应有 0.05 mm 紧量，下轴瓦与轴承座接触严密，承力面应达到 60%以上。

(2)球面配合的，球面与球面座的接触面积为整个球面的 75%左右，且分布均匀。轴承盖把紧后，瓦与球面座之间的间隙一般为 ±0.03 mm(即有紧力或留有间隙)。

(二)设备安装的要求

(1)蜗壳垂直度偏差不超过 0.06 mm/m，偏斜小于 0.5 mm/m。

(2)水轮机主轴水平度允许偏差不应超过 0.02 mm/m,转轮端面跳动量不应超过 0.05 mm/m。

(3)转轮与转轮室间隙应符合设计要求，其偏差不应超过设计间隙的 10%。

(4)导水机构全关闭后，导叶密封面局部间隙不应超过 0.08 mm。

(5)导叶密封与前后盖板之间的端面间隙不应超过 0.25 mm。

(三)轴瓦间隙

轴瓦间隙应符合设计要求，密封良好，回油畅通。

三、轴伸贯流水轮机安装的质量控制

(1)需在现场预装的部件，在翻转 90°吊装时，应防止变形和倾覆；埋设部件在安装调整后应加固牢靠。混凝土应分层浇筑并控制上升速度以防止部件变形。

(2)尾水管安装应符合表 8-10 的要求。

表 8-10　尾水管安装允许偏差　　（单位：mm）

序号	项目	允许偏差	说明
1	管口法兰最大与最小直径差	3	有基础环的结构，指基础环上法兰测管口水平标记的高程和垂直标记的左右偏差
2	中心及高程	±1.5	若先装座环，应以座环法兰面位置为基准
3	管口法兰至转轮中心距离	±2.0	测上、下、左、右四点
4	法兰面垂直度及平面度	0.4	
5	相邻两节管口内壁周长	不超过 10	
6	各大节同心度	0.002*D*	*D* 为管内径设计值

(3)有配合关系的部件，在吊装前应进行预装或配合尺寸检查，超过允许的偏差应在安装前修正。

(4)座环(管形壳)安装应符合表 8-11 的要求。

表 8-11　座环(管形壳)安装允许偏差　　（单位：mm）

序号	项目	允许偏差	说明
1	中心及方位	2.0	测部件上 *x*、*y* 标记与相应基准线的距离：(1)若先装尾水管双基础环，应以尾水管法兰或基础环法兰为基准；(2)测上、下、左、右 4 点
2	法兰至转轮中心距离	±2.0	
3	前锥体法兰垂直度及平面度	0.4	
4	法兰圆度	1.0	
5	内管形壳组合面高程	±0.8	
6	流道盖板基础框架中心至机组中心距	±5	
7	接力器基础至基准线距离	±3	

(5)轴承安装的允许偏差应符合表 8-12 中的要求。

表 8-12　轴承安装允许偏差　　（单位：mm）

序号	项目	允许偏差	说明
1	镜板与主轴垂直度	0.05	
2	分瓣推力盘组合缝	局部间隙不超过 0.05，错牙不超过 0.02	按机组旋转方向检查
3	轴瓦与轴承座配合承力面	大于 60%接触面积	
4	轴瓦与轴颈端面间隙	符合设计要求	
5	轴瓦间隙	符合设计要求	
6	下轴瓦与轴颈接触角	大于 60°	
7	下轴瓦与轴颈接触点	1～3 点/cm^2	
8	轴承体各组合缝间隙	符合 SL172—96《小型水电站施工技术规范》第 19.2.9 条要求	
9	轴承体对地绝缘	不低于 1 MΩ	

(6)主轴和转轮安装。①主轴及转轮安装应符合表 8-13 的要求。②主轴水平度不应超过 0.04 mm/m。

表 8-13　主轴及转轮安装允许偏差　（单位：mm）

序号	项目	允许偏差	说明
1	转轮与主轴法兰组合缝	无间隙	
2	转轮与转轮室间隙	± 20%实际平均间隙	
3	主轴密封间隙	符合 SL172—96《小型水电站施工技术规范》第 19.3.5.4 条及第 15.3.5.5 条要求	

(7)导水机构的安装。①内配水环(也称为底环)与主轴距离应考虑主轴承受转轮重量后引起的变化，一般上部较下部小，两侧相等。②导叶端部间隙调整在关闭位置时测量，内外端间隙分配应符合设计要求，导叶每端两边间隙要基本相等，导叶转动灵活。③导叶面允许局部间隙 0.25 mm，其总长度不应超过导叶高度的 25%。

四、冲击式水轮机的安装质量控制

(一)机壳安装的质量控制

(1)机壳组合时，组合面底应涂铅油或密封胶，不加垫的组合缝应符合 SL172—96《小型水电站施工技术规范》中的有关规定要求，运行时不得漏水。

(2)对布置在发电机两端的双轮卧式机组，两机壳的相对高差不应大于 1 mm；中心距应以推力盘位置、发电机转子和轴的实测长度并加上发电机热膨胀伸长值为准，其偏差不应超过 0 ~ −1 mm。

(3)机壳安装时与机组 x,y 基准线的偏差不应大于 1 mm，高程偏差不应超过 ± 2 mm，机壳上法兰面水平偏差不应大于 0.05 mm/m。

(二)喷嘴及其接力器安装的质量控制要点

喷嘴、接力器组装后，在 16%额定工作压力的作用下，喷针及接力器的动作应灵活，在接力器关闭腔通入额定工作压力，喷针头与喷针口间应无间隙，用 0.02 mm 塞尺检查应不能通过。

喷嘴、接力器应按 SL172—96《小型水电站施工技术规范》中的相关要求做严密性耐压试验。喷嘴和接力组装后，在 16%额定工作压力的作用下，喷针及接力器的动作应灵活。在接力器关闭腔通入额定工作压力，喷针头与喷针口间无间隙，用 0.02 m 塞尺检查不能通过。

喷嘴的安装应符合下列要求：

(1)喷嘴中心线应与转轮节圆相切，径向偏差不应大于 2 mm，与水斗分刃的轴向偏差不应超过 ± 1 mm。

(2)折向器中心与喷嘴中心偏差，一般不大于设计值 4 mm。

(3)各喷嘴的喷针行程的同步偏差，不应大于行程的 2%。

(4)缓冲弹簧压缩长度对设计值的偏差，不应超过 ± 1 mm。

(三)转轮安装的质量控制要点

转轮安装应符合下列要求：

(1)转轮水斗分刃旋转平面应通过机壳上装喷管的法兰中心，其偏差不大于 2 mm。

(2)转轮与挡水板间隙，一般为 4 ~ 10 mm。

(3)转轮端面跳动量不应大于 0.05 mm/m。

(4)轴水平偏差或垂直偏差不应大于 0.02 mm/m。

卧式水轮机轴承装配应符合 SL172—96《小型水电站施工技术规范》中相关规定要求。

止漏装置与主轴间隙应大于轴承间隙 0.3 ~ 0.5 mm，安装后各间隙与实际平均间隙之差不应超过实际平均间隙值的 ± 40%，且其排水孔畅通。

(四)控制机构安装与调整的质量控制要点

(1)控制机构各元件的中心偏差不应大于 2 mm，高程偏差不应超过 ± 1.5 mm，水平偏差或垂直偏差不应大于 0.10 mm/m，安装后动作应灵活。

(2)调整折向器与喷针行程的协联关系使之符合设计要求，保证喷针在任意行程时，折向器开口都大于该行程时射流半径 3 mm，但不超过 6 mm。各折向器动作应同步，其偏差不超过该设计值的 2%。绘制调速器开度与喷针行程、喷针行程与折向器开口的关系曲线。

(3)做紧急停机模拟试验，记录喷针和折向器自全开至全关的动作时间，其数值应符合设计要求。

(五)调速系统安装与调试的质量控制

1. 油压装置安装与调试的质量控制要点

(1)集油槽、漏油箱应进行注水渗漏试验，保持 12 h 应无渗漏现象；压油罐应按 GB8564—88《水轮发电机组安装技术规范》中的相关要求做严密性耐压试验；安全阀、逆止阀、截止阀应按 GB8564—88《水轮发电机组安装技术规范》中有关要求做煤油渗漏试验或按工作压力用实际使用介质进行严密性试验，不应有渗漏现象。

(2)集油槽、压油罐的安装，其允许偏差应符合表 8-14 的要求。

表 8-14　集油槽、压油罐安装的允许偏差

序号	项目	允许偏差	说明
1	中心(mm)	5	测量设备上标记与机组 x，y 基准线的距离
2	高程(mm)	± 5	
3	水平(mm/m)	1	测量集油槽四角高程差
4	压油罐垂直(mm/m)	2	

(3)油泵、电动机弹性连轴节安装找正，其偏心值和倾斜值不应大于 0.08 mm。在油泵轴向电动机侧轴向窜动量为零的情况下，两背靠轮间应有 1 ~ 3mm 轴间间隙。全部柱销装入后，两靠背轮应能稍许相对转动。

(4)油压装置安装的允许偏差应符合表 8-15 的要求。

表 8-15　油压装置安装允许偏差

序号	项目	允许偏差
1	集油槽、压油罐中心	不超过 5.0 mm
2	集油槽、压油罐高程	± 5.0 mm
3	集油槽水平度	不超过 1.0 mm/m
4	压油罐垂直度	不超过 2.0 mm/m
5	集油槽、漏油箱注水渗漏试验	保持 12 h 无渗漏
6	压油罐严密性试验	符合 SL172—96《小型水电站施工技术规范》要求

(5)油泵电动机试运转，应符合下列要求：①电动机的检查试验，应符合现行国家标准关于电气装置安装工程施工及验收规范的有关要求。②油泵一般空载运行 1 h，并分别在 50%、100%的额定压力下各运行 15 min，应无异常现象。③运行时，油泵外壳振动不应大于 0.05 mm，轴承处外壳温度不应大于 60℃。④在额定压力下，测量并记录油泵输油量(取 3 次平均值)，其值不应小于设计值。

(6)调速系统所用油的牌号应符合设计要求规定，质量必须符合 GB2537—81《汽轮机油》的要求，使用油温不得高于 50℃。

2. 油压装置各部件的调整应符合的要求

(1)安全阀、工作油泵压力信号器和备用油泵压力信号器的调整，应符合表 8-16 的要求，压力信号器的动作偏差不得超过整定值的 ± 2%。

表 8-16　安全阀、压力信号器整定值　(单位：MPa)

项目	安全阀			工作油泵		备用油泵	
额定油压	整定值						
	开始排油压力	全部开放压力不大于	全部关闭压力不低于	起动压力	复归压力	起动压力	复归压力
2.5	+0.05 ~ +0.10	+0.40	–0.25	–0.20 ~ –0.30	额定值	–0.35 ~ –0.45	额定值
4.0	+0.08 ~ +0.16	+0.60	–0.40	–0.30 ~ –0.45	额定值	–0.50 ~ –0.70	额定值

注：表中正值为高于额定压力的值；负值为低于额定压力的值。

(2)安全阀动作时，应无剧烈振动和噪音。

(3)油压降低到事故低油压时，紧急停机的压力信号器应立即动作，其整定值应符合设计要求，其动作偏差不得超过整定值的 ± 2%。

(4)连续运转的油泵，其溢流阀的动作压力应符合设计要求。

(5)压油罐的自动补气装置和集油槽的油位发讯装置，动作应准确可靠。

(6)压油泵及漏油泵的起动和停止动作应正确可靠，不得有反转现象。

3. 压油罐

压油罐在工作压力下，油位处于正常位置时关闭各连通阀门，保持 8h，油压下降值不应大于 0.15MPa，并记录油位下降值。

4. 调速器柜安装

调速器柜安装允许偏差应符合表 8-17 的规定。

表 8-17 调速器柜安装允许偏差

序号	项目	允许偏差
1	调速器柜　中心	5.0 mm
2	调速器柜　高程	± 5.0 mm
3	调速器柜　水平度	不超过 0.15 mm/m
4	回复机构支座水平度	不超过 1.0 mm/m

5. 调速器调整

凡需进行分解的调速器，其各部件清洗、组装、调整后，应符合下列要求：

(1)飞摆电动机和离心飞摆连接应同心，转动应灵活，菱形离心飞摆弹簧底座相对于钢带上端支座的摆度，径向和轴向均不应大于 0.01 mm。

(2)缓冲器活塞上下动作时，回复到中间位置最后 1 mm 所需时间应符合设计要求，上、下两回复时间之差一般不大于整定时间的 10%。

测量调速器的缓冲托板位于中间及两端三个位置时的回复时间，缓冲器支持螺钉与托板间应无间隙。

缓冲器从动活塞动作应平稳，其回复至中间位置的偏差不应大于 0.02 mm。

(3)调速柜内各指示器及杠杆应按图纸尺寸进行调整，各机构位置误差一般不大于 1 mm。

(4)导叶和转轮接力器处于中间位置时(相当于 50%开度)，回复机构各拐臂和连杆的位置应符合设计要求，其垂直偏差或水平偏差不应大于 1 mm/m。

6. 调速器机械部分调整试验

(1)调速系统第一次充油应缓慢进行，充油压力一般不超过额定油压的 50%，接力器全程动作数次应无异常现象。油压装置各部油位应符合设计要求。

(2)导叶、轮叶的紧急关闭时间及轮叶的开启时间与设计值的偏差不应超过设计值的 ± 5%，但最终应满足调节保证计算的要求。导叶的开启时间一般比关闭时间短 20% ~ 30%。关闭与开启时间一般取开度 25% ~ 75%之间所需时间的 2 倍。

(3)手动操作导叶接力器开度限制机构，指示器上红针与黑针指示应重合，其偏差不应大于 2.0%；调速器柜上指示值应与导叶接力器的行程一致，其偏差不应大于活塞全行程的 1%。

(4)从开关两个方向测绘导叶接力器行程与导叶开度的关系曲线，每点应测 4 ~ 8 个导叶开度，取其平均值；在导叶全开时应测量全部导叶的开度值，其偏差一般不超过设计值的 ± 2%。

(5)从开关两个方向测绘在不同水头协联关系下的导叶接力器和轮叶接力器行程的关系曲线，应符合设计要求，其随动系统的不准确度应小于全行程的 1.5%。

(6)事故配压阀关闭导叶的时间与设计值的偏差，不应超过设计值的 ± 5%，但最终应满足调节保证计算的要求。

(7)在额定油压及无振荡电流的情况下，检查电液转换器差动活塞应处于全行程的中间位置，其行程符合设计要求。活塞上下动作后，回复到中间位置的偏差一般不应大于0.02 mm。

(8)检查回复机构死行程，其值一般不大于接力器全行程的0.2%。

(9)在蜗壳无水时，测量导叶操作机构的最低操作油压，一般不大于额定油压的16%。

(10)电液转换器在实际负载下，检查其受油压变化的影响，在正常使用油压变化范围内，不应引起接力器位移。

7. 调速器电气部分的检查与调整

电气柜应进行下列检查：

(1)检查变压器、电感器及电位器等可调元件的调整位置是否符合出厂标记。

(2)检查所有元件有无碰伤及损坏，固定螺丝及端子接线是否松动。

8. 稳压电源

检查稳压电源装置的输出电压质量，应符合设计要求，其输出电压变化一般不应超过设计值的±1%。

9. 电气调节器

检查电气调节器输入频率与输出电流的关系曲线，其死区、放大系数、线性度应符合设计要求。

10. 调速系统整体调整和模拟试验

(1)接入振荡电流，检查电液转换器(包括电液伺服阀结构的)活塞的振荡应符合设计要求。

(2)测定反馈送讯器的输出电压与接力器行程关系曲线，在接力器全行程范围内应力为线性。

(3)调速器应进行手动、自动切换试验，其动作应正常。

(4)录制电液转换器的静特曲线，其死区和放大系数应符合设计要求。

(5)按设计要求调整开度限制机构、频率给定、功率给定电位器的行程接点，并测量其电动机全行程的时间，应符合设计要求。

(6)录制调速系统的静态特性曲线，其试验方法和特性要求(转速死区、非线性度永态转差系数)应符合GB9652—88《水轮机调速器与油压装置技术条件》的要求。

(7)以手动、自动方式进行机组开停机和紧急停机模拟试验，调速系统的动作应正常。

(8)对有起动线圈的电液转换器应调整起动电流，使之符合设计要求。

(9)测定校验永态转差系数和暂态转差系数的方向应正确。

(10)缓冲装置特性应为指数衰减曲线，线形应平滑，时间常数偏差和两个方向输出值的偏差应符合设计要求。

(11)模拟调速器各种故障，保护装置应可靠。

第四节　水轮发电机制造出厂质量验收的依据与项目

一、检查依据

(1)水轮发电机产品的检验依据，应根据经济合同及其所附产品技术说明书和合同中指定的专业标准。

(2)有关水轮机、水轮发电机及其附属设备的国家标准。

(3)GB755—81《电机基本技术条件》。

(4)SD152—87《大中型水轮发电机基本技术条件》。

(5)SD299—88《大中型水轮发电机静止整流励磁系统及装置技术条件》。

(6)GB1029—84《三相同点发电机的试验方法》。

二、检查项目

(一)定子

(1)对分瓣制造的定子，必须检查是否有明显的分瓣标记。

(2)分瓣定子各部合缝间隙，包括定子机座合缝间隙、定子机座与基础板的间隙。

(3)定子铁芯的合缝间隙，包括合缝处槽底的错牙情况及线槽宽度及定子装配的铁芯内径、圆度、铁芯高度及每段铁芯高度。

(4)定子铁芯的压紧度及压紧后的波浪度。

(5)定子单根线棒的外形尺寸、起晕电压、介质损失及耐压试验。定子线棒采用水冷结构时，水压、流量及检漏试验。

(6)定子嵌线后线棒与槽的间隙以及抽查线棒防晕层对铁芯的电位和定子嵌线后线棒端部的形状位置(包括斜连距离及轴向伸出长度)、定子线棒的绑扎情况、定子线棒接头间隔与焊接质量。

(7)定子槽楔紧，定子槽楔通风口与铁芯通风沟的相对位置，槽楔与定子内圆表面高差。

(8)并头套采用环氧浇灌时，接头与绝缘盒的间隙，环氧填满度及固化情况。

(9)定子整体或分瓣耐压试验和起晕电压。定子测温引线位置标记及嵌线后测温元件的完整性及对地绝缘。

(10)定子绕组引出线与汇流母线接头接触面平整度及接触面积。检查汇流母线的成形尺寸。

(11)定子嵌线后必须清扫干净，检查喷漆质量，分瓣定子的引出线头和支持环应包装良好。

(二)转子

(1)转子磁轭冲片重量进行分类并加重量标准、标牌，然后包装出厂。

(2)转子支架中心体与上、下端轴的配合尺寸和同轴度、连接面与轴线的垂直度或转子轮毂与主轴热套的配合尺寸，转子支架中心体与支臂的合缝面间隙。

(3)磁轭冲片表面平整，锈蚀、毛刺等。磁轭通风槽片的衬口环高度及焊缝、导风带的装配、焊缝质量。

(4)转子支臂键槽的弦距(包括固定弦距和活动弦距)、键槽深度、宽度和倾斜度，转子支臂的持钩高差，转子支架的外圆与磁轭迭检内圆的实际径向尺寸，转子支架的铸造质量。

(5)第一台机组或新模具的转子磁轭，应进行迭检，其定位销孔螺孔应符合要求(包括制动环和磁轭压板)。

(6)主轴长度及各配合部位的加工尺寸及粗糙度。

(7)轴系摆度及定位标记。

(8)转子连接件采用 M64 以上的螺栓时应进行预装配检查，转子绕组引线在主轴上固定的情况。

(9)磁轭键和磁极键加工尺寸、磁轭拉紧螺杆材质、平直度和直径公差。

(10)磁极铁芯的弯度和扭曲度及铁芯长度，磁极压板与铁芯的错牙情况；磁极线圈和托板在压紧情况下与铁芯的高差；磁极铁芯与线圈之间必须清扫干净，并检查区间短路情况。

(11)磁极装配后绝缘耐压试验，磁极称重和编号。

(12)阻尼绕组焊接接头及磁极接头的检查。

(13)制动环的厚度、挂钩台阶的高度、径向宽度、摩擦面的粗糙度及沉孔深度。

(14)风扇(导风叶)制造质量。

(15)集电环同轴度、圆度、刷握与电刷的配合。

(三)推力轴承和导轴承

(1)推力轴承和导轴承必须进行预装，对有高压油顶起装置的油管路、水冷瓦冷却水管路、油冷却器水管路均应进行预装及耐压试验。

(2)油冷却器应进行预装，并按规定进行耐压试验。

(3)弹性油箱材质检查，支承的推力轴承，充油时检查油压、油温、弹性油箱变形、连接管及止回阀的渗漏情况。

(4)油槽应做煤油渗漏试验。

(5)轴承合金与壳体的结合情况，轴承合金化学成分分析。

(6)水冷瓦水压试验。

(7)高压油顶起的推力轴瓦油路通孔检查。

(8)推力瓦应进行研刮，如采用厚薄瓦结构时，还应对其厚薄瓦之间的接触面进行检查。

(9)弹性油箱支承的推力轴承，充油时检查油压、油温、弹性油箱变形、连接管及止回阀的渗漏情况。

(10)推力头如需与主轴套装时，应检查推力头和卡环各配合面的加工尺寸及其形位公差。

(11)镜板锻件毛坯质量(气孔或夹杂)，镜板与推力头同轴度。

(12)托瓦或托盘的加工精度、硬度及粗糙度。

(13)推力轴承装配的总高度。

(14)镜板的加工精度及表面粗糙度。

(15)检查销钉的配合情况，并打上定位标记。

(16)绝缘垫板的厚度。

(17)弹性圆盘支撑的推力轴承，检查圆盘材质，加工精度和圆盘环面硬度。

(18)高压油顶起装置单向阀进行高压及低压耐压试验。

(19)对弹簧支撑的推力轴承，检查弹簧材质的化学成分和机械性能。

(20)在拆除压具的情况下，弹性油箱上平面与底盘的平行度及向外侧高度。

(四)机架

(1)上机架与定子预装、检查同轴度和合缝面间隙。

(2)机架预装，检查各合缝面间隙、各有关配合尺寸。

(3)推力轴承与支架合缝面间隙与同轴度。

(五)制动器

(1)制动器行程，动作灵活性和自动复位情况。

(2)制动器装配后的总高度。

(3)制动器应在厂内清扫干净后，进行组装，然后用干净的同牌号油进行耐压试验后，将管口用丝堵封好，再包装出厂。

(六)励磁机

(1)主极的内径和极间距和电枢外径。

(2)励磁机在厂内总装及试验情况，电刷在刷握内滑动灵活情况。

(3)整流子的片间绝缘和表面粗糙度。

(七)永磁机

(1)永磁机的定子与转子的空气间隙及传动轴如采用硬性连接时，检查连接法兰的垂直度。

(2)永磁机装配后出厂试验。

(八)其他

(1)上、下挡风板预装，上、下灭火水管预装。

(2)各种测温元件试验，并有合格证明。

(3)各种阀门的耐压试验及空气冷却器耐压试验。

(4)当采用二氧化碳灭火时，其探测装置进行灵敏度检查。

(5)上盖板及下风罩预装。

(九)应提供的检查记录和试验记录

(1)分瓣定子铁芯内径检查记录，分瓣定子铁芯合缝间隙、铁芯合缝处槽度错牙记录。

(2)定子铁芯损试验记录，定子铁芯高度及波浪度记录、铁芯中心至机座基础板高度记录及基础板的合缝间隙检查记录。

(3)定子嵌线时槽电位抽查记录，定子下线后整体或分瓣定子分组耐压试验记录。

(4)定子测温装置的埋设位置及元件绝缘强度试验记录。

(5)水内冷定子线棒的水压、流量及渗漏试验记录。

(6)工地迭片定子的冲片检查及迭检记录。

(7)转子支臂弦距和键槽深度、宽度及倾斜度检查记录。转子支臂外圆(半径或直径)的检查记录，支臂挂钩高差、重量检查记录。

(8)转子中心体各配合面的加工尺寸及精度、中心体与支臂组合后的合缝面间隙检查等各项记录。

(9)转子中心体上、下法兰面的平行度及同轴度检查及法兰面到支臂挂钩的高度的检查记录。

(10)转子磁轭冲片迭检记录。

(11)磁极装配各部位尺寸检查、电气试验、重量检查的各项记录。

(12)推力头的各配合面尺寸及其高度检查记录。

(13)推力支架的高度，上、下平面平行度的检查记录及各组合面的间隙记录、机架与推力轴承座的同轴度记录。

(14)无支柱螺栓弹性油箱的推力轴承总装配高度记录，弹性油箱顶平行度记录、托瓦、推力瓦的高度差及平行度记录。

(15)卡环加工尺寸检查记录。

(16)励磁机定、转子空气间隙检查记录及电气试验记录。

(17)永磁机转子、定子、空气间隙检查记录，及电气试验记录。

(18)机架中心体与支臂合缝面间隙检查记录，及上、下机架有关标高的高度尺寸检查记录。

(19)水冷推力瓦水压试验记录及各部冷却器的耐压试验记录。

(20)镜板加工尺寸、粗糙度及硬度检查记录。

(21)制动器耐压试验记录及总装高度、动作的灵活性检查记录。

(22)发电机各重要铸锻件检查记录或合格证书。

(23)当采用二氧化碳灭火系统时，应按采用技术标准的规定提供试验记录。

(24)按合同规定的应提供的其他检查、试验记录。

三、调速器及油压装置的质量要求

(一)检验依据

(1)GB9652—88《水轮机调速器与油压装置技术条件》；

(2)GB2537—81《汽轮机油》；

(3)SD295—88《水轮机电液调节系统及装置技术规程》。

(二)检查项目

(1)油压装置检验项目：回油箱做渗漏试验，检查焊缝质量，回油箱及径表油罐内壁清扫，检查涂漆质量。

(2)油冷却器：油冷却器安装情况及试验压力、保持时间。

(3)旁通阀、阀组(卸载阀、逆止阀、安全阀、排气阀)加工装配。①活塞与缸体配合间隙、表面粗糙度、热处理、活塞行程和搭齿量。②弹簧加工质量及可动零件灵活程度。

(4)电动机出厂检验合格证。

(5)螺旋泵电动机组联轴节联结的要求：油泵与电动机联轴节间隙及油泵与电动机两轴线偏心倾斜值。

(6)储油气罐焊接缝检查与耐压试验。

(7)油压装置运转试验。①螺旋泵电动机组运转情况、旁通阀动作情况。②阀组的整定及螺旋泵输油量。

(8)油压装置各油压和油位信号整定值校验。回油箱油位信号整定，压力信号器整定值及自动补气整定。

(9)油压装置严密性试验。检查储油气罐附件安装情况、压力试验、保压时间、油压油位下降值。

(10)油泵运转后，螺旋油泵应解体，检查螺旋杆、衬套的磨损情况。

(11)检验后，凡需拆开运输的部件、管路等，必须作出明显的标记，其通流孔应用堵板密封。

(12)检查油压装置各部件表面涂漆质量。

(三)机械液压调速器，电气液压调速器机械柜验检项目

1. 飞摆加工装配的要求

(1)正摆重块、螺栓、垫片的配座情况及钢带质量，轴向弹簧加工质量。

(2)飞摆与电动机联接同轴度。

2. 主、配压阀、引导阀加工情况

(1)壳体整洁及涂漆、活塞和衬套的材质、热处理、表面粗糙度、尺寸精度、形位公差。

(2)装配后，可动件灵活程度及活塞行程值。

3. 缓冲器加工装配的检查

缓冲器活塞、活塞缸、节流针塞等活动部件表面粗糙度，配合间隙及行程，及装配后可动件灵活程度。

4. 电液转换器加工装配的检查

(1)十字弹簧加工质量、活塞与壳体、衬套、喷油孔表面粗糙度、配合间隙、行程和搭迭量。

(2)定、变节流孔直径及装配后灵活程度。

5. 协联机构加工装配

(1)凸轮材质，表面粗糙度，热处理。凸轮形状加工准确度及定位安装精度。

(2)启动装置装配及启动角初步整定情况。

(3)按水头自动和手动调节协联机构装配灵活程度。

6. 机械柜主配压阀衬套

检查机械柜主配压阀衬套及上隔板的平行情况。

7. 机械柜的其他结构

检查机械柜的其他的部件、表计、杠杆及管路等装配安装质量。

8. 飞摆特性试验

(1)缓冲器从动活塞上、下动作后，回复到中间位置的准确度，及托板调整缓冲时间常数的范围。

(2)上、下两个方向的特性曲线对称性及其与理论衰减曲线的偏差。

(3)检查静特性曲线的死区、非线性度。

(4)校对测速装置放大系数、转速范围、飞摆逸速试验情况。

9. 缓冲器特性试验

(1)缓冲器从动活塞上、下动作后，回复到中间位置的准确度，托板调整缓冲时间常数的范围。

(2)上、下两个方向的特性曲线对称性及其与理论衰减曲线的偏差。

10. 电液转换器特性试验

(1)活塞中间位置偏差及上、下动作后回到中间位置的准确度。

(2)工作能力试验。

(3)检查其带实际最大负载时，活塞中间位置受油压变化情况及输入电流或电压与输出机械位移特性曲线的非特性度和死区。①检查电液伺服阀流量特性曲线的非线度、死区、零偏和零漂。②各机构表计的检验：永态反馈机构、变速机构、开度限制机构及轮叶转角指示。

四、管路检验项目

(1)制造厂弯制的调查系统管路尺寸偏差，内部清扫及防锈情况。

(2)管路、阀门压力试验情况，检查合格后，其孔口必须用堵板密封。

五、制造厂应提供的检查、试验记录

(1)回油箱渗漏试验检查记录

(2)储油气罐焊缝控伤与压力试验检查记录。

(3)油冷却器压力试验记录。

(4)螺旋油泵加工、装配检查记录；螺旋油泵电动机组联轴节连接检查记录。

(5)电动机出厂检查记录。

(6)螺旋油泵运转后检查记录及油压装置运转试验记录。

(7)油压装置各油位、油压、信号整定值检验记录。

(8)调速器主配压阀、引导阀加工装配试验检查记录。

(9)机械柜主配压阀、衬套、上隔板的检查记录。

(10)电液转换器、油缓冲器、离心飞摆特性试验记录。

(11)调速系统调试记录。

六、进水阀的检查依据与项目

(一)检验依据

(1)GB/T14478—93《大中型水轮机进水阀门基本技术条件》；

(2)供需双方的技术协议。

(二)蝴蝶阀的检查项目

(1)阀体：材质的合格证明，轴孔的加工尺寸、误差、粗糙度和形位误差，水压试验及焊缝探伤记录。

(2)活门：材质的合格证明，阀轴轴径的加工尺寸误差，粗糙度及形位误差，水压试验(双平板活门除外)，焊缝探伤记录。

(3)轴瓦：材质的合格证明，内外圆的尺寸误差和形位误差。

(4)空气围带：橡胶材料的机械物理性能试验记录及空气围带密性试验的检查记录。

(5)蝴蝶阀装配：装配开关位置的正确记录，动作灵活性记录及漏水试验记录。

(三)球形阀检查项目

(1)阀体：阀体材质证明，轴孔的加工尺寸误差，粗糙度及形位误差，水压试验。

(2)活门：材质证明，阀轴轴径的加工尺寸，粗糙度及形位误差，活门焊缝的探伤记录。

(3)前、后止漏环：材质证明，有关配合尺寸的检查记录与相配合的零件研磨情况。

(4)轴瓦：材质的合格证，轴瓦内、外圆尺寸误差及形位误差。

(5)球形阀装配：球形阀开关位置的正确性，阀止漏环动作的灵活性及漏水试验记录。

(6)操作接力器：行程检查，水压试验记录，漏油试验记录。

(7)空气阀：在无水状态下，空气阀的行程。额定压力的渗漏试验及空气阀弹簧特性试验。

(8)旁通阀及管路：开关位置及动作灵活性，阀水压试验及密封试验和管路的水压试验。

(9)伸缩节：组装记录，水压试验记录。

(10)连接管的水压试验。

第五节　水轮发电机组安装的质量控制

一、立式水轮发电机安装的质量控制要点

(一)机架组合质量控制要求

(1)机架组合后，检查组合的缝间隙应符合 GB8564—88《水轮发电机组安装技术规范》中的相关规定。承受轴向荷重的机架，支臂组合缝顶端用 0.05 mm 塞尺检查，局部不接触长度不应超过顶端总长的 10%。

(2)分瓣式推力承轴支架组合后，检查轴承安装面的平面度，偏差不应超过 0.2 mm，合缝面间隙及合缝处安装面的错牙应符合 GB8564—88《水轮发电机组安装技术规范》中的相关要求。

(3)挡风板，消火水管与定子线圈及转子风扇的距离，允许比设计尺寸略大，但不应大于设计值的 20%，消火水管喷射孔方向应正确，一般可采用通压缩空气的方式进行检查。

(二)轴瓦研刮的质量控制

推力轴瓦应无裂纹、夹渣及密集气孔等缺陷。轴承合金局部脱壳面积总和不超过瓦面的 5%，必要时可用超声波检查。

轴瓦温度计，高压油顶起软管接头及水冷瓦冷却水管接头应试装检查。

镜板工作面应无伤痕和锈蚀，粗糙度和硬度应符合设计要求，必要时应按图纸检查两平面的平行度和工作面的平面度。

(三)推力轴承的研刮应符合下列要求

(1)瓦面局部不接触面积每处不应大于轴瓦面积的 2%，其总和不应超过轴面积的 5%。

(2)瓦面每 1 cm^2 内应有 1 ~ 3 个接触点。

(3)轴边按设计要求刮削，无规定时，可在 10 mm 范围内制成深 0.5 mm 的倒圆斜坡。

(4)支柱螺栓式推力轴承瓦面的刮低，可在支柱螺栓周围约占总面积的 1/3 ~ 1/2 的部位，先刮低 0.01 ~ 0.02 mm，然后再缩小范围，从另一个方向再刮低 0.01 ~ 0.02 mm。无支柱螺栓的轴瓦可不刮低。进油边按设计要求刮削。

(5)导轴瓦的研制，应符合 GB8564—88《水轮发电机组安装技术规范》中的相关要求。

(6)机组盘车后，应抽出推力瓦检查其接触情况，如发生磨平及连点现象，应加以修刮。

(7)双层瓦结构的推力轴承，薄瓦与托瓦之间的接触应符合设计要求，轴瓦的研刮应采用盘车刮瓦方式，接触点与接触面积应满足设计要求。

(四)定子安装的质量控制要点

(1)定子安装的允许偏差应符合表 8-18 的要求。

表 8-18　定子安装的允许偏差

序号	项目	允许偏差
1	定子机座组合缝间隙	局部不超过 0.10 mm，螺栓周围不超过 0.05 mm
2	定子铁芯合缝间隙	加垫后无间隙，线槽底部径向错牙不超过 0.50 mm，槽宽应符合设计要求
3	机架与基础板组合缝	符合设计要求
4	定子圆度(各半径与平均半径之差)	± 5%设计空气间隙
5	定子铁芯中心高程	0 ~ 0.4%铁芯有效长度值且不超过 6.0 mm

(2)分瓣定子组合后，机座组合缝间隙用 0.05 mm 塞尺检查，在螺栓周围不应通过。铁芯合缝应加绝缘垫，其厚度可比铁芯实际间隙大 0.1 ~ 0.3 mm，加垫后的铁芯合缝不应有间隙。铁芯合缝处线槽底部的径向错牙不应大于 0.5 mm，线槽宽度应符合设计要求。

定子机座与基础板的组合缝间隙，应符合 GB8564—88《水轮发电机组安装技术规范》中的相关要求。

(3)测量定子绕组对机壳和绕组间绝缘电阻。当满足下列条件时，可不进行干燥和停止干燥，并按表 8-19 要求进行交、直流耐压试验。

表 8-19　定子试验项目及标准

序号	项目	标准	说明
1	测量定子绕组的绝缘电阻和吸收比	1. 绝缘电阻值和吸收比应符合规范第 19.8.3 条中(1)(2)规定； 2. 各相绝缘电阻不平衡系数不应大于 2	用 2 500V 及以上的兆欧表
2	测量定子绕组的直流电阻	各相、各分支的直流电阻，校正由于引线长度不同而引起的误差后，相互间差别不应大于最小值的 2%，此种差别(%)与制造厂测量的差别(%)比较，相对变化也不应大于 2%	1. 在冷态下测量，绕组表面温度与周围空气温度之差不应超过 ± 3℃； 2. 当采用压降法时，通入电流不应大于额定电流的 20%； 3. 超过标准者，应查明原因
3	定子绕组的交流耐压试验	试验电压(kV) 2U+1.0	1. 转子吊入前，按本标准进行耐压试验； 2. 进行耐压试验前，必须测量绝缘电阻和吸收比； 3. 应分相进行交流耐压试验，升压时起始电压一般不超过试验电压值的 1/3，然后逐步连续升压至满值，一般应历时 10 ~ 15 s 为宜； 4. 整机起晕电压另定

注：U 为发电机额定线电压(kV)。

(4)测量定子圆度，各半径与平均半径之差不应大于设计空气间隙值的 5%，一般沿铁芯高度方向每隔 1 m 距离选择一个测量断面，每个断面不小于 12 个测点，每瓣每个断面不小于 3 点，接缝处必须有测点。

整体定子铁芯的圆度也应符合上述要求。

(5)在工地叠片组装的定子，按制造厂规定进行。

(6)定子绕组每相绝缘电阻值，在换算至 100℃时，不得低于按下式计算的数值。

$$R=\frac{U_N}{1\,000+\frac{S_N}{100}}(\mathrm{M\Omega})$$

式中 U_N——电机额定线电压，V；

S_N——电机额定容量，kVA。

(7)在 40℃以下时，测得的绝缘电阻吸收比 R_{60}/R_{15}，对沥青云母绝缘不小于 1.3，对环氧粉云母绝缘不小于 1.6。

(8)进行干燥的电子，其绝缘电阻稳定时间一般为 4 ~ 8 h。

(五)支持环的联结要求

(1)支持环的圆度、高度应符合设计要求。

(2)支持环接头焊接，应用非磁性材料。

(3)绝缘包扎必须紧密，原有绝缘与新绝缘搭接处应削成斜坡。搭接长度一般不小于表 8-20 中的规定。

表 8-20 支持环绝缘包扎绝缘搭接长度

发电机额定电压(kV)	6.3	10.5	13.8	15.75	18.0	20.0
搭接长度(mm)	25	30	40	45	50	55

(六)定子绕组干燥时的要求

定子绕组干燥时，应逐步升温，每小时不超过 8℃，线圈最高温度以酒精温度计测量时，不应超过 70℃，以埋入式电阻温度计测量时，不应超过 80℃，干燥时定子电流在额定值的 25% ~ 50%为宜。

检查单个定子线圈在冷态下的直线段宽度及铁芯的槽宽尺寸，应符合设计规定。

沥青云母绝缘的线圈，当采用通电方法加温嵌装时，绝缘外表温度不超过 60℃，采用保温箱加温嵌装时，不超过 85℃。环氧粉云母绝缘的线圈，可不加温嵌装。

(七)定子线圈的嵌装要求

(1)线圈与铁芯及支持环应同时靠实，上、下端部已装线圈标高应一致，斜边间隙应符合设计规定，线圈固定牢靠。

(2)上、下层线圈接头相互错位，不应大于 5 mm，前后距离偏差应在连接套长度范围内。

(3)线圈直线部分嵌入线槽后，单测间隙超过 0.3 mm，长度大于 100 mm 时可用刷环氧半异体胶的绝缘材料包扎或用半导体垫条塞实，塞入深度应尽量与线圈嵌入深度相等。

(4)上、下层线圈嵌装后，应按 GB8564—88《水轮发电机组安装技术规范》中的规定进行耐压试验。

(5)线圈主绝缘采用环氧粉云母、电压等级在 10.5 kV 及以上的机组线圈嵌装后，一般应在额定电压下测定表面槽电位，最大值应尽量控制在 10 kV 以内。

槽楔应与线圈及铁芯齿槽配合紧密。槽楔打入后，靠铁芯上下端的一块槽楔应无空隙，其余每块槽有空隙的长度不应超过槽楔长度的 1/2，否则应加垫条塞实，槽楔不应凸出铁芯，槽楔的通风口应与铁芯通风沟一致，其伸出铁芯槽口的长度及绑扎应符合设计要求。

线圈接头绝缘采用云母带包扎时，包扎前应将原绝缘削成斜坡，其搭接长度一般符合支持环绝缘搭接长度的要求，绝缘包扎应密实，厚度应符合设计要求。

(八)线圈接头的焊接，应符合下列要求

(1)锡焊接头的铜线，并头套、铜楔等应搪锡，并头套、铜楔和铜线导电部分应结合严密；铜线并头套之间的间隙，一般不大于 0.3 mm，局部间隙允许 0.5 mm。

(2)磷银钢焊头的填料间隙，应在 0.05 ~ 0.2 mm 之间 。

(3)接头焊接时，焊料应充实，焊后表面应光滑，无棱角、气孔及空洞。

(4)接头焊接后，应检查焊接质量，测量直流电阻最大值、最小值之比不应超过 1.2 倍。

接头绝缘采用环氧树脂浇灌时，接头与绝缘盒间隙应均匀，线圈端头绝缘与盒的搭接长度应符合设计要求，浇灌饱满，无贯穿性气孔和裂纹。

(九)汇流母线安装应符合下列要求

(1)螺栓连接接头应搪锡，连接后用 0.05 mm 塞尺检查，塞入深度对母线宽度在 60 mm 及以上者，不应超过 6 mm；母线宽度在 60 mm 以下者，不应超过 4 mm。

(2)焊接头应无气孔、夹渣，表面应光滑，必要时测其直流电阻，其值一般不大于同长度母线的电阻值。

(十)转子装配的质量控制要点

(1)转子装配应符合设计要求。检查转子圆度，各半径与平均半径之差不应大于设计空气间隙的 ± 5%。转子吊入机坑前，绝缘电阻组合合格后，应按表 8-21 中的要求做交流耐压试验。

表 8-21　转子试验项目及标准

序号	项目	标准		说明
1	测量转子绕组的绝缘电阻	一般不小于 0.5 MΩ		用 1 000 V 或 5 000 V 兆欧表
2	测量单个磁极的直流电阻	相互比较，其差别一般不超过 2%		通入电流不应超过额定电流的 20%
3	测量转子绕组的直流电阻	测量值与制造厂测量值相比，一般不超过 2%		应在冷态下进行，同时测量并记录磁极接头接触电阻，以便今后比较
4	测量单个磁极线圈的交流阻抗	相互比较不应有显著差别		在挂装后进行，试验所加电压不应超过额定励磁电压
5	转子绕组交流耐压试验	额定励磁电压(V)	试验电压(V)	按出厂试验电压标准乘以 0.8； 转子吊入后或机组升压前，一般不再进行交流耐压试验
		≤500	$10U$ 但不得低于 1 500	
		＞500	$2U$+4 000	

(2)转毂烧嵌应符合下列要求：①转毂膨胀量，除考虑实测过盈外，还应加上套装工艺要求的间隙值，以及套入过程中轮毂降温所引起的收缩值，有者以轴径的 1/1 000 计，后者视轴径的大小一般在 0.5 ~ 1.0 mm 之间选取。②套装时应仔细检查，加温后轮毂孔径的膨胀量，其值须满足上述设计要求。③轮毂烧嵌后，主轴凸出处应先行冷却，冷却过程中，轮毂上、下端温差一般不超过 40℃。

(3)轮臂组装前、转子中心体应调整水平，共偏差不应大于 0.05 mm/m。

(4)轮臂组合后进行检查，应符合下列要求：①组合缝间隙应符合 GB8564—88《水轮发电机组安装技术规范》中的相关要求。②轮臂下端各挂钩高程差，不应大于 1 mm。③轮臂外圆圆度和锥度、各键槽上、下端弦长、键槽深度和宽度均应符合设计要求。④键槽径部及切向倾斜度，不应大于 0.3 mm/m。

(5)上、下机架安装允许偏差应符合表 8-22 的要求。

表 8-22　上、下机架安装允许偏差　　（单位：mm）

序号	项目	允许偏差
1	各组合缝间隙	符合 SL172—96《小型水电站施工技术规范》第 19.2.9 条的要求
2	挡风板、消火水管与定子线圈及转子风扇距离	0 ~ +20%设计值
3	机架中心	0.5
4	机架水平	不超过 0.10 mm/m
5	机架高程	± 1.5
6	机架与基础板组合缝	符合 SL172—96《小型水电站施工技术规范》第 19.2.9 条的要求

(6)圆盘式结构的转子支架，其组合焊接按制造厂规定进行。

(7)制动器安装允许偏差应符合表 8-23 中的要求：①闸板按编号装配，无编号按重量对称布置，接缝处底有 2 mm 以上间隙。②闸板径向应水平，其偏差应在 0.5 mm 以内，沿整个圆周的波浪度不应超过 2 mm，按机组旋转方向检查闸板接缝，后一块不应凸出前一块。③闸板部位的螺栓凹进摩擦面 2 mm 以上。

表 8-23　制动器安装允许偏差　　（单位：mm）

序号	项目	允许偏差
1	制动器严密性耐压试验	持续 30 min 压力降不超过 3%
2	制动器顶面高程	± 1.0
3	制动器与转子闸板间隙	± 20%设计间隙
4	制动器径向位置	± 3.0
5	制动系统管路严密性耐压试验	无渗漏

(8)磁轭冲片表面应平整、无锈蚀、无毛刺，并按表 8-24 中的要求过称、分组，每组抽出 3 ~ 5 张测量厚度，堆放时正反面应一致。

表 8-24　磁轭冲片分组要求

每张磁轭冲片质量(kg)	每组相隔质量不超过(kg)
＜20	0.2
20～40	0.3
＞40	0.4

(9)转子吊装的允许偏差应符合表 8-25 中的要求。

表 8-25　转子吊装的允许偏差　　(单位：mm)

序号	项目	允许偏差	说明
1	镜板水平度	不超过 0.02 mm/m	
2	推力头卡环轴向间隙	小于 0.03	卡环受力后检查
3	空气间隙	±10%平均间隙	

(十一)用盘车方法检查调整机组轴线的要求

(1)盘车前，大轴应垂直，机组转动部分处于中心位置。

(2)调整靠近推力头的导轴瓦或临时导轴瓦的单侧间隙，一般为 0.03～0.05 mm。

(3)盘车前，推力瓦面应涂上无杂质的猪油(室温高于 25℃时可用牛、羊油)或三硫化物润滑剂。

(4)推力轴承刚性盘车前，各瓦受力应初调均匀，镜板水平一般应符合转子安装允许偏差的要求。轴线调整完毕后，机组各部摆度值应不超过表 8-26 的要求。

表 8-26　机组轴线的允许摆度值(双振幅)

轴的名称	测量部位	摆度允许值				
		轴每分钟转速(r/min)				
		100	250	375	600	1 000
发电机轴	发电机上、下导轴承处轴颈及法兰	相对摆度(mm/m)				
		0.03	0.03	0.02	0.02	0.02
水轮机轴	水轮机轴承处的轴	相对摆度(mm/m)				
		0.05	0.05	0.04	0.03	0.02
发电机	集电环	绝对摆度(mm)				
		0.50	0.40	0.30	0.20	0.10

注：①相对摆度$=\dfrac{\text{绝对摆度(mm)}}{\text{测量部位至镜板距离(m)}}$；②绝对摆度是指在测量部位测出的实际摆度值。

根据冲片过称、分组、厚度记录及磁轭装配图，计算并列出磁轭堆积配重表，风扇槽片边应参加配重。

(十二)磁轭冲片的叠装要求

(1)冲片由磁轭键和销钉定位，无定位销结构的磁轭可穿入永久螺杆，每张冲片不小于 3 根。磁轭冲片由临时导向键作切向径向定位的结构，导向键的安装按制造厂规定进行。

(2)叠装过程中，冲片与转子支架立筋外圆的间隙应均匀、正反面一般应一致，叠片方式符合设计规定。

(3)叠装过程中制动闸板径向不平和波浪度的调整，一般与每次压紧工作同时进行。

(4)磁轭全部压紧后，其平均高度与设计高度偏差一般不超过+10 mm。沿圆方向的高度偏差不应超过表 8-27 中的规定，且同一纵截面上的高度偏差不应大于 5 mm。

表 8-27　磁轭圆周方向高度允许偏差　(单位：mm)

磁轭高度	＜1 500	1 500 ~ 2 500	＞2 500
偏差	6	8	10

(5)磁轭压紧后其叠压系数不应小于 0.99，分段压紧高度一般不大于 800 mm，压紧螺杆应力或伸长值应符合制造厂规定。

(6)磁轭与轮臂挂钩间一般无间隙，个别的不应大于 0.5 mm。磁轭压板应过称，按质量对称布置。磁轭与磁板的接触面，用不短于 1 m 的平尺检查应平直，个别高点应磨去。磁轭在叠装过程中，应经常检查和调整其圆度。

磁轭键应先在冷状态下用大锤对称均匀地打紧，使转子支臂与磁轭间开始产生 0.5 ~ 0.10 mm 的相对变形。磁轭键上端露出长度，必须满足热打键的要求。磁轭热打键时，加温时间一般不宜超过 12 h，键的打入深度必须符合设计要求。其下端按轮臂挂钩切割平齐，上端应多留一些，但应与上机架或挡风板保持足够的距离。

无轴结构的伞式发电机，热打键后应检查转子中心体上、下口的配合尺寸。

测量并调整磁轭圆度，各半径与平均半径之差不应大于设计空气间隙值的 ± 4%。

磁极线圈和垫板在压紧情况下与铁芯的高度差应符合设计要求，无规定时不应超过 0 ~ –1 mm。磁极挂装前后，应按 GB8564—88《水轮发电机组安装技术规范》中相关条规定进行交流耐压试验。单个磁极的绝缘电阻，用 500 V 或 1 000 V 兆欧表进行测量，不得小于 5 MΩ。

(十三)磁极中心挂装高程偏差应符合下列要求

(1)铁芯长度小于或等于 1.5 m 的磁极，不应大于 ± 1.0 mm。铁芯长度大于 1.5 m 的磁极，不应大于 ± 2.0 mm。

(2)磁极键打入前，应在斜面上涂润滑剂，打入后用手摇不动为合格。

(3)额定转速在 300 r/min 及以上的发电机转子对称方向磁极挂装，高程差不大于 1.5 m。

磁极挂装后，检查转子圆度，各半径与平均半径之差，不应大于设计空气间隙值的 ± 5%。

(十四)磁极接头联结的要求

(1)接头错位不应超过接头宽度的 10%，接触面电流密度应符合设计要求。

(2)锡焊焊接接头应饱满，外观光洁，并具有一定的弹性。螺栓联结接头，接触应紧密，用 0.05 mm 塞尺检查，塞入深度不应超过 5 mm。

(3)接头绝缘包扎应符合设计要求，接头与接地导体之间应有不小于 10 mm 的安全距离，绝缘卡板卡紧后两块卡板端头应有 1 ~ 2 mm 间隙。

风扇应无裂纹等缺陷，安装应牢固，其金属部分与磁极接头及线圈的距离一般不小于 10 mm。

阻尼环接头的接触面，用 0.05 mm 塞尺检查，塞入深度不超过 5 mm。

推力瓦受力应在大轴处于垂直镜板水平、转子和转轮处于中心位置的情况下进行调整，各瓦受力均匀，其误差不应超过平均值的 ± 10%，推力轴瓦最终调整定位后各部间隙均应符合设计要求。

(十五)推力油槽安装应符合下列要求

(1)推力油槽应进行煤油渗漏试验和油槽冷却器应做耐压试验。

(2)油槽内转动部分与固定部分的轴向间隙，应满足顶转子的要求。其径向间隙应符合设计规定，沟槽式密封毛毡装入槽内应有 1 mm 左右的压缩量。

(3)油槽油面高度应符合设计要求，偏差一般不大于 ± 5 mm，润滑油牌号应符合设计要求。

(4)挡油管外圆应与机组同心，中心偏差不大于 0.3 ~ 1.0 mm。

(5)悬吊式机组推力轴承各部绝缘电阻应不小于表 8-28 中的规定。

表 8-28　悬吊式机组推力轴承各部绝缘电阻

序号	推力轴承部件	绝缘电阻(MΩ)	绝缘电阻测量仪器	说明
1	推力轴承底座及支架	5	1 000 V	在底座及支架安装后测量
2	推力轴承总体	1	1 000 V	轴承总装完毕，顶起转子，注入润滑油前，温度在 10 ~ 30℃
3	埋入式温度计	50	500 V	注入润滑油前，测每个温度计芯线对推力轴瓦的绝缘电阻

(十六)导轴承安装应符合下列要求

(1)机组轴承及推力瓦受力调整合格。

(2)水轮机止漏环间隙和发电机空气间隙合格。

(3)分块式导轴承的每块异轴瓦在最终安装时，绝缘电阻一般在 50 MΩ 以上。

(4)轴瓦安装，应根据主轴中心位置并考虑盘车的摆度方位和大小进行间隙调整，安装总间隙应符合设计要求。对采用弹性推力轴承的发电机，其中一部导轴承轴瓦间隙的调整可不考虑摆度值。

(5)油槽安装应符合推力油槽的有关规定。

(6)分块式导轴瓦间隙允许偏差不应大于 0.02 mm。

另外，无支柱的液压推力轴承，各弹性油箱的压缩量偏差应符合设计规定。

推力轴瓦最终调整定位后，推力瓦压板、挡板与瓦的轴间切向间隙值，钢套与油箱底盘的轴向间隙值，均应符合设计要求。

为便于运行中检查弹性油箱有无渗漏，当机组转动部分落于推力轴承上时，须按十字线方向测量推力轴承座的上表面至镜板间的距离，并作出记录。

推力轴承外循环冷却装置和管路，必须严格清扫干净，并按设计要求做耐压试验。

(十七)推力轴承高压油顶起装置的安装应符合下列要求

(1)高压油顶起装置各元件应分解清扫。

(2)系统油管路必须严格扫干净，用油泵向油系统连续打油，直至出油油质合格为止。按设计要求做耐压试验。

(3)溢流阀的开启压力应符合设计规定。各单向阀应在反向压力状态下做严密性耐压试验，在 0.5、0.75 倍及 1 倍反向工作压力下各停留 10 mm，均不得渗漏。

(4)在工作压力下，调整各瓦节流阀油量，使各瓦与镜板的间隙相互差不大于 0.02 mm，此时转子顶起高度，应在 0.03 ~ 0.06 mm 范围内。

(十八)发电机测温装置的安装应符合下列要求

(1)测温装置的总绝缘电阻，一般不小于 0.5 MΩ。有绝缘要求的轴承，在每个温度计安装后，对瓦的绝缘电阻应符合埋入式温度计绝缘电阻 50 MΩ 的要求。

(2)定子线圈测温装置的端子板，应有放电空气间隙，一般为 0.3 ~ 0.5 mm；

(3)轴承油槽封闭前，应对测温装置进行检查，各电阻温度计应无开路、短路、接地现象，信号温度计指示应接近当时的轴承温度，测温引线应固定牢靠。

(4)温度计及测温形状标号应与瓦号、冷却器号、线圈槽号一致。

永磁发电机与机组同心，各空气间隙与平均间隙之差不应超过平均空气间隙值的 ± 5%，机座装配后，对地绝缘电阻一般不小于 0.3 MΩ。

(十九)励磁机的安装应符合下列要求

(1)分瓣励磁机定子在工地组装时，铁芯合缝处不应加绝缘纸垫，机座组合缝间隙一般应符合 GB8564—88《水轮发电机组安装技术规范》中的相关要求。

(2)检查主磁极和换向极铁芯的内圆、各半径与平均半径之差，不应大于设计空气间隙的 ± 5%，各磁极中心距(弦距)偏差不应大于 2 mm。

(3)励磁机定子，在机组及电枢中心找正后再调整定位。主极和换向磁极的各空气间隙与平均间隙之差，不应超过平均空气间隙的 ± 5%。

(4)励磁系统线路用螺栓连接的母线接头，应用 0.05 mm 塞尺检查，塞入深度不应超过 5 mm。

(5)励磁机集电环有关电气试验，应按 GB8564—88《水轮发电机组安装技术规范》中相关规定进行。

(6)电刷在刷握内滑动应灵活，无卡阻现象，同一组电刷应与相应整流子片对正，刷握距离整流子表面应有 2 ~ 3 mm 间隙，各组刷握间距差应小于 1.5 mm。电刷与整流子的接触面不应小于电刷截面的 75%，弹簧压力应均匀。

(7)整流子各片间的绝缘，应低于整流子表面 1 ~ 1.5 mm。

(8)不同极性的电枢引线及转子励磁引线，应成对并列穿过励磁机定子。

(9)机组盘车时，整流子和集电环的摆度应符合盘车机组整调的要求。

(10)集电环安装的水平偏差一般不超过 2 mm，电刷与刷握的安装应按设计要求进行。

永磁发电机应与机组同心，各空气间隙与平均间隙之差，不应超过平均空气间隙值的 ± 5%。机座装配后，对地绝缘电阻一般不小于 0.3 MΩ。

二、卧式水轮发电机安装的质量控制要点

(一)轴瓦研刮的质量控制要点

轴瓦研刮工作，一般分两次进行，初刮在转子穿入前进行，精刮在转子中心找正后进行。

座式轴承轴瓦研刮，应符合下列要求。

(1)轴瓦与轴颈的间隙应符合设计要求，一般顶部间隙为轴颈直径的(0.3 ~ 1)/1 000(较大的数值适用于较小的直径)，两侧间隙各为顶部间隙的一半，两端间隙差不应超过该间隙的 10%。

(2)下部轴瓦与轴颈接触角一般为 60°左右，沿轴瓦长度应全部均匀接触，每平方厘米应有 1 ~ 3 个接触点。

(3)采用压力油循环润滑系统的轴承，油沟尺寸应符合设计要求，合缝处纵向油沟两端的封头长度不应小于 15 mm。

推力瓦研刮应符合下列要求：①接触面积应达到 75%，每平方厘米应有 1 ~ 3 个接触点。②无调节螺栓的推力瓦厚度应一致，同一组各块瓦厚度差不应大于 0.02 mm。

(二)其他要求

(1)轴承座安装的允许偏差应符合表 8-29 中的要求。

表 8-29 轴承座安装的允许偏差 (单位：mm)

序号	项目	允许偏差
1	轴承座油室应做煤油渗漏试验	符合 SL172—96《小型水电站施工技术规范》第 19.2.14 条的要求
2	轴承座中心	0.10
3	轴承座横向水平度	不超过 0.20 mm/m
4	轴承座轴向水平度	不超过 0.10 mm/m
5	轴承座与基础板组合缝	符合 SL172—96《小型水电站施工技术规范》第 19.2.9 条的要求

(2)轴承座的油室应清洁，四路畅通，并按 GB8564—88《水轮发电机组安装技术规范》相关规定要求做煤油渗漏试验。

(3)轴承各部分间隙调整应满足以下要求：①轴线调整后，盘车检查轴瓦的接触情况。立轴与下轴瓦的接触面、座式轴承轴瓦研刮的要求，不合格时应进行修刮。②推力瓦与推力盘的接触面，应符合推力瓦研刮的要求，不合格时应进行修刮。

(4)轴颈与下轴瓦的侧面间隙、轴颈与上轴瓦的顶部间隙应符合座式轴承轴瓦研刮的要求。轴瓦两端与轴肩的轴向间隙，应按每 1 m 热膨胀 0.5 mm 考虑，保持足够间隙以保证运行时转子能自由膨胀。

(5)根据水轮机固定部分的实际中心，初步调整轴承孔中心，其同轴度偏差不应大于 0.1 mm；轴承座的水平偏差，其横向一般不超过 0.2 mm/m，轴向一般不超过 0.1 mm/m。

(6)转子主轴法兰按水轮机主轴法兰找正其偏心不应大于 0.04 mm，倾斜不应大于 0.02 mm。

(7)有绝缘要求的轴承安装后，对地绝缘电阻一般不小于 0.3 MΩ，绝缘垫板应使用整块的，厚度一般为 3 mm，四周应凸出轴承座 10 ~ 15 mm。轴承座与基础板间各组合面间隙应符合 GB8564—88《水轮发电机组安装技术规范》中相关条款的要求。

(8)推力轴承的轴向间隙(主轴窜动量)一般为 0.3 ~ 0.6 mm(较大值适用于较大的轴径)。

(9)定子与转子空气间隙应均匀,每个磁极的间隙值应取 3 ~ 4 次(每次将转子旋转 90°)测量值的算术平均值；各间隙与平均间隙值之差，不应超过平均间隙值的 ± 10%。

(10)定子与转子的轴向中心调整应使定子相对转子向励磁机端偏移 1.0 ~ 1.5 mm。

(11)主轴联接后，盘车检查各部分摆度，应符合下列要求：①各轴颈处的摆度应小于 0.03 mm。②推力盘的端面跳动量不应大于 0.02 mm。③联轴法兰的摆度应不大于 0.1 mm。④滑环、整流子处的摆度应不大于 0.2 mm。

(12)轴瓦与轴承外壳的配合应符合下列要求。①圆柱面配合的，上轴瓦与轴承盖间应无间隙，且应有 0.05 mm 紧量；下轴瓦与轴承座接触严密，承力面应达到 60%以上。②球面配合的，球面与球面座的接触面积为整个球面的 75%左右，且分布均匀，轴承盖把紧后，瓦与球面座之间的间隙一般为 ± 0.03 mm。

(13)密封环与转轴间隙一般为 0.2 mm 左右。安装时，其分半对口间隙不应大于 0.1 mm 且无错牙。

(14)风扇安装的质量控制要点：①风扇片和导风装置的间隙应均匀，其偏差不应超过实际平均间隙值的 ± 20%。②风扇端面和导风装置的端面距离应符合设计要求。设计无规定时，一般不小于 5 mm。

三、轴伸贯流水轮发电机安装的质量控制要点

(1)主要部件的组合允许偏差应符合表 8-30 中的要求。

表 8-30　主要部件组合允许偏差

序号	项目	允许偏差
1	定子铁芯组合缝间隙	加垫后应无间隙,铁芯线槽底部径向错牙不大于 0.5 mm
2	定子机座组合缝间隙	局部不超过 0.10 mm，螺栓周围不超过 0.05 mm
3	定子铁芯圆度	设计空气间隙的 ± 5%
4	机壳、顶罩各法兰圆度	–0.1% ~ +0.1%设计直径且最大不超过 5.0 mm
5	顶罩各组合缝间隙	符合规范第 19.2.9 条要求
6	机壳、顶罩焊缝	按 JB1152—81《钢制压力容器对接焊缝超声波探伤》Ⅱ级焊缝要求

(2)发电机正式安装的技术要求：①轴承装配应符合轴承座安装的允许偏差的要求。②主轴联接后盘车检查各部分摆度应符合下列要求：各轴颈处的摆度应小于 0.03 mm；推力盘的端面跳动量应小于 0.05 mm；联轴法兰的摆度不大于 0.10 mm；滑环处的摆度应不小于 0.2 mm。

(3)调定空气间隙，使各间隙与平均间隙之差不超过平均间隙值的 ± 10%。

(4)水轮发电机安装完毕，要求机组两轴的同轴度不大于 0.05 mm，联轴器的轴向间隙不大于 8 mm。

(5)顶罩与定子组合面密封应良好。支撑结构的安装应根据不同结构型式按制造厂要求进行。

(6)挡风板与转动部件的径向间隙与轴向间隙应符合设计要求，其偏差不应大于设计值的 20%。

(7)总体安装完毕后，灯泡体应按设计要求做严密性试验。

第六节　管路及附件制造及安装的质量控制要点

一、管子弯制的质量控制要点

管子弯曲半径，热煨管时，一般不小于管径的 3.5 倍；冷弯时，一般不小于管径的 4 倍；采用弯管机热推弯时，一般不小于管径的 1.5 倍。

弯制有缝管时，其纵缝应置于水平与垂直面之间的 45°处。

管子加热时应均匀，热弯温度一般应为 105(橙黄色) ~ 750℃；加热次数一般不超过 3 次。

管子弯制后的质量应符合下列要求：

(1)无裂纹、分层、过绕等缺陷；

(2)管子曲角度应与样板相符；

(3)管子截面的最大与最小外径差一般不超过管径的 8%；

(4)环形管弯制后，应进行预装，其半径偏差一般不大于设计值的 2%，管子应在同一平面上，偏差不大于 40 mm；

(5)弯管内侧波纹褶绉高度一般不大于管径的 3%，波距不小于 4 倍波纹高度。

二、管路附件制作的质量控制要点

(一)一般规定

(1)管子切口质量应符合下列要求：①切口表面平整，局部凹凸一般不大于 3 mm。②管端切口平面与中心线的垂直偏差，一般不大于管子外径的 2%，且不大于 3 mm。

(2)Ω形伸缩节一般用一根管子煨成，并保持在同一平面。

(3)锥形管制作，其长度一般不小于两管径差的 3 倍，两端直径及圆度应符合设计要求，偏差不超过设计直径的 ± 1%，且不超过 ± 2 mm。

(4)公称直径大于或等于 800 mm 的焊接管件应采用封底焊。

(5)焊制三通的支管，垂直偏差一般不大于其高度的 2%。

(6)焊接弯头的曲率半径，一般不小于管径的 1.5 倍；90°弯头的分节数，一般不少于 4 节。焊后弯头轴线角度应与样板相符。

(二)管道焊接的质量控制要点

(1)管道接头应根据管壁厚度选择适当的坡口形式和尺寸，一般壁厚不大于 4 mm 时，选用Ⅰ形坡口，对口间隙 1～2 mm；壁厚大于 4 mm 时，应采用 70°角的 V 形坡口，对口间隙及钝边均为 0～2 mm；管子对口错牙应不超过壁厚的 20%，但最大不超过 2 mm。

(2)焊缝表面应无裂纹、夹渣和气孔等缺陷，咬边深度应小于 0.5 mm，长度不超过缝长的 10%，且小于 100 mm。

(3)焊缝表面应有加强高，其值为 1～2 mm；遮盖面宽度，Ⅰ形坡口为 5～6 mm，V 形坡口要盖过每边坡口约 2 mm。

(4)焊接的工艺要求及焊缝内部质量应符合 GBJ236—82《现场设备工业管道焊接工程施工及验收规范》的规定。

三、管道安装的质量控制要点

(一)管道安装时，焊缝位置应符合下列要求

(1)直管段两环缝间距不小于 100 mm。

(2)在管道焊缝上不得开孔。如必须开孔时，焊缝应经无损探伤检查合格。

(3)对接焊缝距弯管起弯点不得小于 100 mm，且不小于管外径。

(4)在管道对口时，应检查平直度。在距接口中心 200 mm 处测量，允许偏差 1 mm，但全长允许偏差最大不超过 10 mm。

(5)焊缝距支、吊架净距不小于 50 mm。穿过隔墙和楼板的管道，在隔墙和楼板内不得有焊口。

(二)管路的埋设应符合下列要求

(1)管路的出口位置的偏差，一般不大于 10 mm，管口伸出混凝土面一般不小于 300 mm，管道距离混凝土墙面，一般不小于法兰的安装尺寸，管口应可靠封堵。

(2)管路过混凝土伸缩缝时，其过缝措施应符合设计要求。

(3)管路不宜采用螺纹和法兰连接。测压管路应尽可能地减少，拐弯曲率半径要大，并考虑排空，测压孔应符合设计要求。

(4)排油管路一般采用埋设套管的办法。

(三)明管安装位置应符合下列要求

(1)安装位置(坐标及标高)的偏差一般不大于 10 mm。

(2)成排管应在同一平面上，偏差不大于 5 mm，管间间距偏差不应超过 5 mm。

(3)水平弯管弯曲和水平偏差一般不大于 0.15%，立管间垂直度偏差一般不超过 0.2%。

(4)自流排水管和排油管的坡度应与流液方向一致，坡度一般在 0.2%～0.3%。

(四)法兰连接应符合下列要求

(1)法兰密封面及密封垫不得有影响密封性能的缺陷存在，密封垫的材料应与工作介质及压力要求相符。垫片尺寸应与法兰密封面相符，内径允许大 2～3 mm，外径允许小 1.5～2.5 mm；垫片厚度除低压水管橡胶板可达 4 mm 外，其他管路一般为 1～2 mm，垫片不准超过两层。

(2)法兰接合后应平行，偏差不大于法兰外径的 1.5/1 000，且不大于 2 mm，螺栓紧力应均匀。

(3)压力管路弯头处不应设置法兰。

(4)管道与法兰焊接时，应采取内外焊接，内焊缝不得高出法兰工作面。所有法兰与管道焊接后应垂直，一般偏差不超过1%。

(五)其他

油系统管路，不宜采用焊接弯头。

管螺纹接头的密封材料宜采用聚四氟乙烯带或密封膏挤紧螺纹时，不得将密封材料挤入管内。

管道、管件及阀门安装前内部应清理干净，调速系统油管路必须严格清洗干净，用白布检查，不应有污垢。安装时，应保证不落入脏物；安装后，必须按GBJ235—82《工业管道工程施工及验收规范》(金属管道篇)有关规定进行吹扫和清洗。

管道及附件试验的质量要求：

(1)工地自行加工的承压容器和工作压力在 1 MPa(10 kgf/cm^2)，及以上的管件应按GB8564—88《水轮发电机组安装技术规范》中的相关系数要求做强度耐压试验，工地自行加工的承压容器应做渗漏试验。

(2)工作压力在1 MPa(10 kgf/cm^2)及以上的阀门和1 MPa(10 kgf/cm^2)以下的重要部位的阀门，应按GB8564—88《水轮发电机组安装技术规范》中的相关条款做严密性耐压试验。

(3)风、水、油系统管路安装后，一般应先进行通水、通气的充油试验，试验时逐步升至工作压力，应无渗漏现象。

(4)埋设的压力管路，在混凝土浇筑前，应按 GB8564—88《水轮发电机组安装技术规范》中的相关条款要求做严密性试验。

第七节　蝴蝶阀及球阀安装的质量控制要点

一、蝴蝶阀及球阀安装的质量控制

(1)蝴蝶阀上、下游侧的压力钢管或蜗壳管口，露出混凝土墙面的长度一般不小于500 mm。

(2)轴承间隙应符合设计要求。

(3)蝴蝶阀安装时，沿水流方向中心线，应根据蜗壳及钢管中心确定；横向中心线(上、下游位置)与设计中心线的偏差，一般不大于15 mm；蝴蝶阀的水平度和垂直度，在法兰焊接面测量，其偏差不应大于1 mm/m。

(4)橡胶水封装入前，通 0.05 MPa(0.5 kgf/cm^2)的压缩空气在水中做漏气试验，应无漏气现象。

(5)为便于检修时将蝴蝶阀向伸缩节方向移动，基础螺栓与螺孔间应有足够距离，其值不应小于法兰之间橡胶盘根的直径。

(6)阀壳各组合缝间隙，应符合 GB8564—88《水轮发电机组安装技术规范》中相关条款的要求。组合面橡胶盘根的两端，应露出阀壳上、下游法兰的盘根槽底面1～2 mm。

(7)蝴蝶阀安装允许偏差应符合表 8-31 中的要求。

表 8-31　蝴蝶阀安装允许偏差

<table>
<tr><th>序号</th><th colspan="2">项目</th><th>允许偏差</th></tr>
<tr><td>1</td><td colspan="2">阀座与基础板组合缝</td><td>符合 SL172—96《小型水电站施工技术规范》第 19.2.9 条的要求</td></tr>
<tr><td>2</td><td colspan="2">阀壳各组合缝</td><td>符合 SL172—96《小型水电站施工技术规范》第 19.2.6 条的要求</td></tr>
<tr><td>3</td><td colspan="2">橡胶水封充气试验</td><td>通 0.05 MPa 压气无漏气</td></tr>
<tr><td rowspan="2">4</td><td rowspan="2">活门关闭时间隙</td><td>水封充气状态</td><td>无间隙</td></tr>
<tr><td>水封未充气状态</td><td>+20%～−20%设计值</td></tr>
<tr><td>5</td><td colspan="2">静水密封性试验</td><td>漏水量不超过设计值</td></tr>
</table>

(8)阀壳与活门组装后，应符合下列要求：①活门在关闭位置与阀壳间的间隙应均匀，偏差不应超过实际平均间隙值的 ± 20%。②在活门关闭位置，橡胶水封在未充气状态下，其水封间隙应符合设计要求。其偏差不应超过设计间隙值的 ± 20%。在工作气压下，橡胶水封应无间隙。

二、球阀安装的质量控制要点

球阀安装允许偏差应符合表 8-32 中的要求。

表 8-32　球阀安装允许偏差

序号	项目	允许偏差
1	阀座与基础板组合缝	符合 SL172—96《小型水电站施工技术规范》第 19.2.9 条的要求
2	阀体中心	± 5 mm
3	阀体横向中心	15 mm
4	阀体水平度及垂直度	1.0 mm/m
5	阀体各组合缝	符合 SL172—96《小型水电站施工技术规范》第 19.2.9 条的要求
6	活门与阀体间隙	符合设计要求
7	工作与检修密封间隙	不超过 0.05 mm
8	密封盖行程	不小于设计值的 80%，动作应灵活
9	静水严密性试验	保持 30 min 漏水量不超过设计值

需要在现场分解、清扫和组装的球阀，组装后应符合下列要求：

(1)轴承间隙应符合设计要求。

(2)各组合缝间隙应符合 GB8564—88《水轮发电机组安装技术规范》中相关条款的要求。

(3)工作密封及检修密封的止水面接触应严密，用 0.05 mm 塞尺检查，不能通过，否则应研磨处理。

(4)密封盖行程及配合尺寸，应符合设计要求，其实际行程一般不小于设计值的 80%，动作应灵活。

(5)做严密性的耐压试验。在最大静水压下，保持 30 min，其前后密封的漏水量不应超过设计允许值。

另外，球阀的活门转动应灵活，与固定部件应有足够间隙一般不小于 2 mm，密封盖与密封圈之间的最大间隙应小于密封盖的实际行程。

三、伸缩节安装的质量控制要点

(1)伸缩节的内外套管间隙应调整均匀，不应有卡阻现象，盘根槽宽度的允许偏差应符合表 8-33 中的要求。

表 8-33　盘根槽宽度允许偏差　　(单位：mm)

序号	钢管直径	允许偏差
1	<2 000	2
2	2 000～3 500	3
3	3 500～5 500	4
4	>5 500	6

(2)伸缩节与内外套管的伸缩距离应符合设计要求，其偏差一般不超过 ± 6 mm，并应考虑伸缩节焊接的收缩尺寸。

四、液压操作阀、空气阀安装的质量控制要点

(1)对液压操作阀进行检查，其动作灵活，行程符合设计要求，且不漏油。

(2)空气阀的止水面应按 GB8564—88《水轮发电机组安装技术规范》中相关条款做煤油渗漏试验。安装后动作应正确，当蜗壳内无水时，空气阀在全开位置，充水关闭后不漏水。

(3)旁通阀安装的垂直偏差，一般不大于 2 mm/m。安装后连同旁通管一起应按 GB8564—88《水轮发电机组安装技术规范》中相关条款做严密性耐压试验。

五、操作机构安装的质量控制要求

操作阀门的接力器安装除应符合前面所述接力器安装调整的有关要求外，还应符合下列要求：

(1)摇摆式接力器的基础板和底座安装，应根据活门在全关位置时，拐臂连接销孔的实际位置来确定，基础板的位置偏差不应大于 3 mm。接力器安装面水平或垂直偏差不大于 1 mm/m，底座高程偏差不超过 ± 1.5 mm。销轴连接处不别劲。

(2)环形接力器应调整其限位装置，使阀门全开、全关位置偏差小于 1.5 mm。

操作系统压油装置的安装应符合前面所述压油装置安装与调试中有关要求。

在压力钢管有水情况下，分别用工作及备用油泵操作活门及旁通阀，其动作应平稳，开关时间应符合设计要求。活门实际全开位置的偏差不应超过 ± 1°，并记录动作油压值。

第八节　水轮发电机组试运行的技术要求

一、一般规定

(1)根据有关技术文件和小型水电站施工技术规范 SL172—96《小型水电站施工技术规范》的规定，结合电站的具体情况，编制机组试运行程序、试验检查项目和安全措施。

(2)对机组及有关辅助设备，应进行全面清理检查，其安装质量应合格。

水轮机、发电机、调速系统及其有关附属设备系统，必须处于可以随时起动的状态。

(3)输水及尾水系统闸门、阀门均应试验合格，处于关闭位置。进人门、闷头等应可靠封堵，有关机组起动的各项安全措施应准备就绪，以确保机组安全运行。

二、机组充水试验

(1)向尾水充水至平压，检查各部位应无异常现象。

(2)分阶段向引水，输水系统充水、监视，检查各部位变化情况，应无异常现象。

(3)静水下进行工作闸门或蝴蝶阀、球阀的手动、自动启闭试验、启闭时间应符合设计要求。

(4)检查机组供排水系统，其工作正常。

三、机组空载试运行的注意事项

机组首次手动起动应进行下列工作：

(1)记录起动开度，空载开度及上、下游水位，机组起动过程中监视各部位，应无异常现象。

(2)测量水导上导摆度应小于轴承间隙，支持盖、上机架、推力支架、定子铁芯机座的振动值不超过表 8-34 中的规定。

表 8-34　机组各部位振动允许值　　(单位：mm)

序号	项目		额定转速(r/min)			
			＜100	100～250	250～375	375～750
			振动允许值(双振幅)			
1	立式机组	带推力轴承的支架垂直振动	0.10	0.08	0.07	0.06
2		带导轴承的支架水平振动	0.14	0.12	0.10	0.07
3		定子铁芯机座水平振动	0.04	0.03	0.02	0.02
4	卧式机组各部轴承振动		0.14	0.12	0.10	0.07

(3)测量各部轴承瓦温、油温及水温，记录轴承油面波动情况。

(4)测定水轮机各部压力值和真空值，并记录。

(5)测定油压装置油泵输油周期和手动运行时的机组周波摆动值。

(6)测定顶盖排水泵运行周期，检查水导主轴密封工作情况(漏水量)和发电机残压及相序。

(7)测量永磁机电压和频率关系曲线，在额定转速下测量绕组电压。

(8)检查自动控制回路和温度巡检回路应正常工作。

四、机组空载运行下调速器的调整和试验的要求

(1)在自动调节状态下，机组转速波动相对值不应超过额定转速的 ± 0.3%。

(2)飞摆电液转换器工作应正常。

(3)进行手动和自动切换时，接力器应无明显摆动。

(4)测定导叶接力器摆动值及摆动周期，记录油压装置油泵输油时间及工作周期。

(5)频率给定(变速机构)调整范围，应符合设计要求。

五、调速器空载扰动试验的要求

(1)转速最大起调量，不应超过转速扰动量的 30%。

(2)扰动量一般为 ± 8%，起调次数不应超过 2 次。

六、停机过程及停机后的检查

(1)转速继电器动作应正常，机组各部位无异常现象。

(2)记录从加闸开始至机组停止转动的时间。

七、过速试验

机组应根据设计规定的过速保护整定值进行过速试验，并检查下列各项：

(1)测量各部位运行摆度及振动值。

(2)整定过速保护装置的动作值。

(3)监视并记录各部轴承温度。

(4)停机后检查机组各部位应无异常现象。

八、机组自动起动时的检查

(1)调速器和自动化元件的动作情况应正常。

(2)记录从发出开机脉冲到机组达到额定转速的时间。

九、励磁特性检查

录制励磁空载特性曲线，并测定强励顶值电压。

十、发电机短路试验

发电机短路试验应检查下列各项目：

(1)录制发电机短路特性曲线，在额定电流下测量发电机轴电压。

(2)进行自动励磁调节器的复励和调差部分的调整试验。

(3)逐步升流，各电流回路不应开路，各继电保护装置接线及工作情况和电气测量指

示应正确。

(4)在发电机额定电流情况下，跳开灭磁开关，其灭磁情况应正常。

十一、机组自动停机的检查

(1)当机组转速降至规定加闸转速时，转速继电器的动作应正确。

(2)在停机过程中，调整器及各自动化元件的动作应正确。

(3)记录自停机脉冲发出至机组停止转动的时间。

十二、发电机的升压试验要求

(1)机组运行摆度振动值应符合上文的规定。

(2)在 50%、100%额定电压下，跳开灭磁开关，其灭磁情况应正常，绘制发电机在额定电压下的灭磁示波图，并求取时间常数。

(3)在额定转速下测量发电机残压及在额定电压下测量发电机轴电压，观察励磁换向情况应正常。

(4)二次回路的电压，相序及仪表指示应正确，继电保护装置工作应正常。

(5)在额定转速下测量发电机残压。

在额定转速下，绘制励磁负载特性及发电机空载特性曲线。当发电机的励磁电流升至额定值时，测量定子最高电压。对有匝间绝缘的电机最高电压持续时间为 5 min。

发电机应做单相接地试验及消弧线圈的补偿试验。

在额定负载下，机组应进行 72 h 连续运行。

受电站水头和电力系统条件限制，机组不能带额定负载时，可按当时条件在尽可能大负载下进行各项试验。

十三、发电机空载情况下励磁调节器的调整试验要求

(1)检查励磁调节系统的电压调整范围，应符合设计要求。

(2)检查励磁调节器投入，上、下限调节，手动和自动切换(以额定励磁电压的 10%为阶跃量作干扰)，带励磁调节器开停机等情况下的稳定性和超调量，其摆动次数一般为 2 ~ 3 次，超调量对可控硅励磁一般不超过 10%，调节时间一般不超过 5 s。

(3)测量励磁调节器的开环放大倍数。

(4)在等值负载情况下，录制和观察励磁调节器各部特性，对于可控硅励磁，还应在额定转子电流情况下，检查整流桥的均流系数和均压系数，其值应符合设计要求。设计无规定时，均流系数一般不小于 0.85，均压系数一般不小于 0.9。

(5)具有起励装置的可控硅励磁调节器，起励工作应正常。

(6)改变转速，测量发电机端电压的变化，频率变化 1%时，自动励磁调节系统应保证发电机电压变化符合下列要求：①对半导体型不超过额定电压的 ± 0.25%。②对电磁型不超过额定电压的 2%。

(7)对于采用三相全控整流桥的静止励磁装置，还应进行逆变灭磁试验。

(8)可控硅励磁调节器应进行低励磁、过励磁、断线、过电压、均流等保护的调整及

模拟动作试验，其动作应正确。

十四、发电机组并列及负载下的试验要求

(1)发电机对变压器高压侧经短路升流试验应正常。

(2)用相同的一次电压检查同期回路应正确。

(3)发电机对变压器递升加压系统，对变压器冲击合闸试验应正常。

(4)与机组投入有关的电气设备的一次和二次回路均已试验合格。

以手动和自动准同期方式进行并列试验应正常。

十五、机组负载下励磁调节器的试验要求

机组负载下励磁调节器的试验应符合下列要求：

(1)测定并计算发电机电压调差率，应符合设计要求，调差率调整范围分挡数不小于10点，调差特性应有较好的线性度。

(2)可控硅励磁调节器应分别进行各种限制器及保护的试验和整定。

(3)在负载工况下，励磁调节器的调节范围应满足运行需要，同时，观察调节过程中负荷分配的稳定性。

(4)测定并计算发电机电压静差率应符合设计要求。当设计无规定型，对半导体型不应大于0.2%~1.0%；对电磁型不应大于1.0%~3.0%。

十六、机组甩负荷试验

机组甩负荷试验应在额定负荷的50%、100%下分别进行，按表8-35所示表格形式记录有关参数值。

表8-35　机组甩负荷试验记录

机组负荷(kW)	记录时间	机组转速(r/min)	导叶开度(%)	导叶关闭时间(s)	接力器活塞往返次数(次)	调速器调节时间(s)	蜗壳实际压力(MPa)	上导轴承处运行摆度(mm)	水导轴承处运行摆度(mm)	承重机架振动(mm)		转速升高率(%)	水压升高率(%)
										水平	垂直		
	甩前												
	甩时												
	甩后												
	甩前												
	甩时												
	甩后												

观察励磁调节器的稳定性和超调量，甩去100%负荷时，发电机电压超调量不大于15%~20%额定值，调节时间不大于5 s，电压摆动次数不超过3~5次。

调速器的调节性能应符合下列要求：

(1)甩去100%负荷时，在转速变化过程中超过稳态转速3%以上的波峰，一般不应超过2次。

(2)轴流式水轮机协联关系，分段关闭时间的应符合设计要求。抬机量不应超过机组转动部件与固定部件的轴向配合间隙。

(3)校核导叶接力器急关闭时间，蜗壳水压上升率及机组转速上升率，均不应超过设计规定值。

(4)机组甩满负荷后，从接力器开始关闭动作到机组转速摆动值不超过 ± 0.5%为止的调节时间，一般不应大于 40 s。

十七、在额定负载下的试验

(1)低油压关闭导叶试验；

(2)事故配压阀关闭导叶试验；

(3)根据设计要求和电站具体情况，进行动水关闭工作闸门或主阀试验。

第九节　工程验收

水轮发电机组安装达到 SL172—96《小型水电站施工技术规范》所规定的质量要求，并经试运行合格后，应进行交接验收工作。

水轮发电机组交接验收时，应按要求移交资料。水轮发电机组交接验收应提供的技术资料主要包括以下几方面。

一、竣工图及资料

(1)水轮机发电机组(包括调速系统和励磁系统)安装竣工图。

(2)风、水、油系统及辅助设备安装竣工图。

(3)随设备到货的出厂记录、证明书、技术说明书等。

(4)设计修改文件。

(5)主要设备缺陷处理一览表及有关设备缺陷处理文件。

二、水轮机部分安装及测验记录

(1)吸出管里衬安装记录。

(2)座环蜗壳安装记录。

(3)接力器安装记录。

(4)转轮上、下止漏环圆度记录。

(5)固定止漏环安装圆度及中心记录。

(6)导叶上、下端部及立面间隙记录。

(7)水轮机各部止漏环间隙记录。

(8)水导轴承安装间隙记录。

(9)转轮室安装记录。

(10)转轮与转轮室间隙记录。

(11)冲击式水轮机机壳安装记录。

(12)冲击式水轮机喷嘴安装记录。

(13)斜流式水轮机转轮与转轮室间隙记录。

三、发电机部分安装试验记录

(1)机架安装记录。
(2)定子组装记录。
(3)转子组装记录。
(4)推力轴瓦装配间隙记录。
(5)机组轴线调整记录。
(6)各部空气间隙记录。
(7)导轴瓦间隙记录。
(8)制动器耐压试验记录。
(9)制动器安装高程记录。
(10)轴承绝缘电阻测量记录。
(11)冷却器耐压试验记录。
(12)卧式机组轴承安装记录。
(13)永磁机安装记录。

四、调速系统部分安装试验记录

(1)导叶接力器耐压试验记录。
(2)导叶接力器压紧行程记录。
(3)压油罐耐压试验记录。
(4)导叶紧急关闭时间记录。
(5)事故配压阀试验。
(6)导水机构最低动作油压记录。
(7)导叶开度与接力器行程关系曲线。
(8)压油装置试运行记录。
(9)频率与输出电压、电流关系曲线。
(10)调速系统静特性。
(11)调速器开度与喷针行程关系曲线。
(12)喷针行程与折向器开口关系记录。
(13)喷针、折向器全开关时间记录。

五、蝴蝶阀、球阀安装试验记录

(1)阀体安装记录。
(2)橡胶水封耐压试验记录。
(3)止水装置间隙记录。
(4)旁通阀水压试验记录。
(5)接力器行程、安装记录。
(6)无水及静水下操作试验记录。

(7)伸缩节焊缝检查记录。

六、其他相关记录

(1)机组电气部分试验记录。
(2)试运转部分试验记录。
(3)其他安装试验记录。
(4)油质化验记录。
(5)风、水、油系统试验记录。

第十节 实 例

本节以盘石头水库电站水轮机组制造与安装的质量控制为例进行介绍。

一、一般规定

河南省鹤壁市盘石头水库电站分为两座电站，属中小型水电站。位于盘石头水库输水洞1号、2号发电支洞末端，1号电站装机容量3 130 kW，2号电站装机6 250 kW，1号电站多年平均发电量为1 035万kW·h，2号电站多年平均发电量为1 581万kW·h，两站合计多年平均发电量为2 616万kW·h。电站建成后将投入电网运行，在电力系统中担任腰荷。电站主线接为扩大单元接线，所发电能经35 kV输电线路并入冷泉110/35/10 kV变电站送入电网。

二、主要技术参数及性能保证

(一)技术参数

水轮机设备技术参数如表8-36所示。

(二)主要性能保证

1. 出力保证

在额定水头、额定流量、额定转速且满足允许吸出高度的情况下，水轮机保证发额定出力。在工作水头大于额定水头时，水轮机保证有10%的超出能力，且在两种情况下，水轮机均能稳定运行，在全部运行水头条件下，在45%～110%的出力范围内，水轮机均能安全稳定运行。

2. 效率保证

在额定水头下，水轮机发额定出力时，水轮机效率分别为：1号电站92%和89.3%，2号电站分别为93.6%和90%；在整个运行工况范围内，1号电站水轮机最高效率为93.8%和91.7%，2号电站水轮机最高效率为94.3%和90.7%，水轮机加权平均效率保证值，1号电站为89.5%，2号电站为90%。

3. 磨损及空蚀保证

水轮机在合同文件规定的水质泥沙特性、水头及尾水位范围内，自投入商业运行之日起，运行8 000 h或工程竣工验收后运行2年，二者以先到为准。机组在允许出力45%额定出力下，运行时间不大于800 h，在大于110%额定出力运行时间不大于100 h情况下：

(1)转轮失重量：1号水轮机不超过0.512 kg、2号电站水轮机不超过2.8 kg。

表 8-36　混流式水轮机设备

型　号	HLA551–LJ–80	HLA244–LJ–100	HLA696–LJ–90	HLA339–LJ–84
转轮直径	0.8 m	1.0 m	0.9 m	0.84 m
最大水头	47.4 m	25 m	>4.65 m	>4.65 m
最小水头	21 m	8 m	49 m	49 m
平均水头	33 m		60.15 m	60.15 m
额定水头	32.7 m	17.8 m	59 m	59 m
额定流量	4.62 m³/s	4.5 m³/s	4.96 m³/s	2.69 m³/s
额定转速	600 r/min	300 r/min	600 r/min	600 r/min
效率修正	+0.6%	+0.6%	+0.6%	+0.6%
额定效率	92%	89.3%	93.6%	90%
允许吸出高度	4.5 ~ 1 900 m	6 ~ 1 900 m	3.4 ~ 1 900 m	4 ~ 1 900 m
最大水头时飞速转速	1 220 r/min	653 r/min	1 104 r/min	1 179 r/min
水轮机额定出力	1 365 kW	700 kW	2 688 kW	1 365 kW
在额定水头下水轮机最大过流能力	4.94 m³/s	5.1 m³/s	5.6 m³/s	2.98 m³/s
水轮机最大水推力	10 T	8.1 T	17.1 T	5.38 T
在额定水头下水轮机最大出力	1 450 kW	753 kW	2 968 kW	1 500 kW
水轮机最高效率	93.8%	91.7%	94.3%	90.7%
在最大水头时水轮机最大过流量	5.86 m³/s	6.1 m³/s	6.15 m³/s	3.35 m³/s
在最大水头时水轮抗最大出力	2 397.8 kW	1 220 kW	4 035 kW	2 085 kW
机组台数	2	1	2	1

(2)叶片任何点允许的剥落面积，1 号电站水轮机不超过 206 cm^2，2 号电站水轮机不超过 251.6 cm^2。叶片任何点的剥落深度：1 号电站水轮机不超过 2.58 mm，2 号电站水轮机不超过 2.8 mm。

(3)导水机构及尾水管里衬损失量之和不超过转轮空蚀保证量的 1/3。

(4)转轮的空蚀损坏超过保证值，在保证期内，供方负责修复补焊并打磨至型线。若因转轮型线叶片不良，或因部件质量造成过量空蚀损坏，供方负责修复至验收合格，重新开始计算空蚀保证期。

(5)空蚀损坏的测量和计算应按 GB/T15469—95《反击式水轮机空蚀破坏评定标准》规定的方法执行。

4. 运行稳定性及噪音要求

1)稳定范围

(1)水轮机在电站的运行水头下，负荷在 45% ~ 110%额定出力范围内，水轮机均稳定运行，在上述运行范围内，水轮机不出现振动和噪音异常等现象。

(2)稳定指标：尾水管臂压力脉动值在额定出力运行时$\Delta H/H$不大于3%，在部分负荷运行时$\Delta H/H$最大不超过6%(H为运行水头)。

(3)顶盖垂直振动及水轮机主轴摆度符合GB8564—88《水轮机发电机组安装技术规范》及有关的安装技术标准要求。

(4)在最大飞逸转速下，飞逸2 min机组所有旋转部件均不会产生有害变形。

2)噪音

在全部运行范围内，距水轮机室靠里衬的脚踏板上方处的噪音不超过90 dh(A)，距肘型尾水管进人门1 m处的噪音不超过95 dh(A)。

5. 调节保证

水轮机在甩满负荷后采用分段关闭，1号电站机组第一段有效关闭时间为2.88 s，总的有效关闭时间为8.58 s；2号电站机组第一段有效关闭时间为2.6 s，总的有效关闭时间为7.9 s。满足上述关闭规律的情况下，保证机组转速上升≤50%，蜗壳末端压力上升≤50%，尾水管真空值≤2 m水柱。

三、水轮机组的出厂制造的质量控制要求

(一)部件及焊缝表面加工的要求

1. 水轮机过流部件

水轮机过流部件表面将符合GB/T1069—1996《水轮机通流部件技术条件》的规定，保证有平滑的流线型，部件接头处表面齐平，转轮、导水叶、蜗壳、尾水管过流表面符合GB/T10969—1996《水轮机通流部件技术条件》要求，不会造成脱流和局部空蚀，主要零部件表面的粗糙度不超过表8-37中的规定。

2. 焊接件的要求

(1)焊缝外观要平整圆滑，对于需要采用X射线探伤的焊缝，表面要磨光，过水表面的焊缝将磨光成流线型，压力容器上的焊缝打磨处理后，不削弱其结构强度。

(2)任何部件焊缝应没有夹渣、气孔和焊不透现象，表面光滑、平整、美观。

(二)导水机构

导水机构主要包括：活动导叶、导叶臂、连板、顶盖、底环、控制部分及连接的销子等。

导水叶由优质铸钢材料铸焊而成，导水叶有3个自润滑轴承，轴瓦更换方便，导水叶立面和端面密封采用金属密封，在额定水头时水轮机导叶总漏水量不大于水轮机额定流量的3‰。当测量水头与规定的额定水头不符时，水轮机导水叶总漏水量小于按实际水头与额定水头之比的1/2次方法进行换算，导水叶型线采用偏心型。在全开到空载开度范围内具有自关闭特性，导水叶设置有限位装置和破断装置，在结构设计时保证破断装置失去作用时，导叶不碰转轮叶片。导水叶表面型线均满足GB/T10969—1996《水轮机通流部件技术条件》的规定，导水叶的水力设计应综合考虑导水叶厚度和振动频率的关系，能够避免水力共振。导水叶上、下端面采用止推块限位装置限位，该装置限制导水叶在剪断销剪断后导叶不产生封闭，保持机组稳定运行。

表 8-37 主要零部件表面允许粗糙度

部 位		Ra(μm)
滑动接触面		0.8
固定接触表面	要求紧配合的	3.2
	不要求紧配合的	6.3
其他机械加工面		12.5
座 环		6.3
导水叶	导水叶表面	3.2
	导水叶轴颈和密封面	1.6
	导水叶接触面	1.6
	导水叶上、下端部表面	1.6
转 轮	转轮外表面	3.2
	转轮过水部分	3.2
主 轴	主轴不接触表面	3.2
	轴承轴颈处	1.6
	主轴水封轴套	0.8
	法兰面	1.6
	倒 角	1.6
止水环间隙表面		1.6
顶盖、底环在邻近导叶端部处间隙表面		1.6
轴承和填料盒接触表面		1.6
基础环、尾水管、锥管、泄水锥、焊接蜗壳		25
接力器	接力器缸内孔	0.8
	接力器活塞和活塞杆	0.8
进水阀	过水通道	6.3
	活 门	6.3
	进水阀轴颈	0.8
	阀门密封圈	1.6
	阀门支承面和基础板	6.3
推力轴承	镜 面	0.2
	内外圆表面	1.6
	镜板与推力把结合面	0.8

导叶臂采用铸钢材料，连板采用钢板材料，其相连接部位都具有良好的自润滑性能的钢背复合轴套，确保转动灵活、调整方便。顶盖及底环采用铸焊结构，上、中、下三个导叶轴孔的通镗而成。确保其同轴度，在导水叶的活动范围内，都设有碳钢材料的抗磨板，抗磨板厚度 12 mm，在顶孔上设有测压孔，另设有可靠的排水措施，在底环上设有排除导叶下轴承渗漏水的结构，以确保导叶不上抬。

在连板和导叶臂之间设有偏心套筒和剪断销，其上装有剪断销信号器及信号装置。当剪断销剪断时，能自动报警。

控制部分采用铸焊结构，有足够的强度和钢度。导水叶套筒采用优质铸钢结构，其与顶盖导水叶间采用钢制密封环加“O”形密封圈密封，同时也起抗磨作用。

整个导水机构在厂内预装，严格按图纸要求及相关标准要求，调整合格并逐一打标记、编号，以利于以后的检修。

(三)转动部分

水轮机的转动部分主要包括转轮、主轴及连轴螺栓、横销等。

1 号电站转轮叶片选用抗蚀、抗磨性能良好、可焊性好的不锈钢材料，上冠和下环采用 ZG20SiMn 材料。

2 号电站采用抗蚀抗磨性能良好的碳钢材料制成。两个电站所有转轮均采用铸焊结构，所有焊缝均做无损探伤，打磨光滑，保证整个流道与模型之间的水力相似性和几何相似性。

所有转轮的上冠、下环均应设有止水环。转轮加工完成后，做静平衡试验，符合 JB/T6752—93《中小型水轮机转轮静平衡实验规程》的要求。泄水锥和上冠采用一体结构。

水轮机主轴材料选用经热处理的 45 号锻钢制成，有足够的强度和钢度，能够满足传递发电机最大功率时扭矩的要求，并能保证包括最大飞逸转速内任一转速下运行而不产生有害的振动、摆动和变形。

水轮机轴与发电机轴连接起来的旋转部分的第一临界转速比最大飞逸转速高 30%。

水轮机轴与发电机轴在厂内连接后，通轴找摆度并打相应标记，并应符合 GB8564—88《水轮发电机组安装技术规范》对轴线的要求。

主轴在出厂前做超声波无损探伤检查。

转动部分的连轴螺栓全部为经调质处理的 45 号钢锻制而成。

(四)主轴密封要求

主轴密封分为工作密封和检修密封，工作密封为活塞密封。封水应可靠，维修方便，检修密封为$\overline{30}$橡胶板密封，停板后在不关闭上游水阀门的情况下，可以调整和更换工作密封。

工作密封件为自补偿型，能够保证不低于 6 年的工作寿命，抗磨板为不锈钢材料。工作密封的动力源为 0.2 ~ 0.3 MPa 的清洁压力水，其管路设置有流示信号器等自动化元件，确保压力的畅通。其检修密封为机组抬起密封形式，当检修密封工作时机组抬起，密封件阻断来自流道内的压力水，这种密封不需气流。

主轴密封所使用的螺栓、螺母等连接件均经发生处理，具有防锈蚀性能。

(五)轴承的技术要求

水轮机的导轴承为稀油润滑筒式轴承，其结构可靠，检修方便，并留有足够的主轴密封检修位置，机组运行时保证不漏油、不甩油。

轴瓦材料采用巴氏合金材料，轴瓦在制造厂内与主轴轴颈已配装合格。

轴承润滑采用自循环润滑方式，润滑油应符合 GB11120—89《L–TSA 汽轮机油》中的 46#油。在连续运转条件下，冷却水最高温度为 28℃时轴瓦最高温度不超过 65℃、油温不超过 60℃。轴承自带冷却器，冷却水压为 0.15 ~ 0.3 MPa，试验压力不低于 0.75 MPa 冷却器出水管路上设有示流信号器。

导轴承油箱上说有目测液位计和液位信号器，并有高低油位警报(4 ~ 20 mA 输出)，轴瓦内设有测温装置，测温电阻采用 100 Ω 的铂热电阻，测量范围大于最高油温，并有警报接点。

(六)埋入部分的技术要求

水轮机的埋入部分包括蜗壳、座环、基础板、尾水管直锥锻、进人门等。座环为水轮机发电机组的承载部件，它具有足够的强度和刚度。当蜗壳放空时，能够承载于其上面的金属结构物和机组旋转部分的全部重量；当机组运行时，可以承受置于其上面的金属结构物、机组旋转部分及水推力等全部重量，并能承受蜗壳内最大水压力所产生的各种应力。座环的结构为焊接结构，加工检验完毕后，经验检合格。

座环的过流部分表面打磨光滑，其固定导叶具有流线型，表面粗糙度符合 GB/10969—1996《水轮机通流部件技术条件》的要求。

座环上设有排水孔，排水孔设置有可折卸的滤网，在座环的底部设有 4 个灌浆孔和 2 个排气孔，在电站灌浆后用封堵堵住。

水轮机蜗壳采用全埋式结构型式，蜗壳强度设计在不考虑混凝土联合受力或任何支撑的条件下，保证能承受在最大水头下产生的最大承压(包括水锤压力)所产生的压力，蜗壳选材为优质碳钢，蜗壳各部焊接都应进行无损检测，检查结果符合 GB8564—88《水轮发电机组安装技术规范》及 GB150—98《钢制压力容器》及《压力容器安全生产技术监察规程》的要求进行。

蜗壳上设有进人门，并设有符合要求的各种测头，其中门铰链密封用螺栓及测头均为不锈钢(伸缩节，旋空阀及旁通阀，阀前法兰随进水阀供应)。

基础环采取组焊结构，设有灌浆孔和通气孔，并在灌浆后封堵。基础环设有支撑面，以备水轮机发电机分开地支撑水轮机主轴和转轮。支撑面与转轮之间留有足够的轴向间隙，能够满足转轮轴向移动的需要。

尾水管直锥段采用钢板焊接而成，应有足够的补偿段，以适应混凝土的高程误差，其上设有进人门及上、下各一个压力测头：其中门铰链及各个压力测头均为不锈钢材料。

每套机组均配设一套盘型排水阀，阀的位置在尾水管的水平段。

(七)调速器的参数及调速器结构的技术要求

1. 调速器的参数

(1)导水叶全关，调速器接力器行程时间调整范围为 0 ~ 25 s。

(2)导水叶全开，接力器行种时间调整范围为 0 ~ 25 s。

(3)频率给定调整范围，单机运行时为 45 ~ 55 Hz。

(4)永态转差系数调整范围为 0 ~ 10%。

(5)暂态转差系数调整范围：空载时为 0 ~ 100%；带负荷时为 10% ~ 150%。

(6)缓冲时间常数调整范围为 1 ~ 20 s。

(7)调速器操作电源交流 220 V、50 Hz 及直流 220 V。

(8)PIT 调节回路参数调整范围达到部分优于 GB/T19652.1—1997《水轮机调速器与油压装置技术条件》的规定。

2. 调速器的主要技术指标要求

(1)静态特性曲线应近似为直线，其非线性度不大于 2%。

(2)调速器传速死区不超过 0.02%。

(3)水轮机突然甩 25%额定负荷后，接力器不动时间不超过 0.2 s。

(4)调速器能保证机组在各种运行方式下安全稳定运行，可以适应电站的各种特殊运行方式。如弧网运行及由大电网解列为小电网运行的突变负荷等特殊情况，均可保证机组稳定运行。空载工况自动运行时，机组转速摆动相对值不大于±0.19%。

(5)当机组并网运行时，永态转差系数整定在 2%时，由于调速器引起的机组出力摆动相对值不大于 0.22%。

(6)调速器静、动态特性，均应符合 GB/T19652.1—1997《水轮机调速器与油压装置技术条件》的有关规定。

(7)调速器采用数字式 PCC 可编程智能调速器，由可编程计算机控制器(PCC)、数字阀液压随动系统和油压装置等部分构成，结构型式为组合式，选用可编程计算机控制器 BR2003 作为电子调节器，操作和显示平台采用触摸屏做为人机界面，全中文显示，可同时显示多条信息，液压随动系统采用数字阀。

(8)调速器具有足够的容量，当油压装置为最低工作油压，水轮机导水叶力水矩最大时，能在规定的接力器最小全关闭(或开启)行程时间内，将导水叶开度由 100%关至零(或从零开至 100%开度)，调速器操作功通过调速轴传递给调速环。

(9)能保证机组实现自动或手动运行方式，并能实现当地和远程两种运行方式的切换。通过远方或现场控制，能使水轮发电机组自动运行于起动、停机、空载、带负荷等工况，并且有紧急停机功能，自动和手动切换操作时，可实现手动与自动运行的相互无扰动切换。接力器行程变化不大于调整器全行程的 1%。

(10)机组并网前同步操作时，能使机组自动跟踪电网频率，实现快速并网。

(11)实现机组的经济运行。根据水头的不同，自动或手动调节水轮机导水叶开度，限制机组出力，使机组处于高效率区运行。

(12)能单机或成组调节运行，并能实现两种运行方式的相互切换。

(13)手动操作装置具有电动和手动操作功能，当电气部分退出工作后改为手动操作运行时，能发出状态信号。

(14)调速器的稳压电源在供电电源偏离额定电压±15%时，能长期稳定工作；当稳压电源故障时，能自动控制机组，保持事故前的导水叶开度，并发出报警信号。

(15)调速器系统故障性质仍属允许继续运行、具有故障锁定的功能，可以保证机组原运行状态并不影响机组正常和事故停机，同时发出故障信号。

(16)可根据水头值自动调整和校正水轮机起动和空载时导水叶开度限制，可自动限制机组最大出力，并设置电气开度限制装置，用来根据水头限制导水叶开度。

(17)对频率、水头、导水叶反馈信号具有自诊断功能，并自动处理调速器控制。

3. 调速设备的工厂试验要求

调速设备出厂前组装，并进行严格的试验，试验项目与方法按 GB19652.2—1997《水轮机调速器与油压装置试验验收规程》中的规定进行联调试验，回油箱做渗漏试验。调速器系统设备的主要厂内检验项目和出厂检验项目在工厂进行时，双方参加(甲、乙方)所有检验结果均应有正式记录，出厂检验项目由双方代表共同检验合格、签字后方可。

调速设备工厂试验项目如下：

(1)油泵：动作试验、试运转及输油量。

(2)阀组：压力试验及试验检验。

(3)测速装置：试验检验。

(4)转速指标、信号、永态转差系数、暂态转差系数，缓冲时间常数、加速时间常数、静态特性、转速特性、油压、油位信号装置等项均做试验检验。

(5)电气装置：动作试验及试验检验。

(6)压力油罐：耐压试验。

(7)回油箱、集油箱：渗漏试验。

4. 调节保证要求

(1)电站水系统布置详图作为调节保证计算依据。

蜗壳允许承受的最大压力为：1 号电站蜗壳允许承受的最大压力为 71.0 m 水柱；2 号电站蜗壳允许承受的最大压力为 107.0 m 水柱。

(2)在进行调节保证计算时，应考虑各种水头、出力、甩负荷和增负荷等最不利的组合情况，各种组合工况下机组转速上升不大于 50%，蜗壳末端的压力上升不超过 50%，尾水管进口处的真空值不大于 2 m 水柱。

(3)根据调节保证计算提供导水叶块慢关闭时间、关闭规律以及开机时间，水轮发电机的 GD^2 为：1 号电站水轮发电机的 GD^2 不小于 9 t-m^2；2 号电站水轮发电机的 GD^2 不小于 10.5 t-m^2。

5. 保护和信号

(1)调速系统设有事故低油压保护。当油源压力降至事故低油压整定值时，机组紧急停机，并设锁定装置。

(2)调速器电气柜上有反映机组运行状况(如停机、发电、紧急停机和各种故障等)的信号。

(3)调速器电气部分设置自检保护装置，并配有相应的信号指示。

6. 调速系统用油要求

应采用 GB 11120—89《L–TSA 汽轮机油》中 L–TSA46 汽轮机油与机组润滑油同一牌号油，油温 5 ~ 50℃以内。运行油的各项指标应符合水电部《电力系统油质试验方法》中规定的油质标准。

(八)测速装置的技术要求

调速器的测速装置和测频回路、转速信号、测频信号取自发电机电压互感器。在额定转速 ± 10%范围内，测速装置静特曲线的非线性度不大于 2%，转速死区不大于 0.02%。

测频回路采用先进的脉冲测量回路，以提高调节速度，且该脉冲测量回路由 PCC 机完成。为了缩短周期时间，调速器设有频率跟踪器，其具有优良的调节性能，使机组和电网的频率差接近零。

转速信号装置的技术要求如下：

(1)转速信号装置应运行可靠，并有足够的精度，每套转速信号装置可输出 8 个转速信号，装置可输出 8 个转速信号，每个转速信号动作提供一副动合式电气接点，各转速信号的调整范围如下(nr 为额定转速)：

上越限动作	120% ~ 160%nr	第一过速
上越限动作	120% ~ 160%nr	第二过速
上越限动作	95% ~ 120%nr	主配拒动
上越限动作	80% ~ 100%nr	投励磁

下越限动作	80%～100%nr	备用
下越限动作	40%～80%nr	备用
下越限动作	10%～20%nr	投机械制动
下越限动作	＜3%nr	蠕动监测

(2)对外提供一个线性良好的电气转速检测信号(4～20 mA)输出，指示 0～200%额定转速，供计算机监控系统使用，调速器转速测温显示由其本身实现。

(3)转速信号装置具有自诊断功能。

(4)转速信号装置失电或断线时有报警点引出，对可能误动作的转速信号可闭锁其输出。

(九)进水阀的性能与工厂试验的要求

1. 进水阀的型式

进水阀的型式为重锤式法兰连接蝶阀，卧式布置，并配置油压操作系统，接力器、旁通管及其旁通阀、检修阀、空气阀、必须的管路、阀门和电力控制装置以及装于进水阀下游侧、可拆卸的伸缩节，进水阀公称直径为：

(1)1 号电站进水阀公称直径为 1 200 mm、2.0 MPa 及 1 600 mm、0.6 MPa。

(2)2 号电站进水阀公称直径为 1 250 mm、1.6 MPa 及 900 mm、1.6 MPa。

2. 性能要求

进水阀的设计和制造符合 GB/T14478—93《大中型水轮机进水阀门基本技术条件》的规定。

进水阀应具有足够的强度和刚度：阀门全开时，允许承受的水头(包括升压水头)为 1 号电站不小于 100 m 水柱、2 号电站不小于 160 m 水柱。

重锤要求：1 号电站(1.0 MPa 阀门)配置 0.6 MPa 阀门的重锤，沿水流方向布置在左侧；2 号电站(1.6 MPa 阀门)配置 1.0 MPa 阀门的重锤，重锤沿水流方向布置在右侧。

进水阀的性能如下：

(1)进水阀组装后，应动作灵活、操作平稳，在各种工况下关闭和启动时无有害振动。

(2)当水轮机在最高水头时，在额定出力下运行，进水阀在动水工况下关闭时间不大于 120 s；当机组处于最大飞逸转速工况时，进水阀在动水工况下能在 120 s 内关闭。

(3)当阀门两侧压力接近平衡后，进水阀开启时间不大于 120 s。

(4)进水阀全开时阻力损失及在最高静水头下全关时漏水量应符合 GB/T14478—93《大中型水轮机进水阀门的基本技术条件》的规定。

(5)进水阀下游伸缩节的制造应符合 GB/T12465—1996《管路松套伸缩接头》的规定。

3. 进水阀工厂试验的要求

(1)对各部件主要尺寸和装配尺寸进行检验。

(2)进水阀、旁通阀体及其附件受水压的部分将按 GB/T14478—93《大中型水轮机进水阀基本技术条件》及 GB/T13927—92《通用阀门压力试验》的规定进行水压试验。

(3)进水阀总装后应在厂内进行漏水试验和耐压试验，试验压力根据规范要求进行。进水阀最大泄漏量不得超过 GB/T14478—93《大中型水轮机进水阀基本技术条件》中规定的标准，油压试验按 GB/T19652.2—1997《水轮机调速机调速器与油压装置试验验收规程》中的有关部分规定。

(4)主要部件、试验要求见表 8-38 中标有“*”符号的试验项目。

表 8-38 进水阀工厂试验项目

序号	名称	材料检验			制造过程与最终检验					试验检验
		机械性能	化学成分	探伤	射线检查	探伤	外观检查	尺寸检查	动作试验	
1	阀壳	√	√		√		√*	√*		
2	活门	√	√		√		√*	√*		
3	操作机构	√	√			√	√		√*	
4	压力油罐	√	√	√	√		√			耐压试验*
5	操作油管	√					√			耐压试验*
6	阀门密封	√	√	√			√*	√*		
7	联接螺杠	√	√				√*			
8	整进水阀								√*	耐压试验*

(十)现场的各项试验要求

1. 水轮机现场安装试验

蜗壳安装完毕后对全部焊缝进行 100%无损检测：检测应按照 GB8564—88《水轮发电机组安装技术规范》和 GB150—98《钢制压力容器》与《压力容器安全技术监察规程》的有关规定进行。

(1)机组轴线检查：水轮机与发电机主轴安装连轴后，由安装单位进行盘车检查，轴线摆度符合 GB8564—88《水轮发电机组安装技术规范》中的有关规定。

(2)所有油、气、水系统的管路均进行耐压试验，并符合 GB8564—88《水轮发电机组安装技术规范》中的有关规定。

(3)操作、控制、保护和指示装置进行模拟试验，要求动作准确、可靠。

(4)机组的动平衡试验及其他试验。

以上各项应报监理工程师用书面形式予以审定合格后认可。

2. 调速系统现场安装试验

调速系统安装完毕后，以检验其是否满足规范要求，应按 GB/T19652.1—1997《水轮机调速器与油压装置技术条件》与 GB/T19652.2—1997《水轮机调速器与油压装置试验验收规程》等有关标准、规程的规定进行。调速器的管路安装后应按规定进行耐压试验。

3. 进水阀的安装试验

进水阀安装调整完毕后，应进行现场试验，按 GB/T14478—93《大中型水轮机进水阀门基本技术条件》与 GB8564—88《水轮发电机组安装技术规范》的要求进行。

4. 试运行的要求

(1)在设备安装完毕，经现场试验、检查合格后，进行机组试运行，以检验设备技术性能及保证值，是否满足和符合合同和设计的规定。

(2)试运行工作应按 GB8564—88《水轮发电机组安装技术规范》及 DL507—93《水轮发电机组起动试验规程》中的有关规定进行。

(3)试运行的试验检查项目、记录内容和成果由现场试验小组确定。

(4)机组经 72 h 试运行合格，并进行 30 d 考核运行合格，按规定签发初步验收证书后，由需方负责开始商业行动。

5. 特性验收试验的要求

机组试验运行合格并投入商业运行后，应按国内有关规定进行水轮机特性试验，以检验设备是否满足合同要求和保证值。

特性试验项目包括水轮机出力试验、效率试验及空蚀损坏检测及进水阀动水关闭试验。

(1)水轮机的出力试验：每台机组均应在各水头下进行试验，同时测定出力特性曲线，以检验输出功率是否达到功率保证。

(2)水轮机效率试验：在机组保证期内，可对每站 1 台或 2 台机组上进行效率试验，以检查加权平均效率、设计工况效率和最高效率是否达到保证值。

(3)空蚀损坏检测：在机组运行时间达到 8 000 h 时，在适当时共同进行水轮机空蚀损坏检测，以检查是否达到保证值，空蚀损坏检测和计算方法是否按所述内容实施。

(4)进水阀动水关闭试验：在阀门保证期内进行水阀动水关闭试验。

(5)调速器性能试验：在保证期内，每 1 台或 2 台机组上进行调速器性能试验，检查是否符合国家的有关规范和标准。

6. 试验报告

由现场试验领导小组负责人编写，其内容包括试验项目、人员名单、测量仪表的检验和率定、试验程序、试验表格、计算实例、计算过程使用的各种曲线、全部测量结果汇总、最终成果的修正和调整测量综合误差说明以及试验结果的讨论意见和结论等。

四、水轮发电机的制造与安装的质量控制

(一)水轮发电机的技术参数要求

1. 基本参数

水轮发电机基本参数见表 8-39。

表 8-39 水轮发电机基本参数

型式	SF1250–10/2150	SF630–20/2150	SF2500–10/2150	SF1250–10/2150
额定容量(kVA)	1 563	788	3 125	1 563
额定功率(kW)	1 250	630	2 500	1 250
额定电压(kV)	10.5	10.5	10.5	10.5
额定电流(A)	85	43	171	85
额定功率因数	0.8	0.8	0.8	0.8
额定频率(Hz)	50	50	50	50
额定转速(r/min)	600	300	600	600
飞逸转速(r/min)	1 080	600	1 080	1 080
额定效率(%)	92.55	92	94.88	92.55
额定负载时励磁电压(V)	81	62	109	81
空载励磁电压(V)	27	22	37	27
额定负载时励磁电流(A)	376	223	344	376
空载励磁电流(A)	180	117	169	180
额定温升时发电机容量(kVA)	1 563	788	3 125	1 563

2. 电抗

电抗指发电机额定容量和额定电压时每台机的电抗值，见表 8-40。

表 8-40 电抗值

纵轴同步电抗(X_d)	1.086	0.983	1.096	1.086
纵轴暂态电抗(X_d)(未饱和值)	0.318	0.232	0.280	0.318
纵轴次暂态电抗(X_d)	0.230	0.173	0.171	0.230
横轴同步电抗(X_q)	0.697	0.635	0.681	0.697
横轴暂态电抗(X_q)(未饱和值)	0.697	0.635	0.681	0.697
横轴次暂态电抗(X_q)	0.242	0.188	0.176	0.242
负序电抗(X_2)	0.236	0.181	0.173	0.236
零序电抗(X_0)	0.045	0.066	0.048	0.045
保梯电抗(X_p)	0.271	0.168	0.224	0.271
磁场电阻(R_e)15℃	0.150 5 Ω	0.181 9 Ω	0.217 5 Ω	0.150 5 Ω
75℃	0.186 6 Ω	0.237 9 Ω	0.269 7 Ω	0.186 6 Ω
130℃	0.219 7 Ω	0.280 1 Ω	0.317 6 Ω	0.219 7 Ω

3. 轴承

轴承参数见表 8-41。

表 8-41 轴承参数

项目	参数			
推力轴承负荷	20 t	20 t	29 t	20 t
水推力	10 t	8.1 t	17.1 t	5.38 t
水轮机转动部件重	1 t	1 t	1.1 t	1 t
发电机转动部件重	6.5 t	8.5 t	10.3 t	6.5 t
润滑油牌号	L –TSA46	L –TSA46	L –TSA46	L –TSA46
油量	0.3 m^3	0.3 m^3	0.3 m^3	0.3 m^3

4. 冷却水量

冷却水量参数见表 8-42。

表 8-42 冷却水量参数

轴承水压(MPa)	0.1 ~ 0.2	0.1 ~ 0.2	0.1 ~ 0.2	0.1 ~ 0.2
轴承水量(m^3/h)	4	4	4	4

5. 机械制动装置

机械制动装置要求见表 8-43。

表 8-43　机械制动装置要求

项目	参数			
制动块数量(台)	4	4	4	4
制动块材料	金属石棉摩阻材料	金属石棉摩阻材料	金属石棉摩阻材料	金属石棉摩阻材料
投入机械制动时转速相对值	25%	25%	25%	25%
制动时间(s)	120	120	120	120
工作压力(MPa)	0.7	0.7	0.7	0.7
制动用气量(L/s)	2	2	2	2
投入机械制动时，发电机从额定转速到停转时间(s)	120	120	120	120

6. 绝缘材料

绝缘材料要求见表 8-44。

表 8-44　绝缘材料要求

项目	参数			
定子槽中导体绝缘等级	F	F	F	F
定子端部绕组绝缘等级	F	F	F	F
转子励磁绕组绝缘等级	F	F	F	F
暂态电抗比 (X_q''/X_d'')	1	1	1	1

7. 时间常数

时间常数见表 8-45。

表 8-45　时间常数　　(单位：s)

项目	常数			
纵轴暂态开路时间常数(T'_{do})	1.485	1.494 5	2.206	1.485
纵轴次暂态开路时间常数(T''_{do})	0.022 5	0.018 2	0.029	0.022 5
横轴暂态开路时间常数(T'_{qo})	0.049	0.056	0.074	0.049
横轴次暂态开路时间常数(T''_{qo})	0.017	0.017	0.019	0.017
电机绕组的短路时间常数(T_a)	0.038	0.025	0.047	0.038

8. 发电机损耗

在额定电压、电流和额定功率因数时，总损耗分别为 100.59、54.8、134.7、100.59 kW

9. 额定温升时发电机无功功率

各功率因数时见表 8-46。

表 8-46　各功率因数时　(单位：kVAR)

超前零功率因数时	891	496	176 7	891
滞后零功率因数时	122 3	606	244 8	122 3

10. 定子

定子各参数要求见表 8-47。

表 8-47　定子各参数要求

项目	参数			
材料及其标号	50W310	50W310	50W310	50W310
齿部最大磁通密度	1.452 4 T	1.447 0 T	1.452 4 T	1.452 4 T
轭部磁密	1.574 4 T	1.094 3 T	1.574 4 T	1.574 4 T
气隙磁密	0.714 3 T	0.685 6 T	0.668 T	0.714 3 T
定子绕组绝缘等级	F	F	F	F
定子绕组每相并联支路数	1	1	1	1
定子绕组导体电流密度	4.89 A/mm^2	4.89 A/mm^2	4.89 A/mm^2	4.89 A/mm^2
空气隙	12	4	12	12
尺寸(长度×宽度)	Φ2 600×1 280 mm	Φ2 600×1 450 mm	Φ2 600×1 510 mm	Φ2 600×1 280 mm

(二)容量保证值

在额定转速、额定温升、额定电压时，发电机额定容量：

(1)1 号电站为 1 250 kW(1 563 kVA)和 630 kW(788 kVA)。

(2)2 号电站为 2 500 kW(3 125 kVA)和 1 250 kW(1 563 kVA)。

发电机能满足额定容量 110%的要求。

(三)绝缘耐压

定转子绕组绝缘的出厂交流 50 Hz 耐压标准，均应符合 GB7894—2001《水轮发电机基本技术要求》规定，定子、转子在组装完了以后，能承受标准所规定的 50 Hz 交流(波形为正弦波)，绝缘介电强试验历时 1 min 不被击穿。

在进行交流耐压试验前对定子绕组进行 3.0 倍额定电压的直流耐压和泄漏电流测定，符合标准要求。

定子绕组单个线圈在 1.5 倍额定线电压下不起晕，整机耐压时，在 1 倍额定线电压不起晕。

定子绕组在 1.3 倍额定相电压下进行整体电晕试验，无持续可见电晕。

在下列情况下，发电机能输出额定容量：

(1)在额定转速和额定功率因数时，电压与其额定值的偏差不超过 ±5%。

(2)在额定电压时，频率与其额定值的偏差不超过 ±1%。

(3)在电压和频率同时发生偏差(两者偏差分别不超过 ±5%和 ±1%)；若电压和频率同时为正偏差时，则两者偏差之和不超过 6%，若电压和频率不同时为正偏差时，两者偏差的百分数绝对值之和不超过 5%。

(4)若电压和频率偏差超过上述规定时，发电机能连续运行，此时输出功率以励磁电流不超过额定值，定子电流不超过额定值的105%为限。

(四)超负荷性能

发电机在额定转速、额定电压和额定功率因数下能在110%额定容量下连续安全运行。

(五)承受过电流的能力

发电机在热状态下能承受150%额定电流历时2 min，不发生有害变形及接头开焊等情况，此时电压应尽可能地接近额定值。

(六)承受不平衡电流的能力

(1)发电机在不对称的系统中运行时，若任何一相电流均不超过额定值，且负序电流分量与额定电流之比不超过12%时，能长期安全运行。

(2)在不对称故障时，短时间允许的不平衡电流值，其负序电流I_2标准值的平方与允许不对称运行时间t(s)的乘积($I_2^2 \times t$)不超过40。

(七)额定励磁电流

发电机转子绕组能承受历时不小于50 s的2倍额定励磁电流。

(八)机械特性的要求

(1)旋转方向：发电机旋转方向为俯视顺时针。

(2)发电机在最大飞逸转速下历时2 min而不产生有害变形，此时转子材料的计算应力不超过屈服点的2/3。在水轮发电机甩100%额定负荷，调速系统正常工作条件下，允许机组不经任何检查即可并入系统。

(3)发电机各部分结构强度能承受在额定负荷及端电压为105%额定电压下，定子出口突然发生对称或不对称短路历时3 s而不发生有害变形。

(4)发电机的所有部件及结构能承受因半数磁极短路产生的不平衡拉力而不产生有害变形和不稳定，发电机结构刚度能承受基本烈度为Ⅶ度地震考验而不产生有害变形和破坏性损坏。

(5)在各种正常条件下，发电机的负荷支架允许的双幅振动量不超过0.05 mm。

(6)定子和转子组装完成后，定子内圆和转子外圆半径最大值和最小值分别与其平均半径之差不大于设计空气间隙的±5%，定子和转子间的气隙，其最大值或最小值与其平均值之差不超过平均值的10%。

(7)发电机与水轮机组装后的转动部分的临界速度大于飞逸速度25%。

(8)发电机在设计时应考虑到水轮机的振动特性，并避免与之发生共振。在对称负荷工况下，定子铁芯的100 Hz，双幅振动量不大于0.02 mm，在其他运行工况下无明显的振动。

(9)在最大轴向负荷时，承载机架下沉变形不大于2 mm。

(10)技术保证：发电机能适应每年开关机次不少于1 000次的要求。

(九)发电机的主要结构质量控制

盘石头水库电站所用的发电机为立式悬垂式、管道式通风，其主要组成部分为定子、转子、上、下机架。上机架为发电机的荷重架，它位于转子上部定子上，下机架为导向机架，位于转子下部的机坑基础上。

1. 对定子的技术要求

定子由机座、铁芯及绕组等组成。定子为一整体，在制造厂内装压铁芯，进行下线组装整体运往电站。

机座为钢板焊接结构，机座上、下共有四个机座环，环间用筋连接以加强结构钢度和作为铁芯的支靠。机座外壁开有通风孔，用以排除定子内腔的热空气。机座最大外径为 2.6 m。定子铁芯用 50W310 冷轧电工钢板冲制和叠压而成。铁芯用冷压压紧后再用铁损加热压紧工艺。铁芯内径为 1 744 mm，外径为 2 150 mm。

定子线圈为框形叠绕组，用双玻璃丝包扁铜线绕成，采用 F 级环氧粉云母带连续性绝缘。线圈在铁芯段的直线部分和端部分别包以低阻和高阻半导体玻璃丝带进行防晕处理，防晕层和主绝缘一次热压成型。

绕组为星形接线，有三个主引出线和三个中性引出线，中心线为+Y 偏 X45°，主引线为+Y。

定子嵌线时槽内垫以低阻半导体布和适形材料。以此填充线圈与定子铁芯槽壁的间隙，固紧线圈。此结构既防止了槽内电晕的发生而腐蚀线圈主绝缘又避免了线圈在槽内发生振动，防止了线圈的机械损伤。

2. 对转子的技术要求

转子由大轴、磁轭、磁极和上、下风扇等组成，并在制造厂内总装后整体运往电站。转子结构上具有足够的机械强度和刚度，在飞逸转速时不应发生有害变形，任何工况应能稳定运行。转子在制造厂内做静平衡试验。

主轴为 45 号锻钢，水轮机和发电机主轴在工厂内进行校正、检验，并符合有关要求。磁轭为 45 号钢，加工后热套于轴上。在磁轭外侧铣 10 个平面，在每一个平面上铣有“T”尾“T”形槽，用以装磁极。

制动环固定在转子磁轭上，并采取有效措施防止制动时所产生的热量引起制动环的热膨胀。

磁极由磁极铁心、线圈、阻尼条、阻尼环等组成。磁极铁芯为 1.5 mm16 Mn 钢板冲制的冲片叠成，SF630–20/2 150 磁极铁芯为 1.5 mmQ235–A 钢板冲制的冲片叠成，用拉紧螺杆及压板压紧，极靴上装有纵、横连接的阻尼绕组。磁极线圈用扁铜线绕制而成，匝间垫以 F 级环氧坯布，线圈与托板一起热压成形。转子上、下风扇为圆弧形斗式风扇。

3. 上机架的技术要求

上机架外型美观，为刚度较好的钢板焊接的盒形结构，共有四条支臂，置于机座上端环上，中间油槽装置推力轴承和上导轴承。为钢板焊接结构，焊接件符合相关标准。有足够的刚度和强度，确保承受水轮发电机组整个转动部分重量、水轮机不平衡轴向水推力及其他荷载。

推力轴承为刚性支柱螺钉支撑结构，整圆由 8 个扇形轴瓦块组成，分别置于支柱螺钉上，由支柱螺钉支撑。螺钉固定在轴承座环上，螺钉头部做成球形，使瓦在运行中能自动调整倾角。推力轴瓦采用弹性金属塑料推力轴瓦。

轴承座环由钢板制成，用螺钉坚固于上机架中，为防止轴电流通过，在推力轴承座环与上机架间，推力头和镜板间皆加以绝缘。整个机组轴向力由转轴通过推力头、镜板传至推力轴承和上机架。

上导轴承与推力头侧面接触，由4块瓦组成，上、下用夹夹住，背面用支柱螺丝顶住，支柱螺钉头部亦做成球形，使瓦有自动调整的可能。支柱螺钉固定于导轴承座圈上，整个导轴承装于上机架上环上，导轴承瓦与推力头之间的间隙单边为0.1～0.12 mm。轴承损耗所产生的热量由油槽内的油冷却器带走。导瓦采用巴氏合金。

4. 下机架的技术要求

推力轴承和导轴承在轴承油冷却器的冷却水中断后机组能安全停机。油冷却系统冷却水中断后允许机组运转时间为：在正常转速及额定出力下，至少运行15 min，在飞逸转速下不少于5 min。在轴承油温高于5℃时，允许机组起动。允许停机30天以内无需顶转子直接进行起动，允许机组在停机后立即进行热起动和在事故情况下不制动停机，并在各种工况下运行，包括从机组飞逸转速不加制动到停机的整个过程。

在连续运行条件下，冷却水最高温度为28℃时，轴瓦的最高温度应不超过65℃，润滑油温度不超过10℃。

上机架结构设计合理，便于推力轴承和导轴承的安装、检修和和调整,并采取有效消除油雾溢出、甩油、漏油的措施。

下机架为钢板焊接结构，四个支臂置于基础上，在辐射的支臂上装有制动器。为钢板焊接结构，焊接件符合相关标准。下机架能通过发电机定子内孔取出。

5. 发电机通风方式

发电机采用管道通风方式，冷却空气分别从电机上部进风罩及下部机坑进入电机内部，热空气自基础出风口排出。

6. 滑环与电刷的技术要求

滑环与电刷应采用高抗磨性材料制成，并采取措施严防粉尘染定、转子线圈，电刷的布置便于维修、更换，能够在发电机运转中直观监视。

7. 辅助设备的技术要求。

1)制动系统

发电机下机架装有制动器并兼作顶起转子。

制动装置应能在2 min内，将机组从25%额定转速下减速制动停机，此时制动环表面不应由于发热变形或损坏，制动块不应有严重磨损。制动装置能在机组无励磁时，保证机组制动停机。

机械制动器气制动压力为0.5～0.8 MPa。制动器具有制动、回复功能。

制动块有坚固、耐磨、可更换的摩擦表面。制动块用螺栓固定到活塞上，且便于更换。在制动周期完成后，制动块与制动环能自动松开。每个制动块、配限位开关，指示制动块位于投入或已松开复位。

制动器可兼作液压顶起装置，在拆卸或调整、检修推力轴承时，顶起水轮发电机组转动部分。

2)测温装制

为测量发电机定子线圈和铁芯的温度，在定子线圈层间和槽底埋设6个定子测温线圈。在电机推力轴承、上、下导轴承及上、下油槽内分别设有不同型号的测温元件，以监测运行时各部温度。

(1)测温制动屏采用 RS485 接口，使用 MODEL BUS 通讯协议与计算机系统通讯。

(2)为防止轴电流，在轴瓦的相关部位加装有绝缘装置，并在基坑大轴上装有接地碳刷。

(3)发电机所使用的材料均符合有关国家标准，所生产的零、部件均按有关国家标准进行试验和检验，并向用户提供试验或检验报告。

(十)励磁系统的质量控制

(1)励磁系统应满足发电、同步等各种工况的要求。

(2)励磁系统容量满足以下要求：①额定励磁电压值，根据转子绕组最高允许运行温度值进行计算和设计。②励磁系统保证当发电机励磁电流和电压为发电机额定负荷下励磁电流和电压的 1.1 倍时，能长期连续运行。

(3)关于强励的要求：①励磁系统提供的正向峰值电压倍数为 2.5，正向峰值电流倍数为 2。②励磁系统允许在正向峰值电压下持续运行 50 s，2 倍额定励磁电流下的允许时间为 20 s。③当发电机端正序电压为额定值的 80%时，励磁峰值电压倍数将予保证。

(4)励磁系统电压响应时间，上升(强行励磁)不大于 0.08 s，下降(快速减磁)不大于 0.15 s。

(5)在发电机空载运行下，频率值每上升或下降 1%，自动励磁调节器系统将保证发电机电压的变化值不大于额定值的 ± 0.25%。

(6)励磁调节器交流工作电源电压在短时间(不大于强行励磁持续时间)内、波动范围内 55% ~ 120%额定值的情况下，励磁调节器能够维持正确工作，并保证强行励磁、快速减磁动作。

(7)励磁电源采用发电机出线电压互感器的残压励磁方式和备用直流电源 DC220V 启动两种方式。

(8)在下述厂用电电源、电压及频率偏差范围内，励磁系统能保证发电机在额定工况下长期连续运行：交流 380/220V 系统，电压偏差范围为额定值的 ± 15%，频率偏差范围为–3 ~ +2 Hz；直流 220 V 系统，电压偏差范围为额定值的–20% ~ +10%。

(9)励磁系统装设过电压和过电流保护及励磁绕组回路过电压保护装置。

(10)当励磁电流在小于 1.1 倍额定励磁电流下长期运行时，励磁绕组两端电压的最大瞬时值，不超过出厂试验时该绕组对地耐压试验电压幅值的 30%。

(11)在任何实际可能情况下，励磁系统保证励磁绕组两端过电压的瞬时值，不超过出厂试验时该绕组对地耐压试验电压幅值的 70%。

(12)励磁系统将能满足线路初始充电的要求。充电方式为 20% ~ 100%电压调整范围。

(13)励磁系统满足计算机监控系统的要求，并配有 RS–485 接口，使用 MODEL BUS 通讯规约与计算机监控系统进行通讯和控制。

(14)励磁系统装置按 DL/T583—1995《大中型水轮发电机静止整流励磁系统及装置技术条件》(即采用 DL489—92 试验规程，下同)规定进行有关试验。

(十一)灭磁装置的技术要求

(1)灭磁方式：采用逆变和灭磁开关灭磁。

(2)灭磁开关为 DMX 型，其最大分断电流和电压应大于强行励磁时发电机转子的峰值电流和电压，并有一定的裕度，其操作电源为直流 220 V。常开和常闭辅助触点均不少于 6 个。

(3)灭磁时保证励磁绕组两端的电压瞬时值不得超过该绕组对地交接验收试验电压幅值的 50%。

(4)灭磁时间常数不大于 0.2 T'_{do}。

(5)灭磁开关、灭磁电阻与转子绕组过电压保护等元器件共同组装在励磁柜中。

(十三)励磁系统的检查试验

(1)励磁系统工厂试验参照 DL/T583—1995《大中型水轮发电机静止整流励磁系统及装置技术条件》规定进行。

(2)励磁系统现场安装试验按 DL/T583—1995《大中型水轮发电机静止整流励磁系统及装置技术条件》规程的规定进行。

(3)励磁系统装置的试运行与发电机运行同时进行。

(十四)发电机控制系统的质量要求

机组控制方式以计算机监控为主，简化的常规监控为辅，并能实现以下操作：

(1)由一个操作指令使机组自动完成从停机至发电、发电至停机等运行操作。如开停机过程出现不正常状态时，自动发出信号；如开停机过程出现事故时，则自动转入事故停机。

(2)机组以自动准同期为正常并列方式，手动准同期作为备用。

(3)机组负荷及电压设远方和现地两种控制方式。正常运行时由远方(中控室)控制。现地控制供检修、调试等情况下使用。

(4)控制电源和信号电源的额定电压值为直流 220 V。

(5)在发电机旁和水轮机旁适当位置各设置控制电缆端子箱。

(6)发电机旁、水轮机旁的端子箱，控制设备以及引接到机组内部的电缆均由供方成套供货，并统一布置和敷设。

(十五)试验的技术要求

供方所采用的试验程序、大纲及检验标准将按照 GB1029—80《同步电机试验方法》、GB8564—88《水轮发电机组安装技术规范》、GB7894—2001《水轮发电机基本技术条件》、GB755—2000《旋转电机基本技术要求》、DL/T583—1995《大中型水轮发电机静止整流励磁系统及装置技术条件》等有关规定进行。

供方将在工厂试验前 30 d，将工厂试验计划通知发包方，并递交一份书面文件，以便发包方参加试验见证，放弃试验或放弃发包方的试验见证，并不构成推卸供方将对满足技术规范要求所承担的责任。供方将提交发包方 4 份试验结果合格的文件和有用的特性曲线，其中 2 份给设计院。

现场试验所用的仪器设备、材料均不在供应范围之内，由承包设备安装的单位准备并主持试验，供方可租借或提供试验所用的特殊仪器和设备。

1. 工厂试验的项目和要求

1)一般试验项目

(1)材料试验；

(2)焊接试验；

(3)关键部位材料的补充试验，例如，磁场线圈和阻尼线圈柔性连接的疲劳试验；

(4)大轴公差试验；

(5)油、气、水系统(管道)的压力试验；

(6)硅钢叠片(冲孔前)的电磁性能和损耗的样品试验；

(7)定、转子的绕组绝缘(包括股间、匝间、槽中的绝缘)的热、电、机性能试验样品寿命试验报告；

(8)定子单个线棒(线圈)抽样冷热态介损耗角 $\tan\delta$ 试验；

(9)线棒(线圈)抽样 1.5 倍线电压下电晕测量；

(10)新型推力轴承负荷试验；

(11)主要部件外形尺寸校核以及预组装；

(12)定子铁芯铁损试验；

(13)电气绝缘耐压试验；

(14)推力轴承和通风系统运行状态的模拟试验；

(15)定子线圈模拟槽内介质损耗角 $\tan\delta$，起晕电压、交流耐压等试验；

(16)辅助设备电机按 GB755—2000 要求进行测试；

(17)继电器、仪表、传感器各种试验；

(18)制造厂规定的其他工厂试验项目。

2)励磁系统试验

(1)励磁系统型式试验：按 DL/T583—1995《大中型水轮发电机静止整流励磁系统及装置技术条件》规定进行；

(2)励磁系统常规试验：按 DL/T583—1995《大中型水轮发电机静止整流励磁系统及装置技术条件》规定进行。

2. 现场试验

1)发电机现场型式试验

可分别对 1 号、2 号电站其中任一台机组做型式试验(是否要做由需方决定)，项目如下：

(1)风道试验；

(2)飞轮力矩 GD^2 的试验测量；

(3)发电机效率和损耗测量(可用 IEC 最新版本规定的方法进行)；

(4)短时间过流试验；

(5)负序电流试验；

(6)突然三相短路冲击试验；

(7)电抗和短路比测量；

(8)时间常数测量；

(9)发电机噪声电平测量；

(10)额定励磁电流和电压变化率的测定。

2)发电机现场例行试验

(1)相序检查；

(2)各部分绝缘电阻测定，包括定子、转子绕组、轴承、测温元件；
(3)定子绕组对机座的直流耐压试验和交流耐压试验；
(4)定子起晕电压测量；
(5)定子对地电容电流测量；
(6)定子和转子绕组的电阻测量；
(7)转子阻抗测量；
(8)定子绕组匝间绝缘介电强度试验；
(9)空载特性试验；短路特性试验；
(10)定子铁芯损耗试验；
(11)电压波形谐波分析，电压波形畸变率及电话谐波因数(THF)的测定；
(12)轴电压的测定；
(13)振动、摆度的测定；
(14)轴承温升的测定；
(15)绕组温升的试验；
(16)甩负荷和过速试验(在 25%、50%、75%、100%额定负荷下)；
(17)润滑油系统检查；
(18)冷却系统的耐压试验；
(19)机械制动系统试验(耐压和功能试验)；
(20)励磁系统性能试验，包括特性测量；
(21)辅助设备(包括盘柜)的耐压试验，绝缘电阻测定；
(22)灭火装置试验；
(23)各种停机和起动试验；
(24)机组并列和带负荷试验。

3)励磁系统的现场试验

(1)各部件的绝缘测定及介质电气强度试验；
(2)自动励磁调节器各基本单元及辅助单元的静态特性试验及总体静态特性试验；
(3)检验控制、保护、信号及检测等回路的动作正确性；
(4)在发电机额定电流(稳态短路方式)和在空载额定电压情况下，分别进行灭磁试验，并录制灭磁时间常数；
(5)功率单元均流和均压试验；
(6)起励和逆弯灭磁试验；
(7)自动/手动自动切换试验；
(8)自动励磁调节器的电压整定范围试验；
(9)手动控制单元调节范围的试验；
(10)在自动励磁调节器投入状态下，进行开机、停机试验；
(11)发电机空载状态下 10%阶跃响应试验；
(12)在自动励磁调节器投入状态下，发电机电压—频率特性试验；
(13)发电机无功从空载到满载调节试验；

(14)在自动调节器投入状态下，测定发电机的调差率；

(15)发电机甩负荷试验；

(16)励磁过流限制器及强行励磁动作试验；

(17)欠励限制器试验；

(18)励磁系统在额定工况下 72 h 连续运行试验。

(十六)试运行

(1)参照第八章、混流式水轮机技术规范试运行。

(2)试验项目和规程按照 GB8564—88《水轮发电机组安装技术规范》和 DL507—93《水轮发电机组试运行规程》进行。

(十七)试验报告

试验报告参见混流式水轮机技术规范编写试验报告。

第九章　发电电气设备安装与制造的质量控制

一、主要依据

(1)GBJ147—90《电气装置安装工程施工验收规范》。

(2)GB50150—91《电气装置安装工程电气设备交验接收试验标准》。

(3)GBJ147—90《电气装置安装工程高电压气施工及验收规范》。

(4)GBJ148—90《电气装置安装工程电力变压器、油浸电抗器、互感器施工及验收规范》。

(5)GBJ148—90《电气装置工程母线装置施工及验收规范》。

(6)GBJ0169—92《电气装置安装工程接地装置施工及验收规范》。

(7)GB50168—92《电气装置安装工程电缆线路施工及验收规范》。

(8)GB50171—92《电气装置安装工程盘、柜及二次回路接线施工及验收规范》。

(9)GB50172—92《电气装置安装工程蓄电池施工及验收规范》。

(10)GB50256—96《电气装置安装工程起重电器装置施工及验收规范》。

(11)GB50258—96《电气装置安装工程 1 kV 及以下配线工程施工及验收规范》。

(12)GB50254—96《电气装置安装工程低压电气施工及验收规范》。

(13)GB50259—96《电气装置安装工程电气照明装置施工及验收规范》。

二、适用范围

(1)20 kV 及以下电压等级的发电电气一次设备及装置。

(2)交、直流控制保护设备及装置。

(3)直流操作电阻。

(4)400 V 以下交流低压电气设备及装置。

(5)额定容量为 10 ~ 300 MW 的混流式和轴流式水轮发电机组。

第一节　电气设备出厂检验的一般规定

一、电气液压调速器的电气装置检验项目

(一)检查项目

(1)柜体外观，元器件布置及配线检查。

(2)焊点及插接件质量检查。

(3)各单元特性试验：①测频回路特性曲线非线性度、转速死区、放大系数。②按加速度调节的加速时间常数整定范围。③综合放大回路输出特性。④T_a=5s 和 b_t=20%时的缓冲回路特性曲线。⑤功率给定，频率给定输出特性。⑥稳定电阻的稳压范围和精度。⑦电气协联关系曲线。⑧成组调节、电气开度限制，按水头限负荷等回路特性。

(4)检查各变压器、继电器、仪表、电位计(或位移传感器等)的试验整定情况。

(5)整定参数刻度校验。①转速指令信号及永态转差系数。②空载运行及负载运行的暂态转差系数，缓冲时间常数。③加速时间常数。

(6)电气装置静特性：转速死区、最大非线性度、放大系数。

(7)检查电气装置的油标、时移及电压移标。

(二)调速器系统厂内试验检查项目

(1)试验用油应按 GB2537—87《汽轮机油》，国家标准质量要求进行抽样检查。

(2)试验所用主要仪表，应符合规定。

(3)检查接力器在开度限制控制下的工作情况。

(4)电流转换器静特性试验：检查投入振荡电流后零漂应符合要求，及各挡振荡电流值与活塞振荡幅度。检查其实际最大负荷的静特性曲线的非线性度、转速死区及放大区频率范围和起动电流与活塞动作方向及行程。

(5)电阻伺服阀与中间接力器静特性试验：①检查投入振荡电流后的零漂应符合要求。②检查电液伺服阀振荡电流值与中间接力器活塞振荡值。③检查中间接力器全行开启、关闭时间调整范围。④检查永态转差系数 b_p=6%时，中间接力器静特性曲线的非线性度转速死区。

(6)检查自动手动、切换情况。

(7)调速系统静特性试验。①试验应分别在承态转差系数 b_p=3%、b_p=6%、b_p=9%三个参数下进行(其他参数 b_t=0%、$T_{进}$=0、$T_{死}$=0)。②计算测至主接力器的转速死区 i_x，非线性度校核最大行程的永态较差系数 b_s；并校验刻度偏差。

(8)具有双重调节的水轮机调整系统。检查随动系统不准确度 i_a 和实际与设计协联关系曲线的偏差。

(9)调速系统设备厂内试验后，方可清扫喷漆，其机械柜主配压阀各通流孔口必须密封。

二、配套自动化元件的质量控制

制造厂自制和外购的水轮发电机组自动化元件(包括液压元件、定压元件及电动阀门等)。制造厂外购的元件质量，亦由制造厂负责。

(一)检验依据

(1)GB11805—89《大中型水电机组自动化系统及元件基本技术条件》。

(2)在订货合同的技术协议中对元件提出的性能和质量要求。

例如，盘石头水库电站水轮机发电机自动化元件如表 9-1 所示。

表 9-1　水轮发电机自动化元件明细表(每台机)

序号	名称	型号	数量	备注
1	定子测温线圈	PT100	6	测量定子铁心及线圈温度
2	轴承温度测量电阻	PT100	10	测量轴承温度
3	轴承位信号器	ZWX	2	上、下机架油槽检测
4	行程开关		4	制动器用
5	示流信号器	SLX	2	轴承冷却水监测
6	测温制动柜		1	
7	手动试压泵	SY-60	1	
8	电磁阀	LCT	1	轴承冷却水通断
9	油混水监测仪	YHS	2	上、下机架油槽检测

(二)检查项目

(1)外观检查：元件表面的电镀层或化学覆盖层以及外观的完好性。

(2)电子元件绝缘电阻试验及耐压试验。

(3)液(气)压元件中承压部件的水压强度和材料密封性试验。

(4)液(气)压元件动作试验及液压元件漏油量试验。

(5)示流信号器动作试验。

(6)电磁铁动作试验及电磁阀动作试验。

(7)液位信号器动作试验及压力信号动作试验。

(8)转速信号器(转速信号装置)动作试验。

(9)电极水位信号器与水位信号装置动作试验。

(10)油混水电信号器与油混水信号装置动作试验。

(11)轴向位移信号装置动作试验。

(12)温度信号器(温度信号装置)动作试验。

三、可控硅励磁装置的质量控制

(一)检验的依据

(1)SD299—88《大中型水轮发电机静止整流励磁系统及装置技术条件》。

(2)供、需双方的技术协议及制造厂的技术文件，制造图纸。

(二)检验项目

(1)工艺检查：柜体外观及元件布置、配线检查、焊点及接插件质量检查。

(2)电子元件如集成元件、可控硅等必需的技术条件。

(3)绝缘电阻测定与介质强度试验。

(4)所有元件的安全距离检查，柜内带电部分的绝缘电阻测定。

(5)柜内带电部分的耐压试验。

(6)可能产生高压击穿的部件，如脉冲变压器等，进行耐压试验。

(7)自动励磁调节器，各单元静态特性检查。

(8)基本工作单元的特性试验，包括量测特性、移相特性、稳压特性，积分时间常数。

(9)除 PSS 外的附加单元：如过励限制、欠励限制、起励单元等的特性曲线，调差单元的调差特性。

(10)小电流开环特性及控制、保护、信号回路动作试验。

(11)变压器、变流器的检查试验、风机噪音测定。

(12)转子过电压保护动作整定值检查。

(三)其他规定

(1)动率整流装置试验、功率整流器均流系数测定。

(2)功率整流器均压系数测定、功率整流器大电流温升试验。

(3)随同设备向用户提供的各项试验记录和检查记录。

四、励磁电阻变压器的质量要求

(1)采用户内防潮三相三绕组干式变压器，H 级绝缘，环氧浇注。

(2)变压器的额定电流不小于励磁系统基本技术要求，额定电压和额定容量满足强励的要求，励磁变压器运行时最高允许温升不得超过 80 K。

(3)变压器高压侧与 10.5 kV 的发电机母线联线，低压侧电压及连接方式满足励磁系统需要，变压器电压分接头范围为 $\pm 2 \times 2.5\%$。

(4)变压器高、低压线圈之间采取全覆盖金属屏蔽措施并引出接地，变压器三相电压不对称度不大于 5%。

(5)变压器低压侧设有过电压保护装置。

(6)励磁变压器设有温度保护装置及信号装置，可以有 2 个不同的整定值分别动作于信号和停机。

(7)励磁变压器每相设有一个测温电阻 PT100，供温度巡检用。

五、可控硅整流器的质量要求

(1)整流器采用三相桥式全控整流电路。

(2)整流器每支路采用单元件，即单只晶闸管。单只元件的电流裕度在强励状态下不小于 2。计算时应考虑均流系统，所有元件要经过严格筛选。

(3)在整流器的交、直流侧，均应设置过电流和过电压保护，并相互配合协调，每个支路的输出均有监视输出故障时，监视装置动作发出信号。

(4)整流器装置在一个整流柜中，交流侧开关可切断额定运行状态时的负荷电流。

(5)对可控硅元件采用风冷，冷却风机选用低噪声风柜，其噪声不大于 60 dB(A)，风机设手动、自动切换回路，风机停运后，整流器在额定工况下，能继续运行 15 min，设置相应的风机工况信号及风机电阻消失保护。

六、励磁调节器的技术要求

(1)励磁调节器应为双通道单微机型，由 PLC、智能操作显示屏、励磁调节板、脉冲触发板等硬件组成，具有手动和自动调节功能。

(2)为增强可靠性，具有手动和自动调节功能。手动和自动相互切换时，由自动跟踪装置保持机端电压和无功功率的平衡。自动调节功能设置独立的双通道自动调节系统，互为备用，并设置相应的脉冲监信号。

(3)调节器设置静止型电压给定装置，给定电压的变化速率为每秒不大于空载额定电压的 1%，不小于额定电压的 0~3%，在极限位置设有保护和信号装置。

(4)自动励磁调节器能在发电机空载电压 70%~110%额定范围内进行稳定、平滑地调节。

(5)励磁系统手动控制单元调节范围是发电机空载励磁电压的 20%至额定励磁电压的 110%。

(6)自动励磁调节器，保证发电机端电压调差率整定范围不小于 ± 15%，并按 1%的调差率分挡，并有较好的线性度。

(7)自动励磁调节器，保证发电机端调压精度优于 0.5%。

(8)自动励磁调节器设置下列辅助单元：最大励磁电流限制，过励磁限制，欠励磁限制，电压/频率限制，电压跟踪。

(9)在规定的发电机突然减少励磁时，励磁系统应保证稳定、平滑地进行调节。

(10)励磁调节器应满足如下动态特性指标的要求：①发电机空载运行时，转速在 95%~105%额定转速范围内，突然投入励磁系统，使发电机端电压从零上升到额定值时，电压超调量不大于额定电压值的 10%，振荡次数不超过 3~5 次，调节时间不大于 5 s。②在额定功率因数下，当发电机突然甩掉额定负荷后，发电机电压超调量不大于额定值的 15%~20%，振荡次数不超过 3~5 次，调节时间不大于 5 s。③励磁调节器具有在机组同步操作时，能使发电机自动跟踪系统电压的电压跟踪功能。

第二节　电气设备安装的质量控制

一、自动化元件的技术要求

(一)各类型自动化元件应满足的要求

(1)元件所用材料应符合设计规定，并具有合格证明书。

(2)电器元件的绝缘电阻值和耐压值应符合 GB1497《低压电器基本标准》及 JB834《热带低压电器》的规定。

(3)电器元件中，使用于长期工作制或间断长工作制的线圈，其极限允许温升值应符合 GB1497《低压电器基本标准》的规定。

(4)液(气)压元件中，经常与水分或潮湿空气接触的金属部件，设计时应采用防锈材料或采取防锈措施。

(5)液(气)压元件的承压部件，应按照 GB1048《管子和管路附件的公称压力和试验压力》规定的试验压力 P_s 进行水压强度和材料密封性试验，打压后在规定的持续时间内不允许出现渗漏现象。

(6)液(气)压元件装配后，应按公称压力 P_N 或设计规定值进行密封试验。在规定的持续时间内，各连接部分及填料部分不准出现外渗漏，密封面的渗漏量不超过表 9-2 的规定。

表 9-2　密封性试验时介质的允许渗漏量

公称通径 D_N (mm)	渗漏量(油、水 cm^3/min；空气 dm^3/min)	公称通径 D_N (mm)	渗漏量(油、水 cm^3/min；空气，dm^3/min)
≤40	0.05	300	1.5
50 ~ 80	0.10	350	2.0
100 ~ 150	0.20	400	3.0
200	0.30	500	5.0
250	0.50	600	10.0

(7)液压元件装配后压公称油压 P_N 及规定油温时的内泄漏油量不得超过设计规定值。

(8)装于发电机层的电器元件应符合 GB1497《低压电器基本标准》的要求，装于水轮机层及其他场合的电器元件应符合 JB834《热带低压电器》的要求。

(9)O 型橡胶密封圈，应符合 GB3452《液压气动用 O 型橡胶密封圈尺寸系列及公差》的要求，其材料应符合 HG4—329《环形橡胶密封制品》的要求。

(10)使用于周围环境相对湿度达 95%的产品的金属，电镀层和化学覆盖层不得低于 JB4159《热带电工产品通用技术要求》第 2 级的规定；使用于相对湿度不超过 90%的产品的金属电镀层和化学覆盖层应符合 JB2836《陶管水压试验方法》的规定。

(11)使用于相对湿度不超过 95%的产品油漆层，应符合 JB4159《热带电工产品通用技术要求》第 2 级的规定；使用于相对湿度不超过 90%的产品的油漆层，应符合 JB4159 第 3 级的规定。

(12)自动化元件外接法兰的连接尺寸和密封面形状尺寸，应符合 GB2555《一般用途管法兰连接尺寸》和 GB2556《一般用途管法兰密封面形状和尺寸》的规定；对法兰螺栓孔的位置公差，应符合有关规定。

(13)无特殊要求的指示仪表的精度满足一般要求。

(14)产品应外形美观，布线、配管整齐合理，便于装配、安装、调整及使用维护。

(二)各类元件应满足下列动作试验要求

(1)各种液(气)压元件按照有关规定进行动作试验，应灵活、准确、可靠。

(2)各种油压元件应在公称油压下静置 72 h 后，仍能可靠动作。

(3)示流信号器应动作可靠，在管道通水或流量减少到整定流量时，分别发出信号，其精度不超过 ± 10%。

(4)液位信号器，动作灵活可靠，能在规定的液位发出信号；在同一液位的动作误差，不超过设计规定值。

(5)电磁铁在 85%~110%额定电压、额定负荷及规定行程下，能可靠动作，不允许有跳动现象。

(6)电磁配压阀在 85%~110%额定电压、公称油压及规定行程与流量范围内，能可靠动作，不允许有跳动与卡阻现象。

(7)电磁空气阀在 85%~110%额定电压、公称气压及规定行程范围内，能可靠动作，不允许有跳动及卡阻现象。

(8)机械转速信号器及电气转速信号装置在转速上升、下降时，能在规定的转速发出信号：当 n_H≥100 r/min 时，同一触点的动作转速精度 j_z，对机械转速信号器 j_z≤ ± 3%时，对电气转速信号装置：$j_z \leq \pm 2\%$。

当 $n_H < 100$ r/min 时，同一触点的动作转速误差 C_z，对机械转速速号器 $C_z \leq \pm 3$ r/min，对电气转速信号装置，$C_z \leq \pm 2$ r/min(零转速触点除外)。

同一触点的返回系数 F，对转速上升时发出信号的触点 $F \geq 0.8$；对于转速下降时发信号的触点，$F \leq 1.3$ C(二级过速信号触点除外)，但过速触点均应在 105%额定转速以前退器)。

(9)压力信号器在使用范围内精度为 1.5 级，触点开、断瞬间的压力差以及触点动作返回系数应符合设计规定值。

(10)剪断销信号器式剪断销信号器装置，当剪断销断裂时能正确发出信号。

(11)油积水信号器或油积水信号装置。当油箱中积水量达到规定值时，油积水信号器与油积水信号装置应发出信号，当油中积水排除后信号返回。

(12)温度信号器或温度信号装置：当机组被测部分的温度达到整定值时，发出信号，其精度不低于 1.5 级。

二、20 kV 及以下油断路器安装质量控制

(1)一般规定：金属结构安装正确、牢固，符合设计和规范要求，所有部件齐全，无锈蚀、无支持绝缘子或绝缘套瓷件应清洁，无裂纹、破损，磁铁件粘合牢固，绝缘件应无变形和受潮。

(2)基础部位的允许偏差：中心距及高度小于或等于 ± 10 mm，预留孔或预埋铁板中心线小于或等于 ± 10 mm，基础螺丝中心线小于或等于 ± 2 mm。

(3)箱体安装。①外观检查：安装垂直，固定牢固，底座及基础之间的垫片不宜超过 3 片，总厚度不应大于 10 mm，各垫片间焊接牢固。②同相各支柱中心线的允许误差为 ≤2.5 mm(优)~≤5 mm(合格)，三相底座或油箱中心线的允许误差为≤2.5 mm(优良)~≤5 mm(合格)。③油箱：内部清洁，无杂质，绝缘衬套干燥、无损伤，放油阀畅通。顶部及法兰等处垫层完好，有弹性，密封良好，箱体焊缝无渗漏油，油漆完整。

(4)灭弧室检查，部件应完整，绝缘件应干净、无变形，安装位置应正确。

(5)提升杆及导向板检查：无弯曲及裂纹，绝缘漆层完好，绝缘电阻符合产品要求。

(6)导电部分检查。①触头：表面清洁，镀银部分不得挫磨，钢铝合金不得有裂纹或脱焊。动静触头应对准，分合闸过程无卡阻，合闸后角头线接触，用厚 0.05 mm × 10 mm 塞尺检查，应塞不进。②横杆，导电杆：无裂纹，导电杆应垂直，端部光滑平整。③编织钢丝或软铜片间无锈蚀，固定螺栓齐全、坚固。

(7)缓冲器。①动作：固定牢固、动作灵活，无卡阻回跳现象。②油质、油值：油质应符合产品要求，油标、油位正确。③行程：应符合产品的技术规定。

(8)与母线或电缆线连接。①部位：应清洁平整，无毛刺或锈蚀，连接螺栓紧固。②接触面、线接触的允许误差为<0.05 mm。③接触面、面接触、接触面宽度小于或等于 50 mm 时，用塞尺入深度<2 mm 为优良、<4 mm 为合格。接触面宽度大于等于 60 mm 时，用塞尺入深度<3 mm 为优良、<6 mm 为合格。

(9)操作机构与传动装置安装。①部件：齐全完整，连接牢固，各锁片、防松螺母均

应拧紧，开口销张开。②分、合闸线圈：绝缘完好，铁芯动作应灵活、无卡阻。③合闸接触器和辅助开关：动作应准确可靠，接点接触良好无烧损或锈蚀。④操作机构调整：应满足动作要求，检查活动部件与固定部件的间隙、移动距离、转动角度等均应在产品允许的误差范围内。⑤联动动作检查应正常、无卡阻现象，分合闸位置指示器指示正确。

(10)排气装置的安装应符合 GBJ147—90《电气装置安装工程高压电器施工及验收规范》的相关要求：内部清洁，有罩盖，排气不影响附近设备。

(11)油标油位指示器检查：指示正确，无渗油。

(12)接地部件检查：接触牢固、可靠。

(13)测量每相导电回路应符合产品的技术要求：出厂为 58 μΩ、56 μΩ、50 μΩ，测量每相导电回路电阻，应符合下列规定：①电阻值及测试方法应符合产品技术条件的规定。②主触头与灭弧触头并联的断路器分别测量其在主触头和灭弧触头导电回路的电阻。

(14)测量断路器分合闸状态下的绝缘电阻应符合下列规定：①测量应在产品额定操作电压、液压下进行，实测数值应符合产品技术条件规定，即绝缘电阻值大于1 200 MΩ。②电压等级在 15 kV 及以下的断路器，除发电机出线断路器和与发电机主母线相连的断路器应进行测量外，其余可不进行。③测量断路器主触头的三相或同相各断口分、合闸的周期性，应符合产品技术条件规定。

(15)测量二次回路绝缘电阻：绝缘电阻值大于等于 1 MΩ。

(16)测量断路器合闸电阻的投放时间及电阻值，应符合产品技术条件的规定。

(17)测量分、合闸线圈的直流电阻及绝缘电阻，绝缘电值大于10 MΩ。直流电阻值应符合产品技术要求，直流电阻出厂值，合闸线圈为2.76 Ω，分闸线圈89.5 Ω。

(18)测量断路器分、合闸线圈及合闸接触器线圈的绝缘电阻值不应低于10 MΩ，直流电阻值与产品出厂试验值相比应无明显差别。

(19)产流耐压试验应符合下列规定：断路器的交流耐压试验，应在合闸状态下进行，试验电压合闸时为 27 kV，耐压 1 min 无异常(GB50150—91《电气装置安装工程电气设备交接试验标准》耐压试验应通过)。35 kV 及以下的断路器应相间及对地进行耐压试验。对 35 kV 及以下的户内少油断器路及联络用的断路器可在分闸状态下，按上述标准进行断口耐压。

(20)测量分、合闸时间均应符合产品技术规定：合闸 0.5 s；分闸 0.14 s。

(21)测量分、合闸的速度应符合产品技术规定：合闸最大 1.5 m/s；分闸最大 3 m/s。

(22)测量分、合闸同时性，符合产品技术要求(≤4 ms)。

(23)绝缘油试验应符合 GB50150—91《电气装置安装工程电气设备交接试验标准》有关规定：试验报告，满足耐压 35 kV 要求。

(24)检查操作机构最低动作电压分闸电磁铁：$30\%Un<U<65\%U_0$。合闸接触器：$(85\%\sim110\%)U$。

(25)操作试验：在额定操作电压值下进行分闸操作各 3 次，断路器动作正常。

(26)交流耐压试验：试验标准根据 GB50150—91《电气装置安装工程电气设备交接试验标准》进行。

三、户内式隔离开关安装质量控制要求

(一)外观检查

(1)绝缘子：表面清洁，无裂纹、破损等缺陷，瓷铁粘合应牢固。

(2)开关固定部分：安装正确，转动部分动作灵活。

(3)操作机构：零部件齐全，所有固定连接件紧固，动作灵活。

(4)接地、油漆：油漆完整，相色正确，接地牢固可靠。

(二)本体安装要求

(1)相间距与设计值误差：为≤3 mm(优良)~≤5 mm(合格)。

(2)支柱绝缘子：应连接牢固，水平与垂直偏差经校正后，应能满足触头接触良好，同相各支柱绝缘子中心线应在同一垂直平面内，与底座平面垂直。

(三)触头调整的要求

(1)触头接触：用厚 0.05 mm × 10 mm 塞尺检查；线接触，塞尺塞不进去。面接触接触面宽度小于等于50 mm时，塞入深度小于4 mm；接触面宽度大于等于60 mm时，塞入深度小于6 mm。

(2)触头平面：平整、清洁、无氧化膜。

(3)分、合闸检查：合闸后触头间相对位置、备用行程、分闸状态时触头的净距离、拉开角度应符合产口技术规定，见试验报告。

(4)三相联动检查：触头接触的周期性允许误差小于 5 mm。

(四)与母线及电缆连接要求

(1)连接部位：清洁，无毛刺或锈蚀，螺栓紧固。

(2)接触面：塞入深度 3 mm。

(五)操作机构

(1)安装：牢固，各固定部件螺栓紧固，开口销必须分开。

(2)传动部件：安装调整应符合 GBJ147—90《电气装置安装工程高压电器施工及验收规范》中的要求，见检查记录。

(3)操作机构：动作平稳，无卡阻、冲击，手柄位置正确。

(六)交流耐压试验

三相同一箱体的负荷开关，应按相间及相对地进行而耐压试验，其余均按相对地或外壳进行，试验电压应符合断路器的规定。对负荷开关还应按产品技术条件规定，相对地 42 kV，耐压 1 min 无异常。进行每个断口的交流耐压试验。

(七)操作试验

(1)手动操作 3 次，进行试验检查，动作正常、可靠。

(2)动力式操动机构的分、合闸操作，当其电压或气压在下列范围时，应保证隔离开关的主闸刀或接地闸刀可靠地分闸和合闸。①电动机操动机构：当电动机接线端子的电压在其额定电压的 80%~110%范围内时；②压缩空气操动机构：当气压在其额定气压的 85% ~ 110%范围内时；③二次控制线圈和电磁闭锁装置：其线圈接端子的电压在其额定电压的 80%~110%范围内时。

(3)隔离开关：负荷开关的机械或电气闭锁装置应准确可靠。

四、3~20 kV 负荷开关或高压熔断器安装的质量控制

(一)外观检查

(1)安装位置应位置正确，固定牢固，部件齐全、完整。

(2)瓷件：表面清洁，无裂纹、破损，瓷铁件粘合牢固。

(3)操作机构：零部件齐全，所有固定连接部分应紧固，转动部分动作灵活。

(4)油浸式负荷开关：无渗漏油现象。

(二)负荷开关安装调整要求

(1)触荷接触：用厚 0.05 mm × 10 mm 塞尺检查，线接触，塞尺塞不进去。面接触宽度小于等于 50 mm 时，塞入深度小于 4 mm；面接触宽度不大于等于 60 mm 时，塞入深度小于 6 mm。

(2)三相触头动作偏差：接触先后小于等于 3 mm，分闸状态触头净距及拉开角度应符合产品的技术规定，$\Delta \leqslant 2$ mm。

(3)灭弧筒：完整无裂纹，与灭弧触头的间隙应符合产品的技术要求。

(4)接线端子与母线连接面，清洁平整，接触紧密，用高 × 宽 0.05 mm × 10 mm，塞尺检查，塞入深度最大为 3 mm(面接触)。

(5)操作机构的安装：螺栓紧固，转动灵活，动作平稳，无冲击。

(6)辅助开关触点：安装牢固，接触良好，动作可靠。

(7)接地：牢固、可靠。

(三)高压容断器检查要点

(1)零部件：齐全、无锈蚀，熔管无裂纹、破损。

(2)绝缘支座：安装位置应水平或垂直，两相口在一直线上，带动作指示的熔断器应朝下安装。

(3)熔丝：规格应符合要求，应无弯折、压扁。

(4)熔丝管与钳口：接触紧密，钳口弹力充足，插入顺利、可靠。

(5)跌落式溶断器：熔管轴线与垂直方向保持 15°~30°，转动部分应灵活。

(6)与母线连接：为面接触，用厚 0.05 mm × 10 mm 塞尺检查，插入最大深度 3 mm。

(四)检验项目

(1)测量绝缘电阻：U_n 为 3~15 kV，绝缘电阻大于等于 1 200 MΩ；*Un* 为 20 kV，绝缘电阻大于 3 000 MΩ。

(2)测量高压熔丝管电阻：与原产品测定值相比，应无显著差别(出厂：5.51 MΩ)。

(3)交流耐压试验：试验应无异常，接地及耐压无异常。

(五)操作试验要求

手动操作 3 次，进行试验检查，动作正常、可靠。

五、20 kV 及以下互感器安装质量控制要点

(一)外观检查

(1)外观：清洁、完整、外壳无渗漏油现象，法兰无裂纹或损伤，穿心导电杆固定牢固。

(2)瓷套管：无裂纹或损伤，与上盖间的胶合应牢固。

(3)接地：牢固可靠。

(二)安装质量检查

(1)本体安装：放置稳固，垂直固定牢固，同一组的中心应在同一平面上，间隔一致。

(2)二次引线端子：接线正确，连接牢固，绝缘良好，标志正确。

(三)测量绕组绝缘电阻

(1)一次绕组：不作规定。

(2)二次绕组：电压互感器大于 5 MΩ，电流互感器大于10 MΩ。

(四)其他

(1)交流耐压试验：一次绕组试验电压对地，二次绕组对地，均符合 GB50150—91《电气装置安装工程电气设备交接试验标准》中附录 1 的规定，并无异常。

(2)测量电流互感器的励磁特性曲线：同型号互感器特性曲线相互比较，应无显著差别。

(3)测量电压互感器一次线圈直流电阻：与厂家实测数值比较，应无显著差别(出厂值：A.3.09 kΩ，B.3.08 kΩ，C.1 kΩ)。

(4)测量 1 000 V 以上电压互感器空载电流、空载电流值不作规定与出厂值相比应无明显差别(出厂值：a—x：0.095 A，b—x：0.091 A，c—x：0.095 A)。

(5)电压互感器绝缘油试验：符合 GB50150—91 要求。

(6)检查三相互感器接线组别和单相互感器的极性：必须与铭牌及外壳上的符号相符，组别及极性与设计相符。

(7)检查变比：应与设计一致和铭牌值相符。

六、20 kV 及以下干式电抗器安装质量控制要求

(一)外观检查

(1)支柱：裂纹长度小于径向尺寸的 1/3，宽度不超过 0.5 mm，并需经表面填补，涂防潮漆处理(完整为合格；无裂纹为优良)。

(2)线圈：有损伤处经包扎处理，不影响运行(无变形，绝缘无损伤，与螺栓间绝缘电阻不低于 1 MΩ为合格；不低于出厂试验的70%为优良)。

(3)连接部件：螺栓应紧固。

(二)安装质量检查

(1)位置：应符合规定和设计要求。

(2)线圈绕向：符合设计要求，应水平，三相绕向相同。

(3)各相中心：应一致、标号正确。

(4)支柱缘绝子：应固定牢固，无裂纹。

(三)接地

接地可靠，支柱绝缘子接地线不应构成闭合回路。

(四)交流耐压试验

试验电压标准见 GB50150—91《电气装置安装工程电气设备交接试验标准》附录 1，试验过程中应无异常，绕组对地面电压耐压 1 min 无异常。

(五)测量绕组连同套管的直流电阻的规定

(1)测量应在各分接头的所有位置上进行。

(2)实测值与出厂值的变化规律应一致。

(3)三相电抗器绕组直流电阻值相间差值不应大于三相平均值的 2%。

(4)电抗器和消弧线圈的直流电阻与同温下产品出厂值比较相应变化不应大于 2%。

(六)绕组连同套管的交流耐压试验

绕组连同套管的交流耐压试验应符合下列规定：对分级绝缘的耐压试验电压标准，应按接地端或其末端绝缘的电压等级来进行。

(七)其他

(1)在额定电压下，对变电所及线路的并取电抗器连同线路的冲击合闸试验，应进行 5 次，每次间隔时间为 5 min，应无异常现象。

(2)电压等级为 330 ~ 500 kV 的电抗器，应测量箱壳表面的温度分布，温升不应大于 65℃。

七、避雷器安装的质量控制要点

(一)外观检查的要求

(1)密封：完好，型号与设计相符。

(2)瓷件：无裂纹、破损，瓷套与铁法兰粘合牢固。

(3)位置：各节位置与出厂标志编号相符。

(二)安装质量检查

(1)连接：连接处的金属接地表面无氧化膜及油漆。

(2)安装：每一元件中心线与安装点中心线垂直，偏差小于等于元件高度的 1.5%，偏差超出标准，经校正后能保证其导电性能良好。

(3)放电记录器：封密良好，动作可靠，基座绝缘良好，接地可靠。

(三)测量绝缘电阻

测量绝缘电阻应符合下列规定：

(1)FS 型避雷的绝缘电阻值不应小于 2 500 MΩ，且应符合产品各种型号技术规定。

(2)阀式避雷器如 FZ 型，磁吹避雷器如 FCZ 及 FCD 型和金属氧化物避雷器的绝缘电阻值，与出厂试验值比较无明显差距。

(四)其他

(1)测量电导电流并检查组合元件的非线性系数，电导电流试验标准，应符合产品技术规定，A、B、C 三相电导电流应与其一致，同一相内串连组合元件的非线性系数差值，小于等于 0.04(FCD)(技术条件：电导电流小于等于 20 μA)。

(2)测量工频放电压：FS 型避雷器工频放电电压范围见表 9-3。

表 9-3　FS 型避雷器工频放电电压范围

额定电压(kV)	3	6	10
放电电压(kV)	9 ~ 11	16 ~ 19	26 ~ 31

(3)FS 型阀式避雷器的绝缘电阻不小于 2 500 MΩ时，可不进行电导电流测量。

(4)测量时若整流回路中的波纹系数大于 1.5%时，应加装滤波电容器，可为 0.01～0.1 μF。试验电压应在高压侧测量。

八、固定式手车式高压开关柜安装的质量控制标准

(一)基础型钢埋设要求

(1)允许偏差：直度 1 mm/m，5 mm/全长；水平度 1 mm/m，5 mm/全长。

(2)型钢接地：接地可靠，安装后其顶部宜高出抹面 10 mm。

(二)开关柜本体安装

(1)允许偏差，垂直度：1.5 mm/m，平度相邻两柜边：1 mm，成列柜面：5 mm，柜间间隔：2 mm。

(2)柜体固定：牢固，柜间连接紧密。

(3)与建筑物间距离：应符合设计要求。

(4)隔板：完整牢固，门锁灵活，齐全。

(三)柜内电气设备安装

符合 GB50150—91《电气装置安装工程电气设备交接试验标准》的要求，断路器、隔离开关、互感器、避雷器等主要设备已经过单元工程质量评定，均达到合格标准。

(四)接地

固定牢固，接触良好，排列整齐，柜门等应采用软铜线接地。

(五)手车式开关柜的安装要求

(1)手车位置：工作和试验位置的定位准确可靠。

(2)手车：推拉灵活，接地触头接触良好。

(3)闭锁装置：动作正确、可靠。

(4)动静触头：中心线一致，触头接触紧密。

(5)触头间隙：推入工作位置后，应符合产品的技术要求。

(6)辅助开关切换接点：接点动作准确，接触可靠。

(7)安全隔板：开放灵活、正确。

(8)柜内照明：齐全。

(六)二次回路的要求

所有二次回路的要求接线应符合设计要求，连接可靠，标志齐全清晰，绝缘电阻大于等于 0.5 MΩ。

九、油浸式厂用变压器安装质量控制

(一)轨道安装

轨道应水平及轮距中心线与轨距中心线应对正，允许偏差小于 10 mm。

(二)外观检查

(1)密封：油箱盖及各连接法兰处耐油垫圈应密封良好，螺栓连接紧固，无渗漏油现象。

(2)部件：清洁，油漆均匀完整，放油阀门动作灵活，瓷套管无裂纹损伤。

(3)其他：相色正确，接地符合设计要求，且连接牢固可靠。

(三)器身检查

器身检查应符合 GBJ148—90《电气装置安装工程电力变压器、油浸电抗器、互感器施工及验收规范》相关要求(≤1 000 kVA，且运输中心无异常的，可不作器身检查)。

(四)本体及附件安装要求

(1)顶盖升高坡度：装有气体继电器的，顶盖应有 1%~1.5%的升高坡度。

(2)滚轮：应转动灵活，有制动装置。

(3)法兰连接面：应平整，密封良好。

(4)散热器：管内应清洁，按制造厂规定的压力进行密封试验应无渗漏。

(5)气体继电器：应经校验合格，安装水平，接线正确。

(6)储油柜：清洁干静，密封良好，油位与温度标记符合要求。

(7)防爆筒：呼吸器、玻璃片完好，过滤器硅胶干燥。

(8)温度计：指示正确，软管不扭曲，不压扁。

(9)套管：经试验合格，法兰处密封良好。

(五)母线或电缆连线

(1)母线接触面：用厚 0.05 mm × 10 mm 塞尺检查，母线宽度在 50 mm 以下，插入深度就小于等于 4 mm。

(2)采用电缆接线：应符合相关规范规定。

(3)两台并联时：接线相位必须一致。

(六)保护装置、测量仪表及二次结线

(1)保护装置：齐全，整定值符合设计要求。

(2)测量仪表：指示正确。

(3)二次结线：正确、连接牢固。

(4)操作密封检查：动作正确。

(七)其他

(1)整体密封检查：用压力为 0.03 Mpa 的气压或油压试验持续时间 12 h 应无渗漏。

(2)测量线圈直流电阻：相间差别小于等于三相平均值的 4%，线间差别小于三相平均值的 2%。

(3)检查各分接头的变比：与铭牌数据相比较应无明显差别。

(4)检查三相变压器的接线组别的单相变压器的极性，与铭牌数据比较应无明显差别。

(5)绝缘电阻测量：大于或等于出厂试验的 70%(出厂：高低—地 4 100 kΩ，低高—地 1 900 kΩ)。

(6)测量各紧固件对铁芯油箱绝缘电阻：绝缘电阻值不作规定。

(7)绝缘油试验：应符合 GB50150—91《电气装置安装工程电气设备交接试验标准》要求，见试验报告。

(8)检查相位：必须与母线相位一致。

(9)工频耐压试验：试验电压标准 GB50150—91《电气装置安装工程电气设备交接试

验标准》附录1，耐压试验的高压侧、低压侧，耐压符合规范标准，耐压试验无异常。

十、低压配电盘及低压电器安装质量控制要点

(一)基础型钢安装要求

(1)允许偏差：不直度：1 mm/m　5 mm/全长

水平度：1 mm/m　5 mm/全长

(2)接地：应可靠。

(二)盘柜本体安装

(1)允许偏差：垂直度：1.5 mm/m

水平度：相邻两柜顶部：2 mm

成列盘柜顶部：5 mm

不平度：相邻两柜边：1 mm

成列盘柜面：5 mm

盘柜间缝隙：2 mm

(2)盘面及盘内：清洁无损伤，漆层完好，标志齐全、正确、清晰。

(3)其他：与地面及周围建筑物的距离应符合设计要求，箱门开关灵活，门锁齐全。

(三)接地

接地方式应符合设计要求，固定牢固，接触良好，排列整齐。

(四)盘上电器外观检查及安装要求

(1)电器：外壳及玻璃片应无破裂，安装位置正确，便于折抵，固定牢固。

(2)操作开关：把平转动灵活，接点分合准确可靠，弹力充足。

(3)信号装置：完好，指示色符合要求，附加电阻符合规定。

(4)保护装置：整定值符合设计要求，熔断器熔体规格正确。

(5)仪表：应经校验合格，安装位置正确，固定牢固，指示正确。

(五)端子板及二次接线

端子板及二次接线应符合GB50171—92《电气装置安装工程盘、柜及二次回路接线施工及验收规范》要求。

(六)硬母线及电缆安装

(1)排列：整齐，相位排列一致，绝缘良好。

(2)裸露母线电气间隙及漏电距离：电气间隙大于或等于 12 mm，漏电距离大于或等于20 mm。

(3)连线：应紧密、牢固，用0.05 mm×10 mm塞尺检查，线接触塞不进，面接触，塞进深度小于等于4 mm(母线宽度小于或等于50 mm)。

(4)母线漆色：符合规定GBJ149—90《电气装置安装工程母线装置施工及验收规范》中相关规定。

(5)小母线：直经大于或等于6 mm的铜棒或铜管，标志齐全、清晰、正确。

(6)其他：符合硬母线装置安装工程规定。

(七)抽屉式配电柜安装

(1)基础及柜体：同上文中的规定。

(2)抽屉推位：灵活、轻便，无卡阻、碰撞。

(3)触头：动静触头中心应一致，触头接触应紧密。

(4)联锁装置：动作应正确、可靠。

(5)接地触头：应接触紧密、可靠。

(八)绝缘电阻测量

绝缘电阻值应大于或等于 1 MΩ。

(九)交流耐压试验

试验电压标准为1 000 V，试验应无异常。

(十)相位检查

各相两侧的相位应一致。

(十一)低压电器安装要求

(1)零部件：齐全、清洁、无锈蚀等缺陷，瓷件不应有裂缝和伤痕。

(2)规格：规格、型号、工作条件等应与现场实际使用要求相符，铭牌、标志齐全。

(3)排列：整齐，便于操作和维护。

(4)接地：金属外壳，框架的接零或接地应符合规定。

(十二)其他

(1)测量低压电器连同所连接电缆及二次回路的绝缘电阻值，不应小于 1 MΩ，在比较潮湿的地方，可不小于 0.5 MΩ。

(2)电压线圈动作值的检验，应符合下述规定：线圈的吸合电压不应大于额定电压的85%，释放电压不应小于额定电压的 5%，短时工作的合闸线圈应在额定电压的 85%～110%范围内，分励线圈应在额定电压的 75%～110%范围内均能可靠工作。

(3)低压电器动作情况的检查，应符合下述规定：对采用电动机或液压、气压传动方式操作的电器，除产品另有规定外，当电压、液压或气压在额定值的 85%～110%的范围内电器应可靠工作。

(4)低压电器采用脱扣器的整定，应符合下列规定：各类过电流脱扣器、关压积分励脱扣器、延时装置等，应按使用要求进行整定，其整定值误差不得超过产品技术条件的规定。

(5)测量电阻器和变阻器的直流电阻值，其差值应分别符合产品技术条件的规定。

(6)低压电器连同所连接电缆及工作回路的交流耐压试验应符合下述规定：试验电压为 1 000 kV，当回路的绝缘电阻值在 10 MΩ以上时，可采用 2 500 V 兆欧表代替，试验持续时间为 1 min。

十一、35 kV 及以下电缆线路安装质量控制

(一)一般规定

电缆附件齐全，符合国家标准，电缆隐蔽工程应有验收签证，电缆防火设施的安装应符合设计规定。

(二)电缆支架安装

平整牢固，排列整齐、均匀，成排安装的支架、高度应一致、允许偏差不超过 ± 5 mm，支架横挡至沟顶、楼板、沟底的距离应符合设计要求，支架与电缆沟或建筑物的坡度应符合设计要求。托架的制作安装应符合设计要求，支架应涂刷防腐漆和油漆，漆层完好，按规定可靠接地。

(三)电缆管加工及敷设的要求

(1)加工弯制：每根电缆管弯头小于或等于 3 个，直角弯头小于等于 2 个，管的弯曲半径不应小于所穿电缆的最小允许弯曲半径，管子弯制后无裂纹。弯扁程度不大于管子外径的 10%，管口平齐呈喇叭形，无毛刺。

(2)敷设与连接：安装牢固、整齐、裸露的金属管应刷防腐漆。连接紧密，出入地沟、隧道、建筑物的管口应密封，管道内清洁无杂物。

(四)控制电缆敷设安装要求

(1)敷设前的检查，电缆无扭曲变形，外表无损伤，绝缘层无损伤。

铠装层不松散，电缆绝缘电阻应符合 GB50150—91《电气装置安装工程电气设备交接试验标准》的要求。

(2)电缆的敷设：数量、位置与电缆统计书、图纸相符，厂房内，隧道、沟道内敷设、排列顺序应符合 GB50168—92《电气装置安装工程电缆线路施工及验收规范》规定，电缆排列整齐，最小弯曲半径大于或等于 10 倍电缆外径，标志牌齐全、清晰、正确。

(3)电缆固定：垂直敷设(或超过 45°倾斜敷设)应在每个支架上固定，水平敷时在电缆首末两端及转弯处固定，各固定支持点间的距离符合设计规定。

(五)电力电缆敷设安装的其他要求

(1)敷设：明敷电缆应剥除麻护层，并列敷设的电缆相互间净距符合设计要求，并联运行的电力电缆其长度应相等。

(2)电缆头制作：电缆终端和接头的制作符合相关规范要求。

(3)电气试验：绝缘电阻绝缘良好，达到敷设前要求。直流耐压试验无异常。试验过程中泄漏电流应稳定无异常。

十二、硬母线装置安装质量控制要求

(一)母线外观检查

(1)母线表面：母线表面应光滑平整，不应有裂纹、折皱、夹杂物及变形和扭曲现象。

(2)成套供应的密封母线：各段标志清晰、附件齐全、螺栓连接的母线搭接面平整，镀银层覆盖完好，无麻面起层。

(二)硬母线的加工检查

(1)母线校正平直、切断面平整。

(2)母线弯制：开始弯曲处至最近处绝缘子的母线支持夹板边缘的距离大于 50 mm，而小于 0.25 倍两支持点间的距离 L_0 弯曲半径符合 GBJ149—90《电气装置安装工程母线装置施工及验收规范》要求。多片母线的弯曲程度一致。母线扭转 90° 时，扭转部分的长度大于 2.5 ~ 5 倍的母线宽度。

(3)母线联结处的钻孔：垂直、孔眼中心误差不超过 ± 0.5 mm。

(4)接触面：必须加工平整，无氧化膜，加工后截面积减小值：铜母线小于原截面积的 3%，铝母线小于原截面积的 5%。

(5)母线配置：符合设计要求，相同布置的主母线引下线及设备连接线要求对称一致，横平竖直、整齐、美观。

(三)硬母线安装要点

(1)连接方式：正确焊接，严禁锡焊或螺纹接头连接(对管型或圆型母线)。

(2)母线的搭接要求：搭接面平整，无氧化膜，并涂电力脂连接紧固、受力均匀、母线连接后接触面紧密，用 0.05 mm×10 mm 塞尺检查，塞入深度符合下列要求，母线宽度在 63 mm 及以上，塞入深度不超过 6 mm；母线宽度在 56 mm 及以下，塞入深度不超过 4 mm。测量接触电阻，其接触面增加的电阻值小于同长度母线本身电阻值的 20%。

(3)矩形母线的搭接：搭接尺寸符合 GBT149—90《电气装置安装工程母线装置施工及验收规范》规定，采用螺栓搭接的矩形母线其连接处距支柱绝缘子的支持夹板边缘大于或等于 50 mm，上片母线端头与下片母线端头平弯开始处的距离大于 50 mm，母线与螺杆形端子连接时，母线的孔径和接线端子直径的差值小于 1 mm，螺母接触面平整，丝扣无氧化膜。

(4)硬母线焊接要求：咬边深度小于母线厚度 10%，咬边总长度小于焊缝长度的 10%~20%。

(5)母线在支柱绝缘子上固定：金具与绝缘子间固定应平稳牢固交流母线工作电流不小于 1 500A 时，每相交流母线的金具间不应变形成闭合磁路。

(6)补偿器的安装：应符合设计规定。

(7)插接母线槽，重型多片矩形母线及高压封闭母线安装应符合 GBJ149—90《电气装置安装工程母线装置施工及验收规范》规定，并应符合下列要求：①悬挂式母线槽的吊钩应有调整螺栓，固定点间距离不得大于 3 m。②母线槽的端头应装封闭罩，引出线孔的盖子应完整。③各段母线槽的外壳的连接应是可拆的，外壳之间应有跨接线并应接地可靠。

(8)铝合金管形母线安装质量符合 GBJ149—90《电气装置安装工程母线装置施工及验收规范》中的规定：①管形母线应采用多点吊装，不得伤及母线。②母线终端应有防晕装置，其表面应光滑，无毛刺或凹凸不平。③同相管段轴线应处于一个垂直面上，三相母线管段轴线应互相平行。

(9)母线间及建筑物的距离，应符合配电装置安全规定。

(10)相色：按有关规定涂刷色素，要求相色正确、漆层均匀。

(11)相序排列：符合 GBJ149—90《电气装置安装工程母线装置施工及验收规范》的有关规定。

(四)母线绝缘子与穿墙套管检查

(1)外观检察：瓷件完整无裂纹，法兰胶合处填料填充密实，结合牢固。

(2)电气试验：绝缘电阻测量符合 GBJ149—90《电气装置安装工程母线装置施工及验收规范》要求，工频耐压试验，试验电压标准见 GB50150—91《电气装置安装工程电气设备交接试验标准》，试验中应无闪络印和击穿。

(3)支持绝缘子安装：同一平面或垂直面上的支持绝缘子顶面在同一平面上，误差不超过 3 mm，母线直线段的支柱绝缘子安装中心线在同一直线上允许误差＜ ± 5 mm 为合格、≤ ± 2 mm 为优良。

(4)穿墙套管安装：安装孔径与套管间隙等于 5 mm，套管固定牢固，1 500 A 及以上套管安装做隔磁处理。

(五)其他

(1)母线装置采用的设备和器材，在运输与保管中应采用防腐蚀性气体侵蚀及机械损伤的包装。

(2)母线与母线或母线与电器接线端子的螺栓搭接面应符合下列要求：①母线平置时，贯穿螺栓应由下往上穿，其余情况下，螺母应置于维护侧，螺栓长度宜露出螺母 2~3 扣。②贯穿螺栓连接的母线两外侧均应有平垫圈，相邻螺栓垫圈间应有 3 mm 以上的净距，螺母侧应装有弹簧垫圈或锁紧螺母。③螺栓受力应均匀，不应使电器的接线端子受到额外应力。④母线的接触面应连接紧密，连接螺栓应用力矩板手紧固，其紧固力矩值应符合表 9-4 的规定。

表 9-4　钢制螺栓的紧固力矩值

螺栓规格(mm)	力矩值(N · m)	螺栓规格(mm)	力矩值(N · m)
M8	8.8 ~ 10.8	M16	78.5 ~ 98.1
M10	17.7 ~ 22.6	M18	98.0 ~ 127.4
M12	31.4 ~ 39.2	M20	156.9 ~ 196.2
M14	51.0 ~ 60.5	M24	274.6 ~ 342.2

(3)母线平置时，母线支持夹板的上部压板应与母线保持 1~1.5 mm 的间隙，当母线立置时，上部压板应与母线保持 1.5~2 mm 的间隙。

(4)母线在支柱绝缘子上的固定死点，每一段应设置一个，并宜位于全长或两母线伸缩节中点。

(5)母线固定装置应无棱角和毛刺。

(6)管形母线安装在滑动式支持器上时，支持器的轴座与管母线之间应有 1~2 mm 的间隙。

(7)多片矩形母线间，保持不小于母线厚度的间隙，相邻的间隔垫边缘间距离应大于 5 mm。

(8)母线伸缩节不得有裂纹、断股和折皱现象，其总截面不应小于母线截面的 1.2 倍。

(9)终端或中间采用拉紧装置的车间低压母线的安装，当设计无规定时，应符合下列规定：①终端或中间栓紧固定支架宜装有调节螺栓的拉线，拉线的固定点应能承受拉线张力。②同一挡柜内，母线的各相弛度最大偏差应小于 10%。

(10)重型母线的安装应符合下列规定：①母线与设备连接处，宜采用软连接，连接线的截面不应小于母线截面。②母线的紧固螺栓，铝母线宜用铝合金螺柱、铜母线宜用铜螺栓，紧固螺栓时应用力矩板手。③在运行温度高的场所，母线不应有铜铝过镀接头。

④母线在固定点的活动杆应无卡阻，部件的机械强度及绝缘电阻值应符合设计要求。

(11)母线对接焊缝的部位应符合下列规定：①离支持绝缘子母线夹板边缘不应小于 50 mm。②母线宜减少对接焊缝。③同相母线不同片上的对接焊缝，其错开位置不应小于50 mm。

(12)母线焊接后的检验标准，应符合下列要求：①焊接接头的对口，焊缝应符合上述规定。②焊接接头表面应无肉眼可见的裂纹，凹陷、缺肉、未焊透气孔、夹渣等缺陷。③咬边深度不得超过母线厚度的 10%，且其总长度不得超过焊缝总长度的 20%。

十三、电气接地装置安装质量控制

(一)一般规定

接地体和接地线的规格，接地装置的布置均应符合设计要求，接地工程的隐蔽部分应经中间检查和验收且检查验收记录应完整。采用外引接地体的中心与配电装置接地网的距离，根据我国水电站(厂)的经验，不宜过大。否则，由于引线本身的电阻压降会使外引接地体利用程度大大降低。

(二)接地装置的敷设要求

(1)符合设计要求。

(2)一般在地表下 0.15~0.5 m 处，是处于土壤干湿交界的地方，接地导体易受腐蚀，因此规定埋深不应小于 0.6 m，并规定了接地网的引出线在通过地表下 0.6 m 引至地面外的一段需做防腐处理，以延长使用寿命。

(3)为防止接地线发生机械损伤和化学腐蚀，应做防腐处理。

(4)如接地线串联使用，则当一处接地线断开时，造成了后面串联设备接地点，所以规定禁地串联。

(5)采用单独接地线连接以保证接地的可靠性。

(6)连接线短，在雷击时电感量减小，能迅速散流。

(7)全封闭组合电器外壳，受电磁的作用产生感应电势，能危及人身安全，应有可靠接地。

(8)为了便于运行和维护及检测接地电阻加装断线卡。

(三)明敷接地线的安装

明敷接地线的规定应符合设计规定。

(四)接地装置的连接要点

(1)接地装置的连接要符合设计规定。

(2)接地线的连接应保证接触可靠。接于电机、电器外壳以及可移动的金属构架等上面的接地线应以镀锌螺栓可靠连接。

(五)避雷针(线、带、网)的接地

(1)接地符合设计要求。

(2)为了焊接安全，设置断线卡便于测量接地电阻及检查引下线的连接情况，断线卡加保护防止意外断开。

(3)为确保接地装置长期运行可靠，提高材料防腐能力，均应使用镀锌制品，地脚螺栓，无镀锌成品供应，应采取防腐措施。

(4)4 mm 金属筒体不会被雷电流烧穿，故可不另敷接地线。

(5)雷击避雷针时，避雷针接地点的高电位向外传播 15 m 后，在一般情况下衰减到不足以危及 35 kV 及以下设备的绝缘集中接地装置，为了加强雷电流散流作用降低对地电压而敷附加接地装置。

(6)为防止静电感应的危害：在构架上的避雷针(线)落雷时，危及人身和设备安全。但将电缆的金属护层或穿金属管的导线在地中埋置长度大于 10 m 时，可将雷击时的高压电位衰减至不危险的程度。

(7)为防止保护发电站(厂)和变电所的避雷线断线造成事故，避雷线的挡距内不允许有接头。

(六)接地装置的电阻测量

接地电阻应符合设计要求。

十四、保护网安装的质量控制

(一)保护网的制作检查

(1)尺寸允许误差：高度不超过 3 mm，宽度不超过 2 mm，对角线不超过 3 mm。

(2)组装焊接：钢型应平直，焊后无扭曲，网门固定牢固，无明显的凹凸，框架平稳，不扭斜，焊缝应平整，无夹渣、漏焊。

(二)基础埋设

(1)基础应高出抹平地面 10 mm。

(2)水平误差，每米不超过 1 mm。

(三)保护网安装

(1)与保护设备及建筑物的距离：符合 GBJ149—90《电气装置安装工程母线装置施工及验收规范》中配电装置安全距离的有关规定。

(2)允许偏差：倾斜度不超过 0.1%，全长水平误差不超过 5 mm。

(3)成列的保护网门：在同一直线上。

(4)网门：开启灵活，且只能向外侧开启门锁齐全。

(5)油漆：完整，编号标志清楚。

(6)接地：牢固可靠。

十五、控制保护装置安装的质量控制标准

(一)基础型钢埋设

(1)允许偏差：平直度 1 mm/m，5 mm/全长；水平度：1 mm/m，5 mm/全长。

(2)接地：可靠，型钢顶部应高出抹平面 10 mm。

(二)盘柜安装检查

(1)允许偏差：①垂直度：1.5 mm/m。②水平度：相邻两柜顶部：2 mm，成列盘柜顶部：5 mm；不平度：相邻两柜顶部：1 mm，成列盘柜顶部：5 mm。③盘柜间缝隙：2 mm。

(2)连接：与基础型钢采用螺栓连接，应紧固。

(3)盘石：应清洁，漆层完好，标志应全、正确、清晰。

(4)柜门：开关应灵活，周围缝隙小于 1.5 mm，门锁应齐全，动作灵活无卡阻。

(5)接地：盘柜接地牢固、可靠、附件齐全，位置正确、固定牢固。

(三)盘上电器安装要求

(1)外观：所有电器应完好，附件齐全，位置正确，固定牢固。

(2)继电保护装置：应经校验，动作灵敏、准确可靠、整定值正确。

(3)应经校验，指示正确。

(4)信号装置：完好、工作可靠、显示准确。

(5)操作切换开关：动作灵活、接触可靠。

(6)端子板(排)：固定牢固，绝缘良好，标志齐全、清楚。

(7)小母线：平直、固定牢固，接触良好，与带电体电气间隙大于或等于 12 mm。绝缘电阻大于或等于 10 MΩ。交流耐压试验 1 000 V、1 min，应无异常。漆涂色符合相关规范要求。标志牌齐全，标志清楚、正确。

(四)二次回路安装要点

(1)连接件：回路接线应用铜芯线。电压回路线芯截面积大于或等于 1.5 mm^2，电流回路线芯截面积大于或等于 2.5 mm^2。

(2)间隙：带电体间或带电体与接地间电气间隙大于或等于 4 mm，漏电距离大于或等于 6 mm。

(3)导线及电缆芯线束的排列：整齐、美观、横平竖直、不交叉，标志齐全，绑扎固定符合 GB50171—92《电气装置安装工程盘、柜及二次回路接线施工及验收规范》要求。

(4)配线和接线要求：应符合设计要求，导线不应有接头，绝缘子完好，剥切不伤线芯，导线及电缆线芯标志齐全、正确、鲜明、不脱色且字迹清楚。每个端子板的每侧接线不得超过两根。导线和电器或端子板连接用螺钉连接牢固。

(5)二次回路检查：回路绝缘电阻大于或等于 1 MΩ，潮湿地区允许在 0.5 MΩ 以上。交流耐压试验：1 000 V、1 min 不出异常，回路接线正确无误。

(五)端子箱板制作安装要点

(1)端子箱的制作：铁板厚度应为 2~3 mm，尺寸符合设计要求：长、宽、高各部尺寸误差不超过 ± 2 mm，对角线误差不超过 1.5 mm。门关合严密，周围缝隙小于 1.5 mm，门锁齐全灵活。

(2)端子箱安装：固定牢固、密封良好，安装在便于运行检查位置。成列安装的端子箱应排列整齐。

(3)端子板安装：固定牢固，密封良好，安装在便于运行检查位置。成列安装的端子箱应排列整齐。

(六)模拟动作试验和试运行

电气元件及电气回路出现的异常情况已处理，未出现影响正常运行使用的缺陷。电器元件及电气回路均应动作正常。

十六、铅蓄电池安装质量控制要求

(一)母线及台架安装

(1)硬母线安装质量应符合硬母线安装要求。

(2)母线：支持点间距小于 2 m，与建筑物或接地部分之间距离大于 50 mm。平直排列整齐，弯曲度一致。全长金属支架，绝缘子铁脚均应涂刷耐酸相色漆，相色正确。与绝缘固定用的绑线、铜母线截面应大于 2.5 mm^2，铁线截面应大于 3 mm^2。绑扎应牢固，并涂耐酸漆，与电池连接的端头应搪锡且连接坚固。

(3)引出线：应有正负极标志，电缆穿管口应有耐酸材料密封。

(4)穿墙接线板：应为耐酸、非可燃又不吸潮的绝缘材料，接线板与固定框架之间及固定螺栓处应放置耐酸密封垫。

(5)开口式蓄电池木台架：应涂刷耐酸漆，台架之间不得用金属连接固定，台架安装平直，台架与地面之间应有绝缘垫绝缘。

(二)安装前外观检查

部件整全，无损伤，密封良好，极板平直，无受潮及剥落，接线柱无变形，极性正确。

(三)蓄电池安装

安装平稳，排列整齐，池槽高低一致，间距符合要求，接线正确，螺栓紧固，极板规格数量符合要求。接线正确，螺栓紧固，极板规格数量符合产品技术要求，极板焊接牢固。池槽编号应清晰、正确。

(四)电解液配制与灌注

电解液配制与灌注应符合产品技术规定，有蓄电池硫酸合格证。

(五)其他

(1)蓄电池充电应符合产品技术规定：充电容量达到产品技术要求，均定恒流。

(2)蓄电池的首次放电：按产品规定进行，不应“过放”，放电终了应符合相关的规定。

(3)绝缘电阻测量：符合产品技术规定，绝缘电阻大于 0.5 MΩ。

(4)蓄电池切换器的安装：应符合 GB50172—92《电气装置安装工程蓄电池施工及验收规范》规定，底板绝缘良好，灵活可靠，开关动作可靠，指示正确。

十七、起重机电气设备安装质量标准

(一)绝缘子及支架的安装

(1)绝缘子的安装：清洁，无裂纹和损伤，绝缘良好。

(2)支架的安装：平整、牢固、间距均匀，并在同一水平面或垂直面上。

(二)滑接线的安装

滑接线的安装应基本符合规范的规定。

(三)滑接器的安装

(1)接触、滑动：与滑接线应接触可靠，滑动灵活，接触面平整、光滑无锈蚀，绝缘件不应超出滑接线边缘。

(2)允许偏差：滑接器与滑接线的中心线应对正，沿滑接线全长任何位置中心线不应超出滑接线边缘。

(四)软电缆安装

软电缆安装应符合有关要求，强度、调节余量足够绝缘可靠。

(五)配线

配线应符合有关要求，导线截面 2.5 mm^2，有保护、排列整齐，导线两端有编号等。

(六)电气设备、保护装置安装

(1)电气设备和电气回路：配备齐全，固定牢靠，排列整齐，油漆完好，接线正确，动作正确，低压电器的安装应符合的有关规定要求。

(2)保护装置：安装应符合有关规定要求，自动及限位装置的动作灵敏可靠，声光信号装置显示正确、清晰、可靠。

(七)接地和接零

部位正确，接地线规格应符合要求，排列整齐，固定牢固。

(八)绝缘电阻测量

电气设备装置馈电线路绝缘电阻大于 0.5 MΩ，二次回路绝缘电阻大于 1 MΩ。

(九)交流耐压试验

试验电压标准 1 000 V、1 min 应无异常。

(十)起重机试运转和静负荷试运行

经过处理，试运行中仍有个别小缺陷，但不影响正常运行，静负荷试运行符合有关要求。

十八、电气照明装置安装质量控制要点

(一)线管配线检查

(1)线管加工：线管弯曲处无折皱、凹穴和裂缝，弯扁程度不大于管外径的 10%。配管的弯曲半径；明配管应大于等于 6 D(D 为管外径)，一个弯头的配套应大于等于 4 D。暗配管大于等于 6 D，埋设于地下或混凝土楼板的配管大于等于 10 D。

(2)线管敷设：明配管水平、垂直敷设的允许偏差匀应小于等于 0.15%，敷设于潮湿场所的线管口，管子连接处应加密封，埋设于地下的钢管应按相关规范的要求进行防腐处理。

(3)线管连线和固定：线管连线应牢固、严密、排列整齐，管卡与终端或电气器具间的距离允许偏差；固定点间的间距 50 mm，同规格钢管间距 5 mm，固定后钢管水平度 3 mm，固定后钢管的垂直度 3 mm。

(4)线管配线：线芯截面：铜芯 1 mm^2，铝芯 2.5 mm^2，管内导线不得有接头和扭接，绝缘应无损伤，管内导线总截面小于或等于管截面的 40%。布置应符合图纸要求，接线紧固，导线绝缘电阻应大于 0.5 MΩ。

(二)瓷件、瓷柱、瓷瓶配线的检查

(1)瓷件及支架安装：平整、牢固、排列整齐，瓷件等清洁、完整，间距均匀，高度一致。

(2)导线敷设：导线不得扭结、死弯和绝缘层损坏等缺陷。敷设平直整齐，绑扎牢固。

(3)导线连接：应牢固、包扎紧密、不损伤芯线。

(4)接地线连接：应牢固，接触良好。

(5)绝缘电阻值：导线间及对地大于等于 0.5 MΩ。

(三)塑料护套线配线的检查

塑料护套线配线应无扭结、损伤、牢固紧密、绝缘良好。

(四)照明配套箱的检查

(1)配电箱安装：位置符合设计要求，安装垂直允许偏差不超过 3 mm，安装牢固，油漆完整，回路标志正确、清晰。

(2)箱内电器安装：排列整齐、安装牢固。裸露截流部分(≤380 V)与非金属部分表面间距离大于或等于 20 mm。连接牢固、接触良好，导线引出板面部分应套绝缘管。

(3)各相负荷分配均匀。

(4)照明电压变化不超过 5%。

(5)绝缘电阻：不小于 0.5 MΩ。

(五)灯器具安装检查

(1)灯具配件：灯具的配置及品种应符合设计要求，灯具及配件应齐全，无机械损伤、变形、油漆剥落等。

(2)灯具所用导线：线芯截面应符合规范有关要求。

(3)灯具及开关插座安装：①安装应平稳、牢固，位置正确，高度符合设计要求。开关应切断相线。暗开关、插座应贴墙面。成排灯具开关安装的最小允许偏差：成排灯具中心≤5 mm。②暗开关：垂直度<0.15%，相邻高低差<2 mm，同室内高低差<5 mm。③同场所的交流直流或不同电压的插座有明显区别，不能互相插入，灯具吊杆用钢管直径大于等于 10 mm。日光灯和高压水银灯与其附件的配套规格应一致。

(4)金属卤化物灯的电源线：应经接线柱连接，电源不得靠近灯具表面。

(5)顶棚上灯具的安装：应固定在框架上，电源线不应贴近灯具外壳，矩形灯具边缘应与顶棚面装置直线平行。对称安装的灯具，纵横中心轴线的偏斜度应小于或等于 5 mm。日光灯管组合的灯具，灯管排列整齐，金属间隔片应无弯曲、扭斜。

(6)室外照明灯具安装：安装高度大于 3 m，墙上安装高度符合实际需要，大于 2.5 m，应固定牢固。

(7)投光灯：底座应固定牢固，光轴方向应符合实际需要，框轴拧紧固定。

(8)事故照明灯：应有专门标志，切换应可靠。

(9)接地：必须接地或接零的灯具金属外壳与接地(接零)网之间，应用螺栓连接固定。

第三节　升压变电电气设备安装工程的质量控制

一、主要依据

升压变电电气设备安装工程的质量控制的重要依据有 GB50150—95《电气装置安装工程电气设备交接试验标准》、GBJ147—90《电气装置安装工程高压电器施工及验收规范》、GBJ148—90《电气装置安装工程电力变压器、油浸电抗器、互感器施工及验收规范》、GBJ149—90《电气装置安装工程母线装置施工及验收规范》、GB50168—92《电气安装工程电缆线路施工及验收规范》等。

二、主变压器安装的质量控制

(一)一般规定

油箱及所有附件应齐全，无锈蚀或机械损伤、无渗漏现象，各连接部位螺栓应齐全，紧固良好，套管表面无裂缝、伤痕，充油管无渗油现象，油位指示正常，密封应良好。

(二)器身检查

变压器到达现场后应进行器身检查，器身检查可为吊罩或吊器身，或者直接进入油箱内进行。当满足下列条件之一时，可不进行器身检查：

(1)制造厂规定可不进行器身检查；

(2)容量为 1 000 kVA 及以下，运输过程无异常情况者；

(3)就地生产仅作短途运输的变压器，如果事先参加了制造厂的器身总装，质量符合要求，且在运输过程中进行了有效的监督，无紧急制动、剧烈振动、冲撞或严重颠簸等异常情况者。

1. 器身检查时的规定

器身检查时，应符合下列规定：

(1)周围空气温度不宜低于 0℃，器身温度不应低于周围空气温度。当器身温度低于周围空气温度时，应将器身加热以使其温度高于周围空气温度 10℃。

(2)当空气相对湿度小于 75%时，器身暴露在空气中的时间不得超过 16 h。

(3)调压切换装置吊出检查、调整时，暴露在空气中的时间应符合表 9-5 的规定。

表 9-5　调压切换装置露空时间

环境温度(℃)	＞0	＞0	＞0	＞0
空气相对湿度	65%以下	65%~75%	75%~85%	不控制
持续时间不大于(日)	24	16	10	8

(4)空气相对湿度或露空时间超过规定时，必须采取相应的可靠措施。

(5)器身检查时，场地四周应有清洁和防尘措施，雨雪天或雾天不应在室外进行。

2. 器身检查的主要项目和要求

器身检查的主要项目和要求应符合下列规定：

(1)运输支撑和器身各部位应无移动现象，运输用的临时防护装置及临时支撑应予拆除，并经过清点做好记录的备查。

(2)所有螺栓应紧固，并有防松措施、绝缘螺栓应无损坏，防松绑扎完好。

(3)铁芯检查：应无变形和多点接地，铁轨与夹件间的绝缘应良好。铁心外引接地的变压器，拆开接地线后铁芯对地绝缘应良好。打开夹件与铁轨接地片后，铁轨螺杆与铁芯、铁轨与夹件、螺杆与夹件间的绝缘应良好。当铁轨采用钢带绑扎时，钢带对铁轨的绝缘良好。打开铁芯屏蔽接地引线，检查屏蔽绝缘应良好。打开夹件与线圈压板的连线，检查压钉绝缘良好。铁芯拉板及铁轨拉带应紧固，绝缘良好。

(4)线圈：绝缘层应完好、无损，各组线圈排列整齐，间隙均匀，油路畅通，压钉紧固，绝缘良好，防松螺母紧扣。

(5)引出线：引出线绝缘良好包扎牢固，无破损、拧弯现象。引出线绝缘距离应合格、固定牢靠，其固定支架应紧固，引出线的裸露部分应无毛刺或尖角，焊接应良好。引出线与套管的连接应牢靠，接线正确。

(6)电压切换装置：无激磁电压切换装置，各分接头与线圈连接应紧固正确，各分接头应清洁且接触紧密、弹力良好，所有接触到的部分用 0.05 mm×10 mm 塞尺检查，应塞不进去。转动接点应正确地停留在各个位置上，且与指示器所指位置一致，切换装置的拉杆、分接头凸轮、小轴、销子等应完整无损，转动盘动作灵活、密封良好。有载调压切换装置的选择开关、范围开关应接触良好，分接引线应连接正确、牢固，切换开关部分密封良好，必要时抽出切换开关芯子进行检查。

(7)箱体：各部位无油泥、金属屑等杂物，有绝缘围屏者，其围屏应绑扎牢固。

3. 变压器干燥检查

检查变压器干燥记录，应符合 GBJ148—90《电气装置安装工程电力变压器、油浸变压器、互感器施工及验收规范》的有关规定。

(三)本体及附件安装的要求

1. 本位就位应符合下列要求

(1)变压器基础的轨道应水平，轨距与轮距应配合，装有气体继电器的变压器，应使其顶盖沿气体继电器气流方向有 1%~1.5%的升高坡度。当与封闭母线连接时，其套管中心线应与封闭母线中心线相符。

(2)装有滚轮的变压器其滚轮应能灵活转动。在设备就位后，应将滚轮用能拆卸的制动装置加以固定。

2. 轨道检查

两轨道间距的允许误差应小于 2 mm，轨道对设计标高允许误差应不超过 ± 2 mm，轨道连接处水平允许误差应小于 1 mm。

3. 冷却装置的安装

安装前应进行密封试验，无渗漏，与变压器本体及其他部位的连接应牢固，密封良好，管路阀门操作灵活，关闭位置正确。油泵运转正常。风扇电动机及叶片安装应牢固，转动灵活，运转正常，试运行正常，联动正确。

4. 有载调压装置的安装

传动机构应固定牢固，操作灵活无卡阻。切换开关的触头及连线应完整、接触良好，限流电阻完整无断裂，切换装置的工作顺序及切换时间应符合产品要求。机械联锁与电动联锁动作正确，位置指示器动作正常，指示正确。油箱应密封良好，油的电气绝缘强度应符合产品技术要求，电气试验符合相关标准的要求。

5. 储油柜及吸潮器安装

储油柜应清洁干净，固定牢固。油位表应动作灵活，指示正确。吸潮器与储油柜的连接管应封密良好，吸潮器应干燥。

6. 套管的安装

套管表面无裂纹、伤痕，套管应试验合格，各连接部位接触紧密，密封良好，充油套管不漏油，油位正常。

7. 升高座的安装

安装正确、边相倾斜角应符合设计要求。与中流互感器中心应一致，绝缘筒应安装牢固位置正确。

8. 气体继电器的安装

安装前应检验整定、安装水平、接线正确，与连通管的连接应密封良好。

9. 安全气道的安装

内壁清洁干燥，隔膜的安装位置及油流方向应正确。

10. 测温装置的安装

温度计应经检验，整定值符合要求，指示正确。

11. 保护装置的安装、配备

保护装置的安装配备应符合设计要求，各保护应经校验整定值符合要求，操作及联动试验过程中保护装置应动作正常。

(四)变压油

变压油应符合 GB50150—91《电气装置安装工程电气设备交接试验标准》中的相关要求：

(1)在冲击合闸前和运行 24 h 后的油中气体色谱分析两次测得的氢、乙炔、总烃含量无差别。

(2)油中微水含量为 10×10^{-6}，tan δ=0.24，击穿电压 56 kV。

(五)其他

(1)变压器与母线或电缆的连接，应符合 GBJ149—90《电气装置安装工程母线装置施工及验收规范》中相关规定，采用铜铝过渡板铜端搪锡，连接紧固，符合相关规范的要求。

(2)各接地部位：应牢固可靠，并按规定涂漆，接地引下线及引下线与主接地网的连接应满足设计要求。

(3)变压器整体密封检查：变压器安装完毕后，应在储油柜上用气压或油压进行整体密封试验，其压力为油箱盖上能承受 0.03 MPa 压力，试验持续时间为 24 h，应无渗漏。

(4)测量线组连同套管一起的直流电阻：相间相互差别不大于 2%。

(5)检查三相变压器的接线组别和单相变压器的极性：应与铭牌及顶盖上的符号相符合。

(6)检查分接头的变压比，额定分接头变压比允许偏差为 ± 0.5%，其他分接头与铭牌数据相比应无明显差别，且应符合变压比规律。

(7)测量绕组连同套管一起的绝缘电阻和吸收比：符合 GB50150—91《电气装置安装工程电气设备交接试验标准》的要求(绝缘电阻不低于出厂值的 70%，吸收比不小于 1.3 mm)。

(8)测量绕组连同套管一起的正切值 tan δ：不大于出厂值的 130%，并符合 GB50150—91《电气装置安装工程电气设备交接试验标准》的要求。

(9)测量绕组连同套管直流泄漏电流：符合 GB50150—91《电气装置安装工程电气设备交接试验标准》的要求(20℃时，110 kV，$<50\,\mu$A；30℃时，110 kV，$<74\,\mu$A。

(10)工频耐压试验：试验电压标准见 GB50150—91《电气装置安装工程电气设备交接试验标准》中相关规定，试验中应无异常。

(11)与铁芯的各紧固件及铁芯引出套管与外壳的绝缘电阻测量：用 2 500 V 兆欧表测

量，时间 1 min，应无闪络及击穿现象。

(12)非纯瓷套管：符合 GB50150—91《电气装置安装工程电气设备交接试验标准》的有关规定。

(13)有载调压装置的检查试验要求：①测量限流元件电阻与产品出厂测量值比较无显著差别。②检查开、关及动、静触头动作顺序应符合产品技术要求。③检查切换装置的切换过程：全部切换过程应无开路现象。④检查切换装置的调压情况：电压变化范围和规律与产品出厂数据相比应无显著差别。

(14)相位检查：必须与电网一致。

(15)额定电压下的冲击合闸试验：应试验 5 次，且无异常现象。

三、油断路器安装的质量控制

(一)一般规定

所有部件齐全、完整，无锈蚀、损伤、变形，油箱应焊接良好、无渗漏油现象，且油漆完好。安装前需进行电气试验的部件，其试验结果应与产品说明书相符。

(二)基础及支架安装

(1)基础部分的允许偏差：中心距及高度不超过 ± 10 mm；预留孔中心不超过 ± 10 mm，基础螺栓中心不超过 ± 2 mm。

(2)支架：金属支架焊接质量良好，螺栓固定部位应紧固。

(三)本体安装

本体安装应安装垂直、固定牢固，座与基础之间的垫片总厚度不大于 10 mm，各垫片之间焊接牢固。三相油箱中性线误差不超过 5 mm，油箱内部清洁、无杂质。绝缘衬套干燥、无损伤，放油阀畅通，油箱、顶盖法兰等处密封良好，箱体焊缝无渗油，油漆完整。

(四)消弧检查

组装正确，中心孔径一致，安装位置正确，固定牢固。

(五)套管及电流互感器安装

(1)套管：介值损符合要求，安装位置正确，法兰垫圈完好，固定螺栓紧固。

(2)电流互感器：安装位置正确，固定牢固，绝缘电阻符合要求。引线无损伤、脱焊等缺陷。接触良好，端子板完整，编号及接线正确。

(六)其他

(1)提升杆及导向板检查：无弯曲及裂纹，绝缘漆层完好、干燥，绝缘电阻符合要求。

(2)导电部分检查：触头表面清洁、镀银部分不得挫磨，铜钨合金不得有裂纹或脱焊。动、静触头应对准，分、合闸过程无卡阻。

同相各触头弹簧压力均匀一致，合闸触头紧密。调整后的触头行程、超行程同相各断面间及相同接触的周期性等技术指标，均符合产品的技术要求。

(3)缓冲器安装：符合 GBJ147—90《电气装置安装工程高压电器施工及验收规范》的相关规定或产品的有关规定。

(4)断路器与电缆软母线连接：应符合 GB50168—92《电气装置安装工程电缆线路施工及验收规范》及 GBJ149—90《电气装置安装工程母线装置施工及验收规范》要求。

(5)操作机构和传动装置安装：部件齐全、完整，接缝牢固，各锁片、防松螺母均应拧紧，开口销张开。分、合闸线圈绝缘完好，线圈铁芯动作灵活，无卡阻。合闸接触器和辅助切换开关的动作应准确、可靠。接点接触良好，无烧损或锈蚀，操纵机构的调整应满足动作要求。检查活动部件和固定部件的间隙、移动距离、转动角度等数据应在产品允许的误差范围内。操作机构密封良好，与断路器的联动动作正确、无卡阻，分、合闸位置指示器指示正确。

(6)接地：牢固可靠。

(7)提升绝缘电阻测量：符合产品技术要求(出厂 6 000 MΩ)。

(8)测量 35 kV 多油断路器介损：tan δ(%)≤1.5。

(9)测量少油断路器泄漏电流：35 kV 以上应小于或等于 10 μA(试验电压为直流 40 kV)，220 kV 以上小于或等于 5 μA。

(10)交流耐压试验：试验电压标准见 GB50150—91《电气装置安装工程电气设备交接试验标准》附录 1，试验无异常。

(11)测量每相导电回路电阻：符合产品技术规定(≤200 μΩ)。

(12)测量固有分、合闸的速度：符合产品技术规定(最大的分闸速度 10 m/s，最大的合闸速度 5 m/s)。

(13)测量分合闸的时间符合产品技术规定：(分闸时间≤0.04 s，合闸时间≤0.2 s)。

(14)测量触头分合闸同时性：符合产品技术规定(合闸≤10 ms，分闸≤4 ms)。

(15)测量分、合闸线圈及分闸接触器线圈的绝缘电阻及直流电阻：符合产品的技术规定。

(16)检查合闸接触器及分闸电磁铁的最低工作电压：

合闸：85%~110%U_n时，能可靠动作。

分闸：小于 30%U_n时，不应分闸；大于 65%U_n时，能可靠分闸。

(17)检查并联电阻及均压电容器：符合产品的技术要求(GB50150—91《电气装置安装工程电气设备交接试验标准》)。

(18)绝缘油试验：符合 GB50150—91《电气装置安装工程电气设备交接试验标准》要求。

(19)操作试验：在额定操作电压下进行分、合闸操作各 3 次，断路器动作正常。

四、空气断路器安装的质量控制

(1)一般规定：所有部件齐全完好，绝缘件清洁、无损伤和变形，绝缘良好，瓷件清洁、无裂纹，高强度瓷套不得修补，瓷套与金属法兰之间的结合应牢固、结实，法兰粘合面平整，无外伤或砂眼，安全阀、减压阀及压力表经校验合格。

(2)基础或支架的安装：中心距离及高度不超过 ± 10 mm，预留孔中线不超过 ± 10 mm，预埋孔螺栓中心线不超过 ± 2 mm。

(3)断路器底座安装：三相底座相间距离误差不超过 ± 5 mm。安装应稳固，支持瓷套的法兰应水平，三相联动的相间瓷套法兰面应在同一水平面上，橡皮密封无变形、开裂，密封垫圈压缩量不应超过其厚度的 1/3。

(4)阀门系统的安装：活塞、套筒、弹簧、胀圈等零部件完好、清洁，弹簧符合产品要求，活塞动作灵活、无卡阻，橡皮垫圈无变形、裂纹、弹性良好，各排气管、孔畅通。

(5)灭弧室的安装：触头零件应紧固，触脂镀银层完好，弹簧压力适中，灭弧室尺寸及活塞行程符合产品要求，并联电阻符合产品规定，并联电容值不超过出厂值的 ± 5%，介损值 tan δ(%)≤0.5，内部应无断线，接线接触良好。

(6)传动装置安装：各部件连接可靠，传动机构及缓冲器动作灵活正确、无卡阻。

(7)操作机构安装：安装应符合 GBJ147—90《电气装置安装工程高压电器施工及验收规范》要求，空气管道系统在额定气压下，24 h 内压降不超过 10%。

(8)接地：应牢固、接触良好、排列整齐。

(9)测量提升绝缘电阻：符合产品技术要求。

(10)测量每相回路电阻：电阻值应符合产品技术要求。

(11)测量分、合闸磁铁线圈的绝缘电阻及直流电阻：绝缘电阻≥10 MΩ，直流电阻应符合产品技术要求。

(12)测量支持瓷套及每个断口的直流泄漏电流：应符合产品技术要求(标准为 10 μA)。

(13)工频耐压试验：试验电压标准见 GB50150—91《电气装置安装工程电气设备交接试验标准》的相关要求，试验应无异常(标准 180 kV，1 min)。

(14)测量主辅触头分、合闸配合时间：动作程序及配合时间应符合产品技术要求(分闸最大(18.5±2.0)s，则合闸(9.5±12.0)s，合闸最大(19.0 ± 1.5)s。

(15)测量主触头分、合闸同时性，符合产品技术要求(合闸 0.05 s，分闸 0.30 s)。

(16)测量操动机构分、合闸电磁铁最低动作电压：

分闸电磁铁 30% $U_n<U<65\% U_n$;

合闸接触器 35% $U_n<U<110\% U_n$(额定电压为 220 V DC)。

(17)操作试验：在额定操作电压(气压)下进行分、合闸操作各 3 次，断路器应按 GB50150—91《电气装置安装工程电气设备交接试验标准》相关规定进行操作，动作正常。

五、六氟化硫断路器的安装质量控制

(1)一般规定：所有零部件应齐全完好，绝缘元件应无变形、受潮、裂纹，绝缘良好，充有 SF 气体和 N_2 气体的部件，其压力值应符合产品说明书的规定。并联电阻、电容器及合闸电阻的规格应符合制造厂的规定。密度继电器和压力表应经校验合格。

(2)基础或支架安装的允许偏差：基础中心距及高度(ΔL、ΔH)≤ ± 10 mm 预留孔中心 $\Delta\phi$≤ ± 10 mm，预埋螺栓中心 ΔL_2≤ ± 2 mm。

(3)断路器的组装：部件编号正确、组装顺序符合产品规定。零部件安装位置正确、牢固，并应符合制造厂的水平或垂直要求，同相各支柱瓷套法兰面在同一水平面上，支柱中心线距离误差不超过 ± 5 mm，相同中心距离误差不超过 ± 5 mm，绝缘支柱出线套管垂直于底架。

(4)导电回路安装：接触面应平稳，接触良好，截流部分的可挠连接无折损。

(5)操作机构安装：操作机构应固定牢固，表面清洁完整，液压操作机构应无渗油，油位正常，各连接管路应密封良好，阀门动作正常，油漆完整，接地良好。

(6)断路器支架接地：应牢固可靠。

(7)SF_6气体的检验及安装：符合 GBJ147—90《电气装置安装工程高压电器施工及验收规范》的相关规定，新 SF_6气体充装前应抽样复验，气体质量应符合 SF_6气体质量标准，含水量小于 8 ppm，断路器内气体含水量小于 150 ppm。

(8)测量绝缘操作杆的绝缘电阻：符合 GB50150—91《电气装置安装工程电气设备交接试验标准》相关条文的要求(出厂值 6 500 MΩ)。

(9)测量每相导电回路的电阻：应符合产品技术要求，出厂：R_a=28 μΩ，R_b=29 μΩ，R_c= 29 μΩ。

(10)工频耐压试验：按产品出厂试验电压的 80%进行，试验应无异常。

(11)测量灭弧室的并联电阻和均压电容的电容量 $\tan\delta$(%)：应符合产品技术要求 20℃时，$\tan\delta$(%)≤5。

(12)测量断路分、合闸时间及主、副触头分、合闸的同时性及主、副触头的配合时间：各实测值均应符合产品技术要求：固有合闸时间≤200 ms；固有分闸时间≤40 ms；分闸同期性≤3 ms；合闸同期性≤4 ms。

(13)测量断路器合闸电阻，投入时间及其电阻值：应符合产品技术要求。

(14)测断路器分、合闸电磁铁线圈的绝缘电阻及直流电阻，绝缘电阻≥10 MΩ，直流电阻应符合产品技术要求(出厂值 $R_{合}$=74.3 Ω，$R_{分}$=50 Ω)。

(15)操作试验：按 GB50150—91《电气装置安装工程电气设备交接试验标准》的相关条款进行，动作应正常。

六、六氟化硫组合电器安装质量控制

(1)一般规定：所有零部件齐全完好，瓷件及绝缘件应无变形受潮、裂纹。

(2)组合元件装配前的检查：各元件应完整无损，紧固螺栓应齐全紧固，气室密封应符合要求，接地体及支架无锈蚀、损伤，接地应牢固可靠，密度继电器和压力表经校验合格。

(3)装配与调整：装配程序和偏号应符合产品的技术要求，元件组装的水平、垂直误差应符合产品的技术规定，电气闭锁动作应正确、可靠，辅助接点接触良好、动作可靠，接地线应连接可靠、不能构成环路，异电回路应表面平整、清洁，接触紧密，截流部分的表面应无凹陷或毛刺。

(4)封闭式组合电器安装的预埋件：水平误差不应超过产品技术要求。

(5)SF_6气体检验及充装：新 SF_6气体充装前应取样复验，气体质量应符合《SF_6气体质量标准》，充装应符合相应的要求。

(6)测量主回路电电阻：电阻值应≤1.2 倍的产品规定值。

(7)主回路的工频耐压试验：按产品出厂试验电压的 80%进行，试验应无异常。

(8)密封试验：各气室年漏气率≤1%。

(9)操作试验：进行操作试验时，联锁与闭锁装置动作应准确可靠，电动、气动或液压装置的操作试验，应按产品技术条件的规定进行，动作应正常。

七、隔离开关安装质量控制

(一)外观检查

所有部件，附件齐全无损伤、变形及锈蚀，瓷件应无裂纹及破损，固定部分安装正确，固定牢固，操动机构部件齐全，连接紧固动作灵活，液压操作抗构油位正常，无渗漏油，气压操作机构密封良好，无漏气现象。

(二)隔离开关安装时的检查

隔离开关安装时的检查应符合下列要点：

(1)接线端子及截流部分应清洁，且接触良好，触头镀锌层无胶落。

(2)绝缘子表面应清洁，无裂纹、破损、焊接残留斑点等缺陷，瓷铁粘合应牢固。

(3)隔离开关的底座转动部分应灵活，并应涂以适合当地气候的润滑脂。

(4)操动机构的零部件应齐全，所有固定连接部件应紧固、转动部分应除以适合当地气候的润滑脂。

(三)开关组装

相间距离允许误差：110 kV 以下应不超过 ± 10 mm，110 kV 以上开关应不超过 ± 20 mm。支持绝缘子与底座平面应垂直且固定牢固。同一绝缘子支柱的各绝缘子中心线应在同一中心线上，同相各绝缘子支柱的中心线应在同一垂直面内，均压环应安装牢固平整。

(四)导电部分检查

触头应接触紧密，两侧压力均匀，接触表面应平整、无氧化膜，触头及开关与母线的接触面用 0.05 mm×10 mm 塞尺检查：线接触塞不进，面接触接触宽度在 50 mm 及以下，塞入深度小于 4 mm；接触面宽度在 60 mm 以上，塞入深度小于 6 mm。三相触头接触的前后差值应符合产品技术规定(≤10 mm)，开关与母线的连线应符合相关标准的要求。

(五)操动机构及传动装置的检查

检查应符合 GBJ147—90《电气装置安装工程高压电器施工及验收规范》的有关规定，即安装正确操作灵活。

(六)传动装置的安装与调整应符合下列要求

(1)拉杆应校直，与其带电部分的距离应符合现行国家标准《电气装置安装工程母线装置施工及验收规范》的有关规定。当不符合规定时，允许弯曲，但应弯成与原杆平行。

(2)拉杆的内径应与操动机构轴的直径相配合，两者间的间隙应＞1 mm，连接部分的销子不应松动。

(3)拉杆坏损或折断可能接触带电部分而引起事故时，应加装保护环。

(4)延长轴、轴承、连轴器、中间轴轴承及拐臂等传动部件，其安装位置应正确，固定应牢靠，传动齿轮应咬合准确，操作灵活。

(5)定位螺栓应按产品技术要求进行调整，并加以固定。

(6)所有传动部分应涂以适合当地气候的润滑脂。

(7)接地刀刃转轴上的扭力弹簧或其他拉伸式弹簧应调整到操作力矩最小，并加以固定；在垂直连杆上涂以黑色油漆。

(七)操动机构的安装调整

(1)操动机应安装牢固，同一轴线上的操动机构安装位置应一致。

(2)电动和气动操作前，应先进行多次手动分、合闸，机构动作正确。

(3)电动机的转向应正确，机构的分、合闸的指示应与设备的实际分、合闸位置相符。

(4)机构动作应平稳、无卡阻、冲击等异常情况。

(5)限位装置应准确可靠，达到规定分、合极限位置时，应可靠切除电源或气管。

(6)管路中的管接头、阀门、工作缸等不应有渗漏现象。

(7)机构箱密封垫应完善。

(8)气动机构的空气压缩机及空气管路应符合相关规定。

(八)其他

(1)接地：应牢固、可靠。

(2)交流耐压试验：试验电压标准见 GB50150—91《电气装置安装工程电气设备交接试验标准》中规定，试验中应无异常。

(3)测量操动机构线圈的最低动作电压：符合 GB50150—91《电气装置安装工程电气设备交接试验标准》中的相关规定，其电压值为 80%～110% U_n。

(4)开关动作情况检查：在额定操作电压(气压、液压)下进行分合闸操作各 3 次，动作正常。

八、油浸式互感器安装的质量控制

(1)外观检查：外观完整，部件齐全、无锈蚀、损伤，瓷套清洁、无裂纹，瓷铁件粘合应牢固，油位指示器，瓷套法兰接触处及放油阀等处应密封良好，无渗油现象，油位正常，变比分接头位置应符合设计规定，二次接线板应完整，引出端应连接牢固，绝缘良好，标志清晰。

(2)安装质量检查：固定牢固、安装面水平、排列整齐，均压环应装置牢固，水平且方向正确。一次接线接触良好，保护间隙的距离应符合规定，允许偏差不超过 ± 5 mm，接地部位正确，牢固可靠。

(3)测量线圈绝缘电阻：电阻值与出厂值比较无明显差别(出厂值 5 000~6 800 MΩ)，试验应无异常。

(4)交流耐压试验：一次线圈交流耐压试验，电压标准见 GB50150—91《电气装置安装工程电气设备交接试验标准》中相关规定：二次接线交流耐压试验电压标准为 2 000 V，试验应无异常。

(5)测量介质损失正切值，应符合产品的技术要求(≤2%)。

(6)绝缘油试验，应符合 GB50150—91《电气装置安装工程电气设备交接试验标准》的相关规定。

(7)测量电压互感器一次线圈直流电阻，不应超过制造厂测得值的 ± 5%(A：5.6 kΩ；B：5.4 kΩ；C：5.45 kΩ)。

(8)测量电流互感器的励磁特性曲线：同型式互感器相互比较应无明显差别。

(9)测量电压互感器空载电流：空载电流值与出厂值比较无明显差别(出厂值：a:3.75 A；b：3.7 A；c：3.7 A)。

(10)检查三相互感器的结线组别和单相互感器的极性，必须符合设计要求，与铭牌及外壳上的符号相符。

(11)检查互感器的变比：应与设计要求及铭牌值相符。

(12)测量铁芯夹紧螺栓的绝缘电阻：按 GB50150—91《电气装置安装工程电气设备交接试验标准》中相关规定进行。

九、户外式避雷器安装质量控制

(1)外观检查：外部应完整，封口处密封应良好，法兰连接处应无缝隙，瓷件应无裂纹、破损，瓷套与法兰间的结合应牢固，组合元件应经试验合格，底座和拉紧绝缘子的绝缘座良好。

(2)避雷器的安装：固定应牢固、垂直，每个元件的中心线与安装中心线的垂直偏差应小于元件高度的 1.5%。拉紧绝缘子串必须紧固，弹簧伸缩自如，同相各绝缘器的拉力应均匀。均压环安装应水平。磁吹阀型避雷器组装的上、下节位置应与制造厂产品出厂标志编号相符。放电记录应密封良好，动作可靠，安装位置一致，避雷器油漆完整，相色正确，接地良好。

(3)测量绝缘电阻：电阻组与出厂值相比应无明显差别(出厂值为 4 000 MΩ)。

(4)测量电导电流并检查组合元件的非线性系数：电导电流值符合产品规定，同一相内串联组合元件的非线性系数差值应≤0.04。

(5)检查放电记录器动作情况及基座绝缘：动作可靠，基座绝缘良好。

十、软母线装置的安装质量控制要求

(一)软母线外观检查

软母线外观应无扭结、松股、断股、变形、锈蚀。软母线和组合导线在挡距内不得有接头，设备经耐张线夹引出的软母线不得切断。

(二)金具外观检查

金具表面应无裂纹、缺釉、破损等缺陷，钢帽、钢脚与瓷件胶合处应牢固、填料无剥落。

(三)软母线架设

(1)软母线与金具的规格和间隙必须匹配，并符合现行国家标准。

(2)软母线与线夹连接应采用液压压接或螺栓连接。

(3)软母线和组合导线在挡距内不得有连接接头，并采用专用线夹在跳线上连接；软母线经螺栓耐张线夹引至设备时不得切断，应成为一整体。

(4)放线过程中，导线不得与地面摩擦，并应对导线进行严格检查。当导线有下列情况之一者，不得使用：①导线有扭结、断股和明显松股者。②同一截面处损伤面积超过导电部分总面积的 5%。

(5)新型导线应经试放，确定安装方法和制定措施后，方可全面开工。

(6)切断导线时，端头应加绑扎：端面应整齐、无毛刺，并与线股轴线垂直。压接导线前需要切割铝线时，严禁伤及钢芯。

(7)当软母线采用钢制各种螺栓型耐张线夹口不应超过 10 mm，且其端口应回到线夹内压住。

(8)当软母线采用压接型线夹连接时，导线的端头伸入耐张线夹或设备线夹的长度应达到规定长度。

(9)软导线和各种连线夹连接时，尚应符合下列规定：①导线及线夹接触面均应清除氧化膜，并用汽油或丙酮清洗，清洗长度不应少于连接长度的 1.2 倍，导电接触面应除以电力复合脂。②软导线线夹与电器接线端子或硬母线连接时，应按有关规定执行。

(10)母线弛度应符合设计要求，其允许误差为+5%～2.5%。同一挡距内三相母线的弛度应一致，相同布置的分支线宜有同样的弯度和弛度。扩径导线的弯曲度，不应小于导线外径的 30 倍。

(11)线夹螺栓必须均匀拧紧，紧固 U 型螺丝时应使两端均衡、不得歪斜，螺栓长度除可调金具外，宜露出螺母 2～3 扣。

(12)安装组合导线时，尚应符合下列规定：①组合导线的圆环，固定用线夹以及所有的各种金具必须齐全，圆环及固定线夹在导线上的固定位置应符合设计要求，其距离误差不得超过±3%。安装应牢固，并与导线垂直。②截流导线与承重钢索组合后，其弛度应一致，导线与终端固定金具的连接应符合有关规定。

(13)采用液压压接导线时，应符合下列规定：①压接用的钢模必须与被压管配套，液压钳应与钢模匹配。②扩径导线与耐张线夹压接时，应用相应的材料引导扩径导线中心的空隙填满。③压接时必须保持线夹的正确位置，不得歪斜，相邻两模间重叠不应小于 5 mm。④接 S 类管压接后，其弯曲度不宜大于接 S 类管全长的 2%。⑤压接后不应便接 S 类管口附件导线有隆起和松脱，按浇管表面应光滑、无裂纹，330 kV 及以上电压的按 S 类管应倒棱，去毛刺。⑥外露钢管的表面及压接管口应刷防锈漆。⑦压接后六角形对边尺寸应为 0.866 D，当有任何一个对边尺寸超过 0.866D+0.2 mm 时应更换钢模(D 为接 S 类管直径)。

(14)线夹与器具连接的平面接触用厚 0.05 mm×10 mm 塞尺检查，塞入深度应小于塞入方向总深度的 10%，扩径空心导线弯曲度应不小于 30 倍导线外径。母线跨接线和引下线的电气距离应符合室外配电装置的安全距离，各相引下线弧度允许偏差应小于 10%，测量软母线装置各连接处的接触电阻应小于同长度导线电阻的 1.2 倍。

(四)绝缘子外观检查

表面无裂纹、缺釉、破损等缺陷，钢帽、钢脚与瓷件胶合处牢固，填料无剥落。

(五)悬式绝缘子串的安装

绝缘子串应经交流耐压试验合格，组合连接用螺栓、穿钉、弹簧、销子等，完整穿向应一致，开口销必须分开。

十一、自容式充油电缆线路安装的质量控制

(1)一般规定：电缆附件及材料，工器具的型号规格、数量应符合设计和安装要求。土建工程及防火、灭火设施应符合设计规定并经验收合格。

(2)电缆支架安装：应符合 GB50168—92《电气装置安装工程电缆线路施工及验收规范》的相关要求，安装牢固，横平竖直。

(3)电缆敷设前检查：规格、型号符合设计要求，电缆外观完好，无损伤和渗漏现象。

(4)电缆敷设：应符合 GB50168—92《电气装置安装工程电缆线路施工及验收规范》的相关要求，接头标志正确，盖板完整。

(5)电缆头制作：应符合 GB50168—92《电气装置安装工程电缆线路施工及验收规范》的相关要求，终端头和接线密封完好。

(6)供油系统安装：应符合设计及产品技术要求，安装牢固，不漏油，油压及表针整定位符合要求。

(7)金属护套接地方式及放电间隙(或电阻器)应符合设计要求。

(8)油样电气性能试验：符合 GB50150—91《电气装置安装工程电气设备交接试验标准》的要求，C 击穿电压 50 kV/2.5 mm，$\tan\delta(\%)<0.005$。

(9)外护层试验：符合产品技术要求，绝缘电阻 $R\geqslant3.5$ MΩ，加10 kV 耐压 1 min 不击穿。

(10)电缆导体直流电阻测量：应符合 GB50168—92《电气装置安装工程电缆线路施工及验收规范》要求(0.046 kΩ/km)。

(11)直流耐压试验：试验电压符合 GB50150—91《电气装置安装工程电气设备交接试验标准》的要求，耐压时间 15 min。绝缘应不击穿(290 kV 15 min)试验无异常。

(12)投入运行前的检查：电缆排列整齐，无损伤、无渗漏油现象。标志牌应装设齐全、正确、清晰，相色应正确。供油系统及测温装置的安装应符合图纸要求，测温装置接线正确、安装牢固，无渗油现象，压力油箱及表计的整定值应符合图纸要求。测温装置接线应正确，安装应牢固，无渗油现象。压力油箱及表计的整定值应符合要求，表计动作灵敏可靠，接地方式符合设计规定。

(13)运行中的检查：电缆带电后终端上部无电晕、放电现象，接头处无渗漏油现象。带负荷后，其压力油箱的油压变化不超过电缆允许的油压范围。电缆导体的温度应无异常，电缆护套的感应电压和接地线电流符合要求。

十二、厂区馈电线路安装的质量控制

(1)一般规定：线路所有的导线、金属、瓷件等器材的规格、型号应符合设计要求。外观检查符合有关规范的要求。电杆基坑的施工及埋设深度应符合设计图纸和有关规范规定。

(2)电杆的组立：预应力杆组合符合标准杆型设计要求。

(3)拉线安装：位置及角度正确，符合标准。

(4)导线架设：符合 LGJ—70 的规定，符合设计要求，架设符合规范。

(5)电杆上的电器设备安装：基本符合标准。

(6)绝缘电阻测量：绝缘电阻应符合 GB50150—91《电气装置安装工程电气设备交接试验标准》的有关规定 (单个≥300 MΩ)。

(7)检查相位：各相两端的相位一致。

(8)冲击合闸试验：在额定电压下，对空载线路冲击合闸 3 次应无异常。

(9)测量杆塔的接地电阻：接地电阻应符合(<3 Ω)设计规定。

(10)电缆敷设的固定应符合下列要求：①垂直敷设或超过 45°倾斜敷设的电缆在每个支架上，每隔 2 m 处。②水平敷设的电缆，在电缆首末端及转弯、电缆接头的两端处，当对电缆间距有要求时每隔 5~10 m 处。③裸沿套电缆的固定处应加绝缘衬垫。

第四节　电气装置、盘柜及二次回路线施工安装的质量控制

一、盘柜安装的一般规定

(一)基本要求

(1)盘柜等在运输和安装时应采取防震、防潮，防止框架变形和漆面变损等安全措施，必要时可将装置性设备和易损元件拆下单独包装运输。当产品有特殊要求时，尚应符合产品技术文件的规定。

(2)盘柜应存放在室内或能避雨、风、雪、沙的干燥场所，对有特殊要求的产品保管(电气元件，装置设备)应按规定保管。

(3)采用的设备和器材，必须是符合国家现行技术标准的合格产品，并有合格证件，设备应有铭牌。

(4)设备和器材到达现场后，应在规定期限内做验收检查，并应符合下列要求：①包装及密封良好。②开箱检查型号、规格符合设计要求，设备无损伤，附件、备件齐全。③产品的技术文件齐全。④按规范进行外观检查。

(二)设备安装前的具备条件

(1)设备安装前，建筑工程应具备下列条件：①屋顶楼板施工完毕，无渗漏。②结束室内地面工作，室内沟道无积水。③预埋件及预留孔符合设计要求，预埋件应牢固。④门面安装完毕。⑤进行装饰工作时有可能损坏已安装设备或设备安装后不能再进行施工的装饰工作全部结束。

(2)对有特殊要求的设备，安装调试前，建筑工程应具备下列条件：①所有装饰工作完毕，清扫干净。②装有空调或通风装置等特殊设施的，应安装完毕，投入运行。

(3)设备安装用的紧固件，应用镀锌制品，并采用标准件。

(4)盘柜上模拟母线的标志颜色，应符合表 9-6 的规定。

(5)二次回路结线施工完毕，在测试绝缘时，应有防止弱电设备损坏的安全技术措施。

另外，安装调试完毕后，建筑物中的预留孔洞及电缆管口应做好封堵。

盘、柜的施工及验收，除按规范执行外，尚应符合国家现行的有关标准规定。

二、盘、柜的安装要求

(一)一般要求

(1)基础型钢的安装应符合下列要求：①允许偏差应符合表 9-7 的规定。②基础型钢安装后，其顶部宜高出抹平地面 10 mm；手车式成套柜按产品技术要求执行。基础型钢应有明显的可靠接地。

表 9-6　模拟母线的标志颜色

电　压(kV)	颜　色
交流 0.23	深灰
交流 0.40	黄褐
交流 3	深绿
交流 6	深蓝
交流 10	绛红
交流 13.8～20	浅绿
交流 35	浅黄
交流 60	橙黄
交流 110	朱红
交流 154	天蓝
交流 220	紫
交流 330	白
交流 500	淡黄
直流 500	褐
直流 500	深紫

注：①模拟母线的宽度宜为 6～12 mm；②设备模拟的涂色应与相同电压等级的母线颜色一致；③不适用于弱电屏以及流程模拟的屏台。

表 9-7　基础型钢安装的允许偏差

项　目	允许偏差	
	mm/m	mm/全长
不直度	<1	<5
水平度	<1	<5
位置误差及不平行度		<5

注：环形布置按设计要求。

(2)盘柜安装在震动场所，应按设计要求采取防震措施。

(3)盘柜及盘柜内设备与各构件间连接应牢固，主控制盘继电器保护盘和自动装置盘等不宜与基础型钢焊死。

(4)盘柜单独或成列安装时，其垂直度、水平偏差以及盘柜面偏差和盘、柜间接缝的允许偏差应符合表 9-8 的规定。

表 9-8　盘、柜安装的允许偏差

项　目		允许偏差(mm)
垂直度(l/m)		<1.5
水平偏差	相邻两盘顶部	<2
	成列盘顶部	<5
盘面偏差	相邻两盘边	<1
	成列盘面	<5
盘间接缝		<2

模拟母线应对齐，基误差不应超过视差范围，并应完整，安装牢固。

(5)端子箱安装应牢固，封闭良好，并应能防潮、防尘，安装的位置应便于检查，成列安装时应排列整齐。

(6)盘、柜、台、箱的接地应牢固良好，装有电器的可开启门，应以裸铜软线与接地的金属构架可靠地连接，成套柜应装有供检修用的接地装置。

(二)成套柜的安装要求

(1)机械闭锁、电气闭锁应动作准确、可靠。

(2)动触头与静触头的中心线应一致，触头接触紧密。

(3)二次回路辅助开关的切换接点应动作准确接触可靠。

(4)柜内照明齐全。

(三)抽屉式配电柜的安装要求

(1)抽屉式应推拉灵活轻便，无卡阻碰撞现象，抽屉应能互换。

(2)抽屉的机械联锁或电气联锁装置应动作正确可靠。断路器分闸后，隔离触头才能分开。

(3)抽屉与柜体间的二次回路连接插件应接触良好。

(4)抽屉与柜体的接触及柜体、框架的接地应良好。

(四)手车式柜的安装要求

(1)检查防止电气误操作的“五防”装置齐全，并动作灵活可靠。

(2)手车推拉应灵活轻便，无卡阻、碰撞现象，相同型号的手车应能互换。

(3)手推车进入工作位置后，动触头顶部与静触头底部的间隙应符合产品要求。

(4)手车和柜体间的二次回路连接插件应接触良好。

(5)安全隔离板应开启灵活，随手车的进出而相应动作。

(6)柜内控制电缆的位置不应妨碍手车的进出，并应牢固。

(7)手车与柜体间的接地触头应接触紧密，当手车推入柜内时，其接地触头应接触紧密，当手车推入柜内时，其接地触头应比主触头先接触，拉出时接地触头比主触头后断开。

另外，盘柜的漆层应完整、无损伤，固定电器的支架等应刷漆，安装于同一室内且经常监视的盘柜，其盘面颜色和谐一致。

三、盘柜上的电器安装要点

(一)电器的安装要求

电器的安装应符合下列要求：

(1)电器元件应质量良好，型号、规格应符合设计要求，外观应完好，且附件齐全。排列整齐、固定牢固、密封良好。

(2)各电器能单独拆装更换，不应影响其他电器及导线束的固定。

(3)发热元件宜安装在散热良好的地方，两个发热元件之间的连线应采用耐热导线或裸铜线套瓷管。

(4)熔断器的熔体规格，自动开关的整定值应符合设计要求。

(5)切换压板应接触良好，相邻压板间应有足够的安全距离。切换时不应碰及相邻的压板，对于一端带电的切换压板，应使在压板断开情况下，活动端不带电。

(6)信号回路的信号灯、光字牌、电铃、电箱、事故电钟等应显示准确、工作可靠。

(7)盘上装有装置性设备或其他有接地要求的电器，其外壳应可靠接地。

(8)带有照明的封闭式盘、柜应保证照明完好。

(二)端子排的安装要求

端子排的安装应符合下列要求：

(1)端子排应无损坏，固定牢靠，绝缘良好。

(2)端子应有序号，端子排应便于更换且接线方便，离地高度不大于350 mm。

(3)回路电压超过4 000 V者，端子板应有足够的绝缘并涂以红色标志。

(4)强、弱电端子宜分开布置，当有困难时，应有明显标志并设空端子隔开或设加强绝缘的隔板。

(5)正、负电源之间及以经常带电的正电源与合闸或跳闸回路之间，宜以一个空端子隔开。

(6)电流回路应经过试验端子，其他需断开的回路宜经特殊端子或试验端子。试验端子应接触良好。

(7)潮湿的环境宜采用防潮端子。

(8)接线端子应与导线截面匹配，不应使用小端子配大截面导线。

(三)其他

(1)二次回路的速接件均应采用铜质制品，绝缘件应用自熄性阻燃材料。

(2)盘、柜的正面及背面各电器、端子牌等应标明编号、名称、用途及操作位置，其标明的字迹应清晰、工整且不易脱色。

(3)盘、柜上的小母线应采用直径不小于6 mm的铜棒或铜管。小母线两侧应有标明其代号或名称的绝缘标志牌，字迹应清晰、工整，且不易脱色。

(4)二次回路的电气间隙和爬电距离应符合下列要求：①盘柜内两导体间、导电体与裸露的不带电的导体间，应符合表9-9的要求。②屏顶上小母线不同相或不同极的裸露载流部分之间、裸露载流部分与未径绝缘的金属体之间，电气间隙不得小于12 mm、爬电距离不得小于20 mm。

表9-9 允许最小电气间隙及爬电距离 (单位：mm)

额定电压(V)	电气间隙		爬电距离	
	额定工作电流		额定工作电流	
	≤63A	＞63A	≤63A	＞63A
U≤60	3.0	5.0	3.0	5.0
60＜U≤300	5.0	6.0	6.0	8.0
300＜U≤500	8.00	10.0	10.0	12.0

四、二次回路结线的要求

(一)二次回路结线应符合下列要求

(1)按图施工，接线正确。

(2)导线与电子元件间采用螺栓连接、插接、焊接或压接，均应牢靠。

(3)盘、柜内的导线不应有接头，导线芯线应无损伤。

(4)电磁芯线和所配导线的端部均应标明其回路编号。编号应正确，字迹清晰且不易脱色。

(5)配线整齐、清晰、美观，导线绝缘应良好、无损伤。

(6)每个接线端子的每侧接线宜为 1 根不得超过 2 根。对于插接式端子，不同截面的两根导线不得接在同一端子上；对于螺栓连接端子，当接两根导线时，中间应加平垫片。

(7)二次回路接地应设专用螺栓。

(二)盘、柜内的配线电流回路

应采用电压不低于 500 V 的铜芯绝缘导线，其截面不应小于 2.5 mm^2，其他回路截面不应小于 1.5 mm^2；对电子元件回路，弱电回路采用锡焊连接时，在满足载流量和电压降及有足够度机械强度的情况下，可采用不小于 0.5 mm^2 截面的绝缘导线。

(三)连接导线的要求

用于连接门上的电器，控制台板移动部位的导线尚应符合下列要求：

(1)应采用多股软导线，敷设长度应有适当裕度。

(2)线束应有补套塑料管等加强绝缘层。

(3)与电器连接时，端部应绞紧，并应加终端附件或搪锡，不得使所接的端子排受到机械应力。

(4)在手动部位两端应用卡子固定。

(四)入盘柜内的电缆及其芯线的要求

(1)入盘柜的电缆应排列整齐、编号清晰、避免交叉，并应固定牢固不得使所接的端子接受到机械应力。

(2)铠装电缆在进入盘、柜后，应将钢带切断，切断处的端部应扎紧，并应将钢带接地。

(3)使用静态保护、控制等逻辑四路的控制电缆，应采用屏蔽电缆，其屏蔽层应按设计要求的接地方式接地。

(4)橡胶绝缘的芯线应外套绝缘管保护。

(5)盘、柜内的电缆芯线，应按垂直或水平有规律地配置，不得任意歪斜交叉连接，备用芯长度应留有适当余量。

(6)强、弱电回路不应使用同一根电缆，并应分别比较分开排列。

另外，直流回路具有水银接点的电器，电源正极应接到水银侧接点的一端。

在油污环境中，应采用耐油的绝缘导线；在日光直射环境中，橡胶或塑料绝缘导线应采用防护措施。

第十章　水力机械辅助设备及系统管路制作与安装的质量控制

水力机械辅助设备基础的质量要求应符合 GB50204《混凝土结构工程施工及验收规范》的规定。设备就位前必须将设备底面的油污、土等脏物擦净，除去地脚螺栓预留孔中的模板及杂物，并凿出麻面，以保证灌浆质量。

一、地脚螺栓和灌浆的要求

(1)地脚螺栓的不垂直度应小于 1/100。

(2)地脚螺栓离孔壁的距离应大于 15 mm。

(3)地脚螺栓上的油脂和污垢应清除干净，但螺纹部分应涂油脂。

(4)螺母与垫圈间和垫圈与设备底座间的接触均应良好。

(5)拧紧地脚螺栓应在混凝土达到规定强度的 75%后进行，待拧紧螺母后，螺纹必须露出 2～5 扣。

(6)灌浆前，灌浆处应清洗洁净。灌浆一般宜用细碎石混凝土(或水泥砂浆)，其强度应比基础混凝土强度高一级。当其要求较高时，应尽量采用膨胀水泥拌制的混凝土(或水泥砂浆)。

二、辅助设备安装工程的质量控制

(1)设计及施工图纸、技术文件及各项施工记录齐全。

(2)施工单位质量体系健全。

(3)安装的设备必须是合格产品，出厂检验记录齐全。

(4)检验质量所使用的检测工具应经国家认可的计量检定单位标定，并在计量标定的有效期内使用。

(5)隐蔽工程必须在工程隐蔽前检查合格，并做出记录。

辅助设备安装位置的允许偏差符合表 10-1 中规定。

表 10-1　辅助设备安装位置的允许偏差　(单位：mm)

序号	项目	允许偏差
1	设备平面位置	±10
2	高程	±20～±10

第一节　空气压缩机安装的质量控制

(1)空气压缩机在安装前应对机体进行检查和更换润滑油，必要时应进行拆卸检查。

(2)设备平面位置的允许偏差应在±5 ~ ±10 mm。

(3)高程的允许偏差应在–5 ~ +20 mm。

(4)机身纵、横向水平度的允许偏差应在 0.08 ~ 0.10 mm/m。

(5)皮带轮端面的垂直度的允许偏差应在 0.5 ~ 0.30 mm/m。

(6)两皮带轮端面在同一平面内的允许偏差应在 0.5 ~ 0.2 mm。

(7)无负荷试运转 4 ~ 8 h 应符合下列要求：①润滑油压不低于 0.1 MPa。②曲轴箱油温不超过 60 ℃。③运动部件声音正常，无较大振动。④各连接部件无松动。

(8)带负荷试运转按额定压力 25%运转 1 h，50%、75%各运转 2 h，额定压力下运转 4 ~ 8 h。除达到无负荷运转的要求外，还必须符合下列要求：①无渗油、漏气、漏水现象。②冷却水排水温度不超过 40℃。③各级排气温度和压力符合设计规定。④各级安全阀动作压力正确，动作灵敏。⑤自动控制装置灵敏可靠。

(9)空气压缩机的附属设备(如冷却器、气水分离器、储气缸)就位前，应按施工图样核对管口方位、地脚螺栓孔和基础的位置是否相符。

(10)承受压力的附属设备应按设备图样或设备技术文件规定的压力进行强度的严密性试验。无规定时，强度试验压力可按 1.25 倍额定压力进行，严密性试验压力可按额定压力进行。

(11)空气压缩机试运转前应符合下列要求：①汽缸盖、汽缸、机身、十字头、连杆、轴承盖等的紧固件，应全面复查是否紧固。②仪表和电气设备应调整正确，电动机的转向应符合空气压缩机的要求。③润滑油脂的规格、数量应符合设备技术文件的规定，供油情况应正常。④进、排气管路应清洁和畅通。⑤转动压缩机数转应灵活无阻泄现象。⑥各级安全阀应灵敏。

(12)空气压缩机试运转合格后，应换润滑油。

(13)解体安装的空气压缩机应符合表 10-2 的要求。

第二节　水泵安装的质量控制

一般规定如下：水泵设备完整，不应有缺件、损坏和锈蚀等情况，管口保护物和堵盖应完好。水泵安装的质量控制包括以下几个方面。

一、深井水泵安装的质量控制要点

(1)设备平面位置的允许偏差应在 ± 5 ~ ± 10 mm。

(2)高程的允许偏差：–10 ~ +20 mm(合格)、–5 ~ +10 mm(优良)。

(3)各级叶轮与密封环间隙应符合设计要求。

(4)叶轮轴向间隙应符合设计要求。

(5)泵轴提升量应符合设计规定(1 ~ 2 mm)。

(6)泵轴与电动机轴线偏心为 0.1(优良) ~ 0.15(合格)mm。

(7)泵轴与电动机轴线倾斜为 0.5(合格) ~ 0.2(优良)mm/m。

(8)泵座的水平度为 0.10 ~ 0.08 mm/m。

表 10-2　解体安装空气压缩机的检查项目

项次	检查项目	允许偏差(mm)		检验方法
		合格	优良	
△1	机身纵、横向水平度	0.05 mm/m	0.03 mm/m	方型水平检查
2	轴瓦背与轴承座接触面积	不小于 70%	不小于 85%	用着色法检查
3	对开式轴瓦与轴颈接触面积	不小于 60%		用着色法检查
△4	轴瓦与轴颈接触点	1～2 点/cm^2	2～3 点/cm^2	用着色法检查
△5	轴瓦与轴颈间隙	符合设计规定		用压铅法或塞尺检查
6	曲轴水平度	0.10 mm/m	0.08 mm/m	方型水平仪检查
△7	汽缸与机身组合缝	无渗漏，局部间隙不大于 0.05	无渗漏，局部间隙不大于 0.03	用塞尺检查后做水压试验检查
8	连杆大头瓦与曲柄销接触面积	不小于 70%		用着色法检查
△9	连杆大头瓦与曲柄销接触点	1～2 点/cm^2	2～3 点/cm^2	用着色法检查
△10	连杆大头瓦与曲柄销间隙	符合设计规定		用压铅法或塞尺检查
11	连杆小头衬套与活塞销(十字头销)接触面积	不小于 70%		用着色法检查
12	连杆小头衬套与活塞销(十字头销)间隙	符合设计规定		用塞尺检查
13	十字头滑履与滑道接触面积	不小于 60%		用着色法检查
14	十字头滑履与滑道接触点	1～2 点/cm^2	2～3 点/cm^2	用着色法检查
15	十字头滑履与滑道间隙	符合设计规定		用塞尺检查
△16	活塞在汽缸上、下死点间隙	符合设计规定		用压铅法检查

(9)水泵在额定负荷下试运转不少于 2 h，必须符合下列要求：

填料的检查：压盖松紧适当，只有滴状泄漏。

转动部分检查：运转中无异常振动和响声，各连接部分不应松动和渗漏。

轴承温度：滚动轴承不超过 75℃，滑动轴承不超过 70℃。

电动机电流：不超过额定值(I=110 A)。

水泵压力和流量：符合设计规定(Q=550 m^3/h，P=0.2 MPa)。

水泵止退机构：动作灵活可靠。

水泵轴的径向振动：

转速(r/min)	双向振幅(mm)
750～1 000	≤0.10
1 000～1 500	≤0.08
1 500～3 000	≤0.05

(10)深井水泵试运转后 20 min，停机再次调整叶轮与导流壳之间的轴向间隙。

二、离心水泵的安装质量控制要点

(1)设备平面位置的允许偏差：±5～±10 mm。
(2)高程的允许偏差：+20～−10 mm(合格)、+10～−5 mm(优良)。
(3)泵体纵、横向水平允许偏差：0.10～0.08 mm/m。
(4)叶轮和密封环间隙应符合设计规定。
(5)多级泵叶轮轴向间隙应大于推力头轴向间隙。
(6)主、从动轴中心的允许偏差：0.10～0.08 mm。
(7)主、从动轴中心倾斜的允许偏差：0.20～0.10 mm/m。
(8)水泵在额定负荷下试运转不少于 2 h，必须符合下列要求：
填料检查：压盖松紧适当，只有滴状泄漏。
转动部分检查：运转中无异常振动和响声，各连接部分不应松动和渗漏。
轴承温度：滚动轴承不超过 75℃，滑动轴承不超过 70℃。
电动机电流：不超过额定值(I=42.5 A)。
水泵压力和流量：符合设计规定(Q=50.4 m^3/h，P=0.2 MPa)。
水泵止退机构：动作灵活可靠。
水泵轴的径向振动：

转速(r/min)	双向振幅(mm)
750～1000	≤0.10
1000～1500	≤0.08
1500～3000	≤0.06

(9)离心水泵不应在出口阀门全关情况下长期运转。

三、水泵试运转结束后的工作

(1)关闭出口阀门。
(2)放净泵内积水，防止水泵锈蚀和冻裂。

第三节　油泵安装的质量控制

一、齿轮油泵的安装要求

(1)设备平面位置的允许误差为±5～±10 mm。
(2)高程的允许偏差：±20～−10 mm(合格)、±10～−50 mm(优良)。
(3)泵体水平度的允许偏差：0.20～0.10 mm/m。
(4)齿轮与泵体径向间隙的允许偏差：0.13～0.16 mm。
(5)齿轮与泵体轴向间隙的允许偏差：0.02～0.03 mm。
(6)主、从动轴中心允许偏差：0.10～0.08 mm。
(7)主、从动轴中心倾斜允许偏差：0.20～0.10 mm/m。

(8)油泵在额定负荷的 25%、50%、75%、100%各运行 15 min 及在无压情况下运行 1 h 的要求如下：

振动：运转中无异常振动。

响声：无异常响声。

各连接部分：不应松动及渗漏。

温度：油泵轴承外壳温度不超过 60℃。

油泵的压力波动：不超过设计值的 ± 1.5%(设计值为 0.3 MPa)。

油泵输油量：不小于设计值(Q=150 L/min)。

油泵电动机电流：不超过额定值(I=6.8 A)。

油泵停止观察：符合规定。

二、螺杆油泵的安装要求

(1)设备平面位置的允许偏差：± 10 ~ ± 5 mm。

(2)高程允许偏差：± 20 ~ −10 mm(合格)、+10 ~ −5 mm(合格)。

(3)泵座纵、横向水平度的允许偏差：0.05 ~ 0.03 mm/m。

(4)螺杆与衬套间隙：符合设计规定。

(5)主、从螺杆接触面：符合设计规定。

(6)螺杆端部与止推轴承间隙：符合设计规定。

(7)主、从动轴中心允许偏差：0.05 ~ 0.03 mm。

(8)主、从动轴中心倾斜的允许偏差：0.10 ~ 0.05 mm/m。

(9)油泵试运转(在无压情况下运行 1 h 及额定负荷的 25%、50%、75%、100%各运行 15 min)的技术要求如下：

振动：运转中无异常振动。

响声：无异常响声。

各连接部分：不应松动及渗漏。

温度：油泵轴承外壳温度不超过 60℃。

油泵的压力波动：不超过设计值的 ± 1.5%(设计值为 0.52 MPa)。

油泵输油量：不小于设计值(Q=100 L/min)。

油泵电动机电流：不超过额定值(I=8.3 A)。

油泵停止观察：不应反转。

第四节　水力量测仪表及箱、缸等容器安装的质量控制

水力量测仪表安装应符合表 10-3 的规定。

油箱、汽缸等容器的安装要求如下：

(1)箱、缸等容器上附件齐备，其型号、规格符合设计要求。

(2)箱、缸等容器的进、出管口的规格、位置应符合设计要求。

(3)油箱出厂前必须做渗漏试验，并具有合格证。

表 10-3　水力量测仪表安装允许偏差

序号	项目	允许偏差
1	仪表安装位置	10 mm
2	仪表盘安装位置	20 mm
3	仪表盘垂直度	3 mm/m
4	仪表盘水平度	3 mm/m
5	仪表盘高程	± 5 mm
6	取压管位置	± 10 mm

(4)汽缸出厂前必须按设备技术要求做渗漏试验和耐压试验，并具有合格证。

(5)箱、缸等容器就位前内部应清洁干净，无杂物。

(6)箱、缸等容器的安装应符合表 10-4 的规定。

表 10-4　箱、缸等容器安装的允许偏差　（单位：mm）

序号	项目	允许偏差	说明
1	卧式容器水平度	不大于 1/1 000 L	L—容器长度
2	立式容器垂直度	不大于 1/1 000 H 且不超过 10	H—容器高度
3	高程	± 10	
4	中心线位置	10	

第五节　通风机安装的质量控制

一、通风机安装前的检查

(1)核对叶轮机壳和其他部位(如地脚孔中心距，进、排气口法兰孔径和方位及中心距，轴的中心、标高等)的主要安装尺寸是否与设计相符。

(2)进、排风口应有盖板严密遮盖，防止尘土和杂物进入。

(3)叶轮旋转方向应符合设备技术文件的规定。

(4)检查通风机转子是否发生明显的变形或严重锈蚀、碰伤。

如有上述情况应会同有关单位研究处理。

二、轴流式通风机的安装要求

(1)设备平面位置的允许偏差：± 10 ~ ± 5 mm。

(2)高程的允许偏差：+20 ~ –10 mm(合格)及+10 ~ –5 mm(优良)。

(3)机身纵、横向水平度：0.20 ~ 0.10 mm/m。

(4)叶轮与主体风筒间隙或对两侧间隙差：符合设计要求或 $D \leqslant 600$ mm 时不超过 ± 0.5 mm。D 在 600 ~ 1 200 时不超过 ± 1.0 mm。

(5)风机试运转(不少于 2 h)应符合下列要求：①叶轮试运转方向正确、运行平稳，转子与机壳无摩擦声音。②转动部分径向振动不超过表 10-5 的规定。③轴承温度：滑动轴承不超过 60℃，滚动轴承不超过 80℃。④电动机电流不超过额定值(I =1.8 A)

表 10-5 风机径向振动的允许值

转速(r/min)	750 ~ 1 000	1 000 ~ 1 450	1 450 ~ 3 000
径向振幅(双向) (mm)	不超过 0.10	不超过 0.08	不超过 0.05

三、离心式通风机的安装要求

(1)设备平面位置的允许偏差：±10 ~ ±5 mm。

(2)高程的允许偏差：+20 ~ –10 mm(合格)及+10 ~ –5 mm(优良)。

(3)轴承座纵、横向水平度：0.20 ~ 0.10 mm/m。

(4)机壳与转子的同轴度：2 ~ 1 mm。

(5)叶轴与机壳轴向间隙：符合设计规定或 D/100(D=1 000 mm)。

(6)叶轮与机壳径向间隙：符合设计规定或 D/100(1.5 ~ 3 mm)。

(7)主、从动轴中心：0.05 ~ 0.04 mm。

(8)主、从动轴中心倾斜：0.20 ~ 0.10 mm/m。

(9)皮带轮端面垂直度：0.50 ~ 0.30 mm/m。

(10)两皮带轮端面应在同一平面内，其允许偏差为 0.50 ~ 0.20 mm。

(11)风机在不少于 2 h 的试运转应符合表 10-6 的要求。

表 10-6 风机径向振动允许值

转速(r/min)	750 ~ 1 000	1 000 ~ 1 450	1 450 ~ 3 000
径向振幅(双向) (mm)	不超过 0.10	不超过 0.08	不超过 0.05

(12)轴承温度：滑动轴承不超过 60℃，流动轴承不超过 80℃。

(13)电动机电流：不超过额定值(I=37.7 A)。

四、通风机安装完毕的检查

(1)风机的进、排风管以及阀件、调节装置等均应有单独的支撑，并与基础或其他建筑物牢固连接，各管路与风机连接时法兰面应对中贴平，不应硬拉和别动。

(2)风机机壳不应承受其他机件的重量，以防止机壳变形。

第六节 系统管路安装与制作的质量控制

一般要求如下：管子的材料应符合设计规定，当无明确规定时，工作压力在 1.6 MPa 以上的管路应采用无缝钢管。

一、管路制作的要求

(1)系统管路的管件制作允许偏差应符合表 10-7 的规定。

表 10-7　管件制作允许偏差　（单位：mm）

序号	项　目	允许偏差	说　明
1	管截面最大与最小管径差	不大于 8%	
2	弯曲角度	±3 mm/m，且全长不大于 10	
3	折皱不平度	不大于 3%*D*	*D*—管子、锥形管公称直径
4	环形管半径	不超过 ± 2%*R*	*R*—环管曲率半径
5	环形管平面度	不超过 ± 20	
6	Ω形伸缩节尺寸	±10	
7	Ω形伸缩节平直度	3 mm/m，且全长不大于 10	
8	三通主管与支管垂直度	不超过 ± 2%*H*	*H*—三通支管高度
9	锥形管两端直径	不超过 ± 1%*D*	*D*—锥形管公称直径
10	卷制焊管端面倾斜	不大于 1/1 000*D*	*D*—管子公称直径
11	卷制焊管周长	不超过 ± 1/1 000L	*L*—焊管设计周长

(2)管路冷弯时，弯曲半径不小于管径的 4 倍；热弯时不小于 3.5 倍。热弯时应用木炭、焦炭、石油或煤气加热，不得使用煤炭加热，加热的温度不得超过 850℃。

(3)通风管制作安装的允许偏差应符合表 10-8 的要求。

表 10-8　通风管路制作安装允许偏差　（单位：mm）

序号	项　目	允许偏差
1	风管直径或边长	–2
2	风管法兰直径或边长	+2
3	风管与法兰垂直度	2
4	横管水平度	3 mm/m，且全长不大于 20
5	立管垂直度	2 mm/m，且全长不大于 20

二、焊接要求

(1)管路及管件焊接应符合表 10-9 的规定。

表 10-9　焊接规定

序号	项　目	允许偏差
1	焊缝外观检查	表面应无裂纹、夹渣或气孔等缺陷
2	重要焊缝无损检查(工作压力≥6 MPa)	符合 SD143—85《电力建设施工及验收技术规范》(钢制承压管道对接焊缝射线检验篇)Ⅱ级焊缝要求

(2)焊接后法兰盘与管子中心线应垂直，其偏斜值应符合表 10-10 的规定。

表 10-10 法兰盘与管子中心线垂直偏斜值 （单位：mm）

管子公称直径	＜100	＜250	＜300	＜350	＜400	＜500
法兰盘外沿允许偏斜	± 1.5	+2	+2.5	+2.5	+3	+3

三、管路安装的技术要求

(1)管路安装前应采用喷砂法或其他方法清洗管内壁，不允许管内有杂物和锈。油管路应要求更清洁，可用白布检查管内壁清洁程度。

(2)埋于混凝土内的管路管口端部露出的中心与标高应符合设计要求，并设置临时管口封墙，防止浇筑过程中杂物进入。

(3)管路安装的允许偏差应符合表 10-11 的要求。

表 10-11 管路安装允许偏差 （单位：mm）

序号	项　目	允 许 偏 差
1	明管平面位置(每 10 m 内)	±10，且全长不大于 20
2	明管高程	±5
3	立管垂直度	2 mm/m，且全长不大于 15
4	排管平面度	不超过 5
5	排管间距	0 ~ +5
6	与设备连接的预埋管出口位置	±10

(4)安装后的管路内不应有任何杂物和阻塞情况。

(5)埋设管路安装完毕，应进行规定的压力试验，合格后方允许浇筑混凝土。

(6)发电机风洞内部水管路应用白布缠绕两层，以防止外壁凝水和滴水现象。

四、管路支架的设置要求

一般在管道转弯处应增设一支架，在建筑物的每个间隔内至少应设一个支架，管路支架间距应符合表 10-12 中的规定。

表 10-12 管子支架最小间距 （单位：mm）

管子公称直径	15	20	25	32	40	50	70	80	100	125	150
支架间距	2.0	2.0	2.5	2.5	3.0	3.0	3.5	4.0	4.5	5.0	6.0

五、其他

(1)管件、阀门及管路系统水压试验要求应符合表 10-13 的规定。

表 10-13　水压试验标准

序号	试验项目	试验性质	试验压力(MPa)	试压时间(min)	要求标准	备　注
1	1.0 MPa 以上阀门	严密性	1.25*P*	5	无渗漏	*P*—额定工作压力
2	自制有压力容器及管件	强度	1.5*P* 并大于 0.4	10	无渗漏	
3	自制有压力容器及管件	严密性	1.25*P* 或 1*P*	30 h 或 12 h	无渗漏且压降小于 5%*P*	
4	无压容器	渗漏	注水	12 h	无渗漏	
5	系统管道	强度	1.25*P*	5	无渗漏	
6	系统管道	严密性	1*P*	10	无渗漏	
7	通风系统	漏风率	额定风压		不大于设计风量 10%	

(2)管路和管路支架安装完成后，应按表 10-14 的规定颜色涂沫油漆。

表 10-14　规定涂漆颜色

序号	管 路 名 称	管 路 颜 色
1	操作系统压力油及净润滑油管路	红　色
2	操作系统排油及污润滑油管路	黄　色
3	净绝缘油管路	红　色
4	污绝缘油管路	黄　色
5	技术用水供水管路	蓝　色
6	技术用水排水管及排水泵管路	绿　色
7	技术用水及消防用水合用管	蓝　色
8	消防水管	橙黄色
9	卫生用上、下水管	银　色
10	厂房下水道及排污泵管路	黑　色
11	压缩空气管路及其他空气管路	白　色
12	管子支架及阀门	浅灰色

(3)在建筑物每个单独间隔内的管段上和在每个分支管段上，均用黑色磁漆标明管中介质的规定流动方向，在有两个相反流动方向时，则标注两个相反方向的箭头。

(4)介质流动方向的箭头后面还应该用文字注明管路的去向。字体尺寸为管子外径的 0.6 倍。阀门的手轮上应标明开关的方向。

第七节　盘石头水库电站的辅助设备技术

一、空气压缩机的技术要求

电机采用三相鼠笼式异步电机，F 级绝缘，电机应符合 GB755—87《旋转电机基本技术要求》的有关规定，应能满足全电压启动的要求。

空气压缩机配置能够达到储气罐低压时空气压缩机自动启动、储气罐高压时空气压缩机自动停机的要求。空气压缩机外形美观、结构紧凑、性能稳定、启动灵活、噪音低、安全可靠、维护保养方便。空气压缩机配置的结构形式采用活塞式、空气冷却方式。

二、储气罐的技术要求

储气罐为钢板焊接圆柱结构，上下采用椭圆封头，并满足强度、刚度和稳定要求。进气管、排气管设置在罐体的适当位置(与空气压缩机相适应)，管径为 DN50 mm(带法兰)。排污管设在罐底，管径为 DN25 mm(带法兰)，其结构尺寸符合《水电站机电设计手册》(水力机械分册)的规定。

储气罐结构、材料及强度应符合 GB150—98《钢制压力容器与压力容器安全技术监察规程》的有关规定。

储气罐设置两个压力信号器，以便控制空气压缩机的开启和停止，达到自动控制储气罐压力的目的。

储气罐设置安全阀，在罐内气压高出最高压力时，自动排气以保证储气罐的安全运行，安全阀的排泄量与空气压缩机排气量协调。

储气罐各部位焊缝牢固，没有气眼、夹渣、焊不透等现象存在，符合 GB150—98《钢制压力容器与压力容器安全技术监察规程》规定的要求。

储气罐支脚为 3 个，采用钢结构，其高度应在满足安装、检修和运行的前提下，由供方统筹考虑。支脚焊在储气罐椭圆筒底与地板接触的基础板，采用 200 mm × 200 mm 的钢板与支脚焊接在一起，并在每个基础板上开一个地脚螺栓孔，孔直径为 18 mm。

所有与储气罐连接的管道在罐体开孔处均采取补强措施，补强面积按有关规定实施。储气罐应外形美观凑、结构紧凑、安全可靠、维修保养方便。

在储气罐体的适当位置设置快开进人孔，并采用螺栓连接，储气罐的顶部设有起吊环。

储气罐加工完毕后，表面在实施防腐前，表面应先清理干净再进行抛丸除锈处理，除锈等级应符合 GB8923《涂装前钢材表面锈蚀等级和除锈等级》的规定，并达到 Sa2.5 级；除锈后，在设备内外及部件表面喷涂两层防锈底漆，其干膜厚不小于 80 μm；然后再涂喷两层面漆，面漆的种类和颜色应按合同中的规定。

三、气水分离器的技术要求

气水分离器为钢板焊接结构，上端盖为平板法兰，在法兰底面焊接两块隔板，隔板尺寸与器体相一致，上端盖与器体采用法兰螺栓连接；器体圆柱段下部焊接一圆环，环上钻孔数个，环中间焊接一块立板，插入上端盖的两隔板中间，下部为椭圆封头，与器体焊接在一起；进气管、排气管设在器体的适当位置(与空气压缩机适应)，管径为 DN50 mm(带法兰)；排污管设在气水分离器底，管径为 DN25 mm(带法兰)。

气水分离器材料、结构及强度应符合 GB150—98《钢制压力容器与压力容器安全技术监察规程》的有关规定。

所有与气水分离器连接的管道在罐体开孔处均采取补强措施，补强面积按有关规定实施。气水分离器应外形美观、结构紧凑、安全可靠、维护保养方便。

气水分离器加工完毕后，表面在实施防腐前应先将内外表面清理干净，再进行抛丸除锈处理，除锈等级符合 GB8923《涂装前钢材表面锈蚀等级和除锈等级》规定，并达到 Sa2.5 级；除锈后，在设备内外及部件表面喷涂两层防锈漆底，其干膜厚度不少 80 μm；然后再喷涂两层面漆。

四、排水泵的技术要求

排水泵为离心泵，配套电机采用三相鼠笼式异步电机，F 级绝缘，电机符合 GB755—87《旋转电机基本技术要求》的规定，应能满足全电压启动的要求。

排水泵吸出高度不小于 3.5 m。排水泵外形美观、结构紧凑、性能稳定、启动灵活、噪音低、安全可靠、维护保养方便。

五、1、2 号电站油系统技术条件要求

(1)齿轮油泵的加工制造符合齿轮油泵设计制造规范的有关规定。

(2)电机采用三相鼠笼式异步电机，F 级绝缘，电机应符合 GB755—87《旋转电机基本技术要求》的有关规定。

(3)电机能满足全电压启动的要求。

(4)齿轮油泵外形美观、结构紧凑、性能稳定、启动灵活、噪音低、安全可靠、维护保养方便。

六、压力滤油机技术要求

(1)压力滤油机应符合相关制造规范的有关规定。

(2)压力滤油机能高效地排除油中的水分和杂物微粒。

(3)压力滤油机由过滤床、油泵和过滤器等组成，为可移动式装置。

(4)齿轮油泵由滚动轴承支撑，在油泵的下部应设有安全阀，以避免压力过高造成机械事故。

(5)在油泵的吸入端安装粗滤器，以便油的净化，并防止大的颗粒进入油泵对油泵造成损坏。

(6)压力滤油机设回油阀，当箱内有丰油时能吸走存油。

七、真空净油机的技术要求

(1)真空净油机符合 DL/T521—92《真空净油机使用验收导则》的有关规定。

(2)真空净油机系统为处理绝缘油的净油机组，能高效地排除油中的水分和杂质微粒，提高绝缘油的耐电强度和品质，保证电器设备的安全运行。

(3)真空净油机由真空脱氧罐、排油泵、电磁阀、粗过滤器真空泵、冷凝器、高精过滤器、电加热器、各类阀门和仪表控制盘等组成。

(4)不合格的绝缘油经真空净油机处理后，应达到如下指标：①一次净化处理后，残余水量≤4 mg/kg，残余气量≤0.3%，清洁度(MAS 级)≤6 级，击穿电压≥6.5 kV。②数次

净化处理后，残余水量≤3 mg/kg，残余气量≤0.1%，过滤精度≤10 μm，清洁度(MAS级)≤5 级，击穿电压≥70kV。

(5)电机采用三相鼠笼式异步电机，其技术指标符合 GB755—87《旋转电机基本技术要求》的相关规定，满足全电压启动的要求。

(6)真空净油机性能稳定、噪音不大于 80 dB(A)、安全可靠、维护保养方便。

(7)真空净油机工作异常时，能自动停机。

(8)真空净油机为封闭移动式，便于人工推行和移动。

(9)设备及部件表面在实施防腐前，应先将表面清理干净，再进行喷砂除锈处理，除锈等级符合 GB8923《涂装前钢材表面锈蚀等级和除锈等级》的规定，清洁度达到 Sa2.5 级；喷砂处理后，在设备与部件表面喷涂两层防锈底漆，其干膜厚度不小于 80 μm；然后再涂两层面漆，面漆的种类和颜色按规定要求。

八、储油罐和重力油箱的技术要求

(一)储油罐技术要求

储油罐为钢板焊接圆柱结构，顶部为法兰连接结构，底部为圆锥结构，并有足够的刚度和强度，应能满足稳定要求；锥底设置排油管，管径为 DN80 mm(带法兰)。在排油管上梯接 DN25 mm(带法兰)油管。进油口设置在油桶圆柱部分的上部(带法兰)，油管管径为 DN40 mm。出油口设置油桶圆柱部分的下部(带法兰)，油管管径为 DN40 mm。

储油罐设置呼吸器，以便进、出油时排除或补充空气并满足进出油时进气或排气要求，可避免对储油罐产生不利影响。呼吸器装硅胶部分用透明有机玻璃制作，其他部分采用钢结构制作。硅胶符合有关规定，达到吸潮的要求。

储油罐圆柱段设置油位计，以便显示油罐中油位，同时在液位计与油罐连接的管道上采用旋塞控制，以便在液位计事故时切断油源。

各部位的连接油管均采用无缝管钢。

储油罐各部位焊缝牢固，没有气眼、夹渣、焊不透等现象存在。储油罐支座为 3 个，采用钢管制作，其高度在满足安装、检修和运行的前提下，支座焊接在储油罐上。与罐底接触部分设补强环，与地板接触部位焊接 200 mm × 200 mm × 20 mm 的钢板，并在每个基础板上预留两个地脚螺栓孔，孔直径为 18 mm。

所有与罐体和罐底连接的管道，在罐体开孔处采用补强措施，补强面积按有关规定确定。储油罐应外形美观、结构紧凑、安全可靠、维护保养方便。

储油罐加工完毕后，表面在实施防腐前，应将表面清理干净再进行抛丸除锈处理，除锈等级应符合 GB8923《涂装前钢材表面锈蚀等级和除锈等级》的规定，并达到 Sa2.5 级；除锈后，在设备内外及部件表面喷涂防锈底漆，其干膜厚度不小于 80 μm；然后再喷涂两层面漆。

(二)重力加油箱技术要求

重力加油箱为钢结构，顶部采用法兰连接，底部为矩形结构，并有足够的刚度和强度，满足稳定要求。排油管、溢油管、出油管均布置在油箱底部。进油管设置在油箱顶部，管径均为 DN40 mm。出油管口高出箱底 50 mm。溢油管口至油箱底部 500 mm。排油管口与箱底平。

重力加油箱外设置液位信号器，以控制最高油位和最低油位。当油箱油位达到最低时，发出信号，自动启动齿轮油泵，由储油罐向重力加油箱送油；当油箱油位达到最高时，发出信号，齿轮油泵自动停止运行。各部位的连接油管均采用无缝钢管，各部位焊缝牢固，没有气眼、夹渣、焊不透等现象存在。

重力加油箱采用钢支架固定在墙上，其防腐要求同储油罐。

九、滤水器的技术要求

(1)滤水器在要求的压力和流量变化范围内具有安全稳定和连续工作能力。

(2)滤水器具有过流面积大、过流阻力小、排污耗水量小等特点。

(3)在规定的压力范围内，通过滤水器的流量最大不超过额定流量的10%。

(4)在清污、排污时不影响正常供水。

(5)自动冲洗能实现定时清污、压差控制清污和手动清污三种控制方式，并可切换选择，同时具有自动清洗滤网的功能。

(6)滤水器的操作电机功率有足够的安全余量，电机绝缘采用F级，并采取防潮措施，其防护等级为IP54。

(7)滤水器的减速机出现故障、电动排污阀过力矩、差压过高时均设有安全保护措施和故障报警指示。

(8)运行平稳、噪音小(不大于＞8 dB(A))。

十、减压阀的技术要求

(1)减压阀具有减压效果好、抗气蚀性能强、流量和压差控制范围大等特点，并保证任一压差和流量的配匹。

(2)减压阀在要求的压力和流量变化范围内具有安全稳定和连续工作能力。

(3)在规定的范围内，其流量、压力调节是线性的，调节精度高。

(4)减压阀运行平稳、噪音小(不大于＞8 dB(A))、振动轻。

(5)减压阀的操作电机功率有足够的安全余量，电机绝缘采用F级，并采取防潮措施，其防护等级为IP54。

(6)设有安全保护措施和故障报警指示。

(7)表面光亮，无污物、碰伤、裂痕等现象，流道与介质接触的表面光滑，并进行表面耐腐蚀涂层处理。

(8)承受水压的零部件均应进行耐压试验，试验压力为使用范围最大压力的2.0倍，保持时间30分钟没有渗漏现象。

(9)控制和保护要求如下：①每台减压阀配一套完整的与减压阀配套的控制箱和保护系统，分别满足手动、电动和远方自动控制的要求，系统设有故障和过限信号装置，并留有计算机接口，可与计算机系统连接。②控制箱防护等级满足IP43的要求，并配有防潮电热器，以防自动化元件受潮失灵。③在减压阀进出口设置压差开关，随时监视减压阀的运行，当压力达到设定值时，能向计算机控制系统发出信号。

十一、轴流风机的技术要求

(1)轴流风机在要求的压力和流量范围内具有安全稳定和连续工作能力。

(2)具有过流面积大、阻力小、效率高等特点。

(3)轴流风机的配套电动功率有足够的安全余量。

(4)运行平稳、噪音小(不大于 70 dB(A))。

(5)轴流风机流道表面光滑，机壳外表面光亮，无污物、碰伤、裂痕等现象。

十二、离心风机的技术要求

(1)在要求的压力和流量范围内具有安全稳定和连续工作能力。

(2)具有阻力小、效率高等特点。

(3)所配套的电动功率有足够的安全余量。

(4)运行平稳、噪音小(不大于 70 dB(A))。

(5)风机进出口采用法兰连接，连接尺寸符合有关规定。为保证设置安全稳定运行和便于设备安装，风机和电机采用同一底座固定于基础上。离心风机流道表面光滑，机壳外表面光亮，无污物、碰伤、裂痕等现象。

参 考 文 献

[1] 水利部国际合作与科技司. 工程建设标准强制性条文(水利部分)宣传辅导教材. 北京：中国水利水电出版社，2001

[2] 国家技术监督局，建设部. GB50026—93 工程测量规范. 北京：中国计划出版社，2001

[3] 李先镇. 水利水电工程质量控制要点. 北京：中国水利水电出版社，1999

[4] 四川省水利电力厅. SL172—96 小型水电站施工技术规范. 北京：中国水利水电出版社，1997

[5] 陈宗梁. 机电及自动化. 见：水电卷编辑委员会电力工业标准汇编. 北京：水利电力出版社，1995

[6] 水利部建设与管理司，水利部水利工程质量监督总站. 水利水电工程施工质量评定表填表说明与示例(试行). 北京：中国水利水电出版社，2003